限界集落と地域再生

大野 晃

新潟日報事業社

2005年国勢調査の小地域集計で、長野県内で最も高齢化率が高かった中条村日下野の集落（2007年10月）

日本列島「限界集落」〜長野の光景

長野県北相木村にわずか二軒残るかやぶき屋根の民家。費用や家主の高齢化から、ふき替えのめどは立っていない（2008年6月）

北アルプスを向こうにした山あいに家が肩を寄せ合う旧大岡村の慶師集落。2005年、長野市に編入合併した旧村の中でも小さな集落で、住民の多くは細々と農業を続ける（2007年4月）

（写真はいずれも信濃毎日新聞社撮影）

秋田県上小阿仁村八木沢地区。かつては黄金の稲穂が揺れていた集落西側の棚田跡。維持管理が難しい故に減反の対象となり、一部は畑となったが、ほとんどはススキの生い茂る原野に戻りつつある（2008年9月）

村の中心部から15㎞以上分け入った山あいの八木沢地区。9月も半ばを過ぎると秋の気配が色濃くなる。冬に備えて、収穫物の取り入れ準備をするお年寄り（2008年9月）

（写真はともに秋田魁新報社撮影）

―― 日本列島「限界集落」～秋田の光景

秋田県上小阿仁村の限界集落・八木沢地区を現地調査をする鹿渡小学校の子どもたち。限界集落は子どもたちの未来の問題でもある（2006年6月）＝渡部豊彦さん提供

長崎県五島市奥浦町の「沈黙の林」。森の再生が「山」の「むら」の再生を導く（2007年7月）

―― 日本列島「限界集落」～長崎の光景

五島市奥浦町奥ノ木場。消滅しかかった集落の耕作放棄地を都会人や島の中心部の人らが復活。稲刈りの真っ最中（2007年10月）

五島市の久賀島。奥の中央が国指定重要文化財の旧五輪教会堂。島陰に教会堂と信者らの小集落が点在するのが五島市のへき地の特徴的な風景だ（2008年2月）

（写真はいずれも長崎新聞社撮影）

日本列島「限界集落」〜あすが輝く

来年のこともわからぬ歳なれど夢をいだいて花種集める（まきこ）

長野県北相木村の井出まきこさんは区長も務める元気者の82歳。「布団に入るといつの間に80になったかと考えるよ。背伸びして生きてるかなあ」と明るく話す。「まき姉さん」たちの笑顔がいつまでも続くように（2006年7月）

春を告げる花、それがミツマタ。山里を見守る。高知県仁淀川町椿山で（2002年3月）

（写真はともに大野晃撮影）

限界集落と地域再生　目次

第6章　自治体間格差の現状と分析
（全国47都道府県の全市町村の「限界」予測）

（表紙写真　大野　晃）

はじめに……限界集落と沈黙の林

65歳以上の高齢者が集落人口の半数を超え、冠婚葬祭をはじめ田役、道役などの社会的共同生活の維持が困難な状態に置かれている集落を、私は「限界集落」と呼んでいる。「むら」を守り、森を守り、水を守り、海を守り、総じて国土を守り続けてきた人たちは、いま日々体力の衰えの中、消滅集落への一里塚を刻みつつある。「限界集落」は人体をむしばむがんにも似た社会的病巣となり、止めようのない国土の崩壊を招きつつある。

独居老人が滞留する場と化した「むら」。人影もなく、一日誰とも口をきかずにテレビを相手に夕暮れを待つ老人。天気がよければ野良に出て、野菜畑の手入れをし、年間35万円の年金だけが頼りの家計。移動スーパー（販売車）の卵の棚に思案しながら手を伸ばすシワだらけの顔。バス路線の廃止に交通手段《あし》をなくしタクシーでの気の重い病院通い。1カ月分の薬を頼んでも断られ、2週間分の薬を手にアジの干物を買い家路を急ぐ老人。テレビニュースの声だけが聞こえているトタン屋根の家が、女主人の帰りを待っている「むら」。

家の周囲を見渡せば、めぐら地（家周りの田畑）に植えられた杉に囲まれ、日も差さない主人《あるじ》なき廃屋。苔《こけ》むした石垣が階段状に連なり、かつて棚田であった痕跡をとどめている杉林。何年も人の手が入らず、間伐はおろか枝打ちすらされないまま放置されている線香林。日が差さず下草も生えないむき出しの地表面。野鳥のさえずりもなく、枯れ枝を踏む乾いた音以外には何も聞こえない「沈黙の林」。田や畑に植林された杉に年ごとに包囲の輪を狭められ、息を潜めて暮らしている老人。

　これが病める現代山村の偽らざる姿であり、＜限界集落と沈黙の林＞はまさにその象徴である。すみかを奪われた野鳥が姿を消し、荒廃し保水力を失った人工林は水枯れの沢を生むだけでなく、時として鉄砲水を呼び、これが川底を変え水生昆虫やエビ、カニ、川魚のすみかを奪う。また、線香林が部分的林地崩壊を招き、むき出しの表土が雨で河口に流され、これが沈殿堆積《たいせき》して磯枯れした死の海をつくりだしている。保水力の低下した「山」は渇水問題や鉄砲水による水害を発生させ、これが下流域の都市住民や漁業者の生産と生活に大きな障害を生んでいる。

　それ故、＜限界集落と沈黙の林＞に象徴される現代山村の問題は、下流域の都市住民や漁業者にとって対岸の火事では済まされなくなってきており、いまや国民総意で考えなければならない段階にきている。

　＜限界集落と沈黙の林＞に象徴されるこの現状から脱け出し、＜人間と自然＞が共に豊かになるような日本の未来をどう切り開いていったらよいのか。

　＜人間と自然＞の豊かさの創造という現代的視点から山村の持つ意味、価値を問い直し、その現実がわれわれに何を要請しているのかを実態把握を通して明らかにし、山村の新たな展開を目指すこと――これが本書の課題である。

Chapter 1

第1章

山村の現状と限界集落

交付税ショック

わが国の山村はいま、人口、戸数の激減と高齢化の進行で集落の自治機能が急速に低下し、集落は社会的共同生活の維持が困難な状態に追い込まれている。

これは、農工間不均等発展が招いた産業構造のゆがみによる大都市と農山漁村や離島を抱える地方との地域間格差の拡大がもたらした結果にほかならない。この格差は、産業構造に規定された構造的地域間格差である。格差の内容は、賃金をはじめ就業機会、医療・介護や福祉、教育・学校間格差などが重層化し、これらの格差の総体が私たちの社会生活を規定し、地域間の人口移動を促している。

特に山村では、重層化した格差に加え、外材圧迫による長期の林業不振が地域間格差の拡大に拍車を掛けている。また、２００１（平成13）年に誕生した小泉純一郎内閣の「聖域なき構造改革」の目玉となる小さな政府論の具体的政策「三位一体の改革」で地方交付税が大きく減額された。この〝交付税ショック〟は地方自治体の財政を直撃し、中心市街地から遠く離れている水源集落などへの住民サービスが低下の一途をたどり、大きな格差拡大要因となった。さらに、平成の大合併により周辺部化した旧町村の集落が取り残され、中心市街地との格差が拡大している。

集落の状態区分

「限界集落」問題を考えるとき、まず自治体内部の集落間格差をどのような方法でとらえたらよいのか、格差分析の手法の説明から始める。

わが国では、市町村自治体を支えている基礎的社会組織は集落である。この集落の集落間格差を分析して自治体の安定度、崩壊度を測る物差しにし、集落の状態に応じた地域再生の手だてを考えるために、私は次のような集落の状態区分を行っている。

存続集落　55歳未満の人口が集落人口の50％を超え、後継ぎ確保によって集落の担い手が再生産されている集落。若夫婦世帯、就学児童世帯、後継ぎ確保世帯が主。

準限界集落　55歳以上の人口が集落人口の50％を超え、現在は集落の担い手が確保されているものの、近い将来、その確保が難しくなっている限界集落の予備軍的存在になっている集落。夫婦のみの世帯と準老人（55歳〜64歳まで）夫婦世帯が主。

限界集落　65歳以上の高齢者が集落人口の50％を超え、冠婚葬祭をはじめ田役、道役などの社会的共同生活の維持が困難な状態にある集落。老人夫婦世帯、独居老人世帯が主。

消滅集落　人口、戸数がゼロとなり文字通り消滅してしまった集落。

表ー1　集落の状態区分とその定義

集落区分	量的規定	質的規定	世帯類型
存続集落	55歳未満人口比 50%以上	後継ぎが確保されており、社会的共同生活の維持を次世代に受け継いでいける状態	若夫婦世帯 就学児童世帯 後継ぎ確保世帯
準限界集落	55歳以上人口比 50%以上	現在は社会的共同生活を維持しているが、後継ぎの確保が難しく、限界集落の予備軍となっている状態	夫婦のみ世帯 準老人夫婦世帯
限界集落	65歳以上人口比 50%以上	高齢化が進み、社会的共同生活の維持が困難な状態	老人夫婦世帯 独居老人世帯
消滅集落	人口・戸数が ゼロ	かつて住民が存在したが、完全に無住の地となり、文字通り集落が消滅した状態	

注）準老人は55歳〜64歳までを指す。

集落の状態区分は、集落人口の年齢構成による量的規定と集落の社会的共同生活の維持いかんという質的規定の総体として把握され定義づけられている。しかし、集落の状態の質的規定は実態調査によって把握されるので、統計的に数量把握するためには量的規定によらざるを得ない。それ故、限界集落の数を数量的に把握する場合も一般的には量的規定に依拠して行われている。集落の状態区分とその定義の要点を**表—1**にまとめたので参照されたい。

この集落の状態区分で、市町村自治体の全集落の状態が分かり、動向を把握できる。

「限界自治体」

表—2は高知県の旧池川町（現・仁淀川町）の2001年時点の集落の状態分析を示したものである。人口減少率が高くなるに従い、集落の状態が存続集落から準限

表－２　高知県旧池川町（現・仁淀川町）の集落状態分析（2001年）

人口増減率＼項目		集落数	集落の状態区分		
			存続集落	準限界集落	限界集落
増加地区	50％以上	1		1	
	０～50％未満	1	1		
減少地区	０～40％未満	2	1	1	
	40～60％未満	3		2	1
	60～70％未満	4	1	2	1
	70～80％未満	8		2	6
	80～90％未満	14			14
	90％以上	3	1		2
	比較不能	2	2		
計（比率）		38（100.0％）	6（15.8％）	8（21.1％）	24（63.2％）

注１）人口増減率は1960年と2001年の対比。
　２）大野晃『山村環境社会学序説』農山漁村文化協会、2005年、26ページより転載。

界集落へ、準限界集落から限界集落へと移行していく状況が示されている。人口減少率70％以上の25集落のうち22集落が限界集落となり、旧池川町では全集落の63・2％を限界集落が占めている。準限界集落は８集落、存続集落はわずか６集落にすぎない。

「集落の状態分析」は人口減少率、人口規模、高齢化率の３者が相関関係を持っていることに着目したものである。集落の人口減少率が高くなれば人口規模が縮小し、高齢化率が高くなり、集落の状態が存続集落から準限界集落へ、準限界集落から限界集落へと移行し、年々限界集落の比重が大きくなって、自治体が「限界自治体」となる。

人口、戸数が激減し高齢化が急速に進行している現代山村では、集落が存続集落から準限界集落へ、準限界集落から限界集落へと移行し、さらに限界集落が消滅集落へ向かう動きが着実に進行し、自治体内部の集落間格差が拡大している。こうした点を私は綿密なフィールドワークを踏まえて１９８０年代終盤から論文や講演などで指摘し、山村崩壊の危機に警鐘を鳴らしてきた。

自治体の基盤的社会組織である集落が限界集落化すれば、やがて自治体は65歳以上の高齢者が自治体総人口の半数を超え、〝年金産業〟が主となり、自主財源の減少と高齢者医療・老人福祉関連の支出増で財政維持が困難な状態に陥る。こうした自治体を私は「限界自治体」と呼んでいる。

人口減少率と人口規模と高齢化率の３者が相関関係を持っている点は、都道府県内の自治体でも同様である。自治体の人口減少率が高くなれば人口規模が縮小して高齢化率が高くなり、５０００人未満の小規模自治体に限界自治体とその予備軍が滞留してくる。

見えなくなった実態〜旧大岡村（長野市）の場合

国立社会保障・人口問題研究所が２００３年に発表した２０００年から２０３０年までの30年間の「市町村別将来推計人口」を見れば、２０３０年には全国で１４４の小規模自治体が限界自治体になると予測されている。

小規模自治体化が進む厳しい状況を長野県の例で見る。長野県人口は２０００年の１２０市町村の総人口２２２万人から２０３０年には２０１万人に減少し、高齢化率は22％から31％に高まる。人口規模が大きい都市部では人口減が緩やかなのに対し、人口１万人未満の自治体は、人口減少が激しく小規模化が顕著である。

「５０００人以上～１万人未満」の町村が30から20に減少する一方、「３０００人以上～５０００人未満」が15から22へ、「３０００人未満」が31から37へと増え、小規模化の進行が明確に示されている。２０３０年時点で人口３０００人未満となる37の小規模自治体を詳しくみれば、30年間で３割以上人口が減少する自治体は28を数える。また、２０３０年時点で高齢化率が50％を超える限界自治体は２村、高齢化率40％台の村は19村。この19村の多くは限界自治体の予備軍でありながら「平成の大合併」によって旧村の名前も消え、その実態が見えない。県庁所在地、長野市の旧大岡村がその例である。

旧大岡村は２００７年４月１日現在で人口１４３３人、世帯数６２９戸で高齢化率が46・１％の限界自治体予備軍である。旧村の10地区の高齢化率は、30％台が３地区、50％以上が７地区。７地区のうち２地区は70％台の高さになっている。高齢化率72・３％の四ケ村《しかむら》は５つの集落に分かれているが、５集落すべてが限界集落で、このうち高齢化率１００％の集落が１集落、87％の集落が１集落ある。また、地区全体で独居老人世帯が３割を超える。旧大岡村は中核都市の傘に入ったことで厳しい「むら」の姿が隠されたのだ。

22人の大量退職

「三位一体の改革」による〝交付税ショック〟で限界自治体化が早まっている事実も見逃せない。国立社会保障・人口問題研究所の将来予測で高知県は53自治体（２００８年1月1日現在、合併により34自治体）のうち２０３０年に7自治体が限界自治体になると予測されていた。

そのうちの一つ大豊町は、２０００年の人口６３７８人が２０３０年には２７７１人に激減し、２０００年の高齢化率44・５％が２０１５年には51・８％、２０３０年には54・２％になると予測されていた。しかし、現実には大豊町では限界自治体化が予想以上に早まっている。同町は２００６年４月30日に高齢化率が50％（町人口５６３２人、高齢者人口２８１６人）に達し、高知県の限界自治体第1号となった。２００７年12月31日現在の高齢化率は51・６％（町人口５３６５人、高齢者人口２７６９人）になり高齢化率が少しずつ上昇している。

２００4年度、国は「三位一体の改革」で前年度比12％、２・９兆円の地方交付税の削減を実施した。この〝交付税ショック〟の余波を受けた大豊町では、２００4年度予算で5億円の交付税削減が見込まれたため、役場職員１３１人中22人の大量退職で1億７０００万円の人件費を浮かせ、その他の経費削減を加えて予算編成に対処した。

その他の経費削減の中には、棚田の稲作生産にかかわる小規模水田の整備「せまち直し」の補助費、町民バスの廃止、老人クラブ、婦人会への補助削減、社会福祉協議会の介護事業の一つである限界集

表－３　高知県大豊町の限界集落化の進行状況（1990～2008年）

項目＼年次	集落の状態			
	存続集落	準限界集落	限界集落	集落総数
１９９０年	41 (48.2)	42 (49.4)	2 (2.4)	85 (100.0)
１９９５年	19 (22.4)	54 (63.5)	12 (14.1)	85 (100.0)
２０００年	10 (11.8)	40 (47.1)	35 (41.2)	85 (100.0)
２００５年	4 (4.7)	27 (31.8)	54 (63.5)	85 (100.0)
２００８年	3 (3.5)	27 (31.8)	55 (64.7)	85 (100.0)

注１）数字は大豊町役場の住民基本台帳各年次（４月１日現在）により算出。
　２）カッコ内は構成比。単位％。

落へ出向いての「ミニ・デイサービス」補助費廃止などがあった。また、16人の議員を4人減らすとともに議員の報償費廃止も行い、さらに現在の議員12人を２０１２（平成24）年3月から10人にすることも既に決定した。

〝交付税ショック〟による自治体の農業生産や高齢者福祉にかかわる諸経費の削減、補助廃止は、住民サービスの低下を余儀なくさせ、住民生活を一層困難なものにしている。住民サービスの低下が集落間格差を拡大し、集落の人口流出を促進して限界集落の増加を招き、限界自治体化を早めている。ちなみに大豊町の集落の状態は、集落総数85集落のうち限界集落が55集落（64・7％）、準限界集落は27集落（31・8％）、存続集落はわずか3集落（3・5％）にすぎない状況である（表―3参照）。

また、大豊町と共に２０３０年に限界自治体になると予測された池川町は、２００５年8月に吾川村、仁淀村と合併して仁淀川町になったため、２００７年3月に高齢化率

表－4　高知県仁淀川町の集落の状態（2007年）

町村名＼項目	集落の状態			
	存続集落	準限界集落	限界集落	集落総数
旧吾川村	17 (29.3)	13 (22.4)	28 (48.3)	58
旧池川町	2 (4.7)	11 (25.6)	30 (69.8)	43
旧仁淀村	11 (17.7)	20 (32.3)	31 (50.0)	62
仁淀川町　計	30 (18.4)	44 (27.0)	89 (54.6)	163

注１）数字は2007年３月１の住民基本台帳により算出。
　２）カッコ内は構成比。単位％。

が51・6％に達し高知県の限界自治体第2号になっているにもかかわらず合併によって実態が見えない。２００７年3月時点での旧池川町の集落の状態は、43集落のうち限界集落が30集落（69・8％）、準限界集落が11集落（25・6％）、存続集落が2集落（4・7％）となっている（表―4参照）。

このように、わが国の山村はいま年々人口が減り、高齢化が急速に進行して限界集落が増加。自治体の人口規模は縮小の一途をたどる。このため、限界集落が6割、7割を占める自治体も現れ、山村は崩壊の危機に立たされている。

Chapter 2

第2章

限界集落の実態

残ったのはシワと神経痛

「限界集落」の原点を追う。「限界集落」が出現を始めて間もない1990年、NHK高知放送局が高知県内383集落の区長アンケートを実施した。調査に協力した私が聞いた区長たちの叫びはいまでも全国の集落から聞こえる叫びそのものなのだ。アンケートの一部を紹介する（人口は1990年当時。カッコ内人口は2008年8月末現在）。

人口1615人（660人）、林野率97％の旧日本川村の集落区長は「日本は経済大国といわれているが、農林業は見捨てられ山村は過疎の進行で廃村の現状にさらされている。特に戦後、林業に力を入れてきた当地区は、木材価格の低迷により生計が成り立たず荒廃の一途をたどっている」と、林業不振による集落存亡の危機を訴えている。

人口2744人（2082人）、林野率94％の旧池川町の集落区長も「私たちが若いころは、製紙の原料のコウゾやミツマタの栽培が盛んで結構稼げたのですが、いまは木材が安くて金にならないので現金収入を得るためには出稼ぎしかありません。若者は安定した生活を求めて都会へ出てしまいました。後に残ったのは年寄りばかり。高齢化が進み、村で一番若い戸主は57歳。もうこの村も終わりです」と「むら」が消え去ろうとしている寂しさを吐露する。

人口7760人（5245人）、林野率88％の大豊町の集落区長は「今日まで地区民のたどってきた道は、戦後の食糧難にこたえ一生懸命食糧増産に励み、子どもを養育しては都会へ都会へと送り、大手企業の手助けに専念してきたものでした。しかし、気がついた時は過疎で田舎はさびれ、農作物、林産物価格は低迷して山村は何の魅力もありません。激しい労働で残ったものは老人のシワと神経痛だけでした」と懸命に働いてきた自分の人生が社会的に報われない山村の現状を話す。

人口４１４６人（２６３５人）、林野率95％の旧物部村の集落区長は「当地区は公共の交通機関がなくタクシーを利用しているが、診療所がある村の中心まで車で約30分かかります。タクシー代は往復５０００円。年金生活者が主な住民にはタクシー代が大きな負担です。現在、無料の患者輸送車が１カ月２回走っていますが、これを有料（バス運賃並み）でもよいから国や県の力で最低１カ月４回くらい走らせ、患者でなくても利用できるようにしてもらえれば大変助かります」と老人が経済的高負担を強いられている山村の実情を語る。

人口３９６０人（２８１０人）、林野率83％の旧吾川村の集落区長は「この先、山間部集落が過疎のため一つ二つと消えていくのが目に見えます。自然がいっぱいで、和やかな生活の営みを続けてきた私たちの郷土が消えていく。これは一種のがんのように思えます。早く手当てをしないと取り返しがつかないことになります」と、消滅していく集落への対策の緊急性を訴える。

20年近く前のアンケートをあえて紹介するのは、このアンケートから現在までの長い間、国の国土政策、農林漁業政策、人口対策が実態把握に立った政策でなかったことの証明にほかならないからだ。１９９０年前後でさえ、経済的高負担を強いられていた「むら」のお年寄りの２００８年の生活実態は、年金・医療の問題一つを取ってみても厳しさが募っているのは明らかだ。経済的に苦しくても心と自然の豊かさを誇りに生きてきたお年寄りの苦悩がただ深まるだけの実態なのだ。20年近くも姿を変えない「病める現代山村」はいつまで続くのだろうか。

「帯をしめないで」

「むら」に暮らしている老人の日々の生活も区長たちの言葉と同様、1990年代と現在がおおよそ変わらない。年金をよりどころとしていたお年寄りの日常生活を旧池川町の2人の姿に見る（年齢は1990年時）。

＜事例1＞

72歳になる女性は母と2人で暮らしていたが、5年前に母に先立たれて以来、一人暮らしの生活だ。朝6時に起床して朝食の準備にかかり、7時に朝食を取る。朝食は必ずテレビを見ながら。8時半に朝食の後片付けをし、洗濯とテレビで午前中を過ごす。昼食は11時半から12時の間に軽いもので済ませる。午後からは縁側に座り、外の景色を眺めて過ごすのが日課となっている。夕食は6時半、食事の片付けをした後はテレビを見て8時には床に入る。布団は居間の隣部屋に敷いたままになっている。疲れたらいつでも横になれるという。買い物は、公民館前の広場にやってくる移動スーパー（販売車）で週1回、魚や卵など生鮮食料品を買う。買い物にやってくる老人は立ち話を楽しむこともなく、買い物を終えるとすぐに家へ戻るという。長い間気管支ぜんそくを病んでいるため月に2回、地元の病院へ通っている。通院はバスがないのでタクシーを使うが、片道のタクシー代が2070円かかり家計の負担になる。1人で暮らしていると一日誰とも口をきかないで過ごすことが多く、月に2回自宅を訪問してくれるホームヘルパーと話をするのが楽しみだという。

＜事例2＞

83歳の女性は一人暮らしになって13年になる。朝6時に起床し6時半までテレビを見て、それから朝食の支度にかかり7時半に食べる。テレビ番組に認知症老人の話が出てくるが、自分は絶対認知症になりたくないと午前中は認知症防止対策に費やす。その対策の第1は「九九」を言い、それを書くことであり、第2はカラオケで歌うことである。昼食は11時半から。午後1時まで必ずテレビを見る。天気が良ければ野良に出て野菜畑で仕事をする。夕食は早い。4時半から5時の間に済ませ、夕食の片付けの後テレビを見て、日記をつけて7時に床に入る。寝間はやはり布団を敷いたままにしている。買い物は移動スーパーを利用している。移動スーパーが来なくなると生鮮食料品が買えなくなるので心配だという。買い物のとき以外に日常、皆が集まるようなことはなく、お祭りや地区の総会以外は2カ月に一度ある保健所の「健康日」に公民館で顔を合わせるぐらいだと話す。

6年前からひざが悪く月に2回、病院へ通っている。通院はバスがないのでタクシーを使うが、タクシー代が大きな負担だ。彼女はもしも倒れて病院へ運ばれたとき、集落の人たちに迷惑を掛けないように入院中に必要な寝間着、タオル、せっけんなどをひとまとめにして段ボール箱へ入れている。また、タンスには「死に装束」を入れ、その上に「死んだら苦しいので帯をしめないで下さい」と書いた紙を置いている。死に際する老人の美学を見る思いがする。

「たこつぼ的生活」

2人の女性の姿に見るように、山村の高齢者は日常生活で相互交流に乏しく、テレビ相手の日々を送っている人が多い。私はこうした高齢者の生活を「たこつぼ的生活」と呼んでいる。

こうした「たこつぼ的生活」化の背景には、林業不振や高齢化などで農林業の社会的生産活動が停止状態になり、集落の社会的共同生活の維持機能が低下し、集落内の相互交流の機会がなくなり、各自の生活が私的に閉ざされていくような状況がある。保健師はこうした現象を「閉じこもり症候群」と呼んでいるが、「たこつぼ的生活」化が農林業の社会的生産活動の停滞性と密接に結びついていることを忘れてはならない。

「限界集落の原風景」ともいうべきお年寄りの姿、声、生活実態を見てきた。高齢者の経済的高負担問題、「たこつぼ的生活」、林業不振などさまざまな問題が絡み合う「限界集落」問題は、過去も現在も現代山村の抱えている問題を最も凝縮した形で現していることを指摘したい。

（注）第2章は拙著「山村環境社会学序説」（農山漁村文化協会、2005年、52～53ページ、96～97ページ）を引用した。

Chapter 3

第3章

限界集落の全国的拡大

西日本から東日本へ

私が「限界集落」に関する調査研究を「山村の老齢化と限界集落」(注)として初めてまとめたのは1988年のことである。以来、全国各地の山村集落を訪ね、限界集落の実態調査を続けているが、この間、山村集落の限界集落化が年々スピードアップしてきていることを実感する。

以後、20年間の調査実感から限界集落の地域的動向を概観すれば、1990年代は四国、中国、南九州など西日本を中心に集落の限界集落化が目立ち始め、これらの地域を中心に社会的問題として表面化した。2000年に入ると北陸、甲信越、北関東、東北、北海道など東日本へとタイムラグを伴いながら限界集落化が進行し、いまや全国的に限界集落が拡大している。

こうした状況を反映し、ここ数年、新聞、テレビなどのマスメディアが限界集落の抱える問題を頻繁に取り上げるようになり、全国紙、地方紙を問わず社説でも限界集落問題に迫っている。このため「限界集落」という用語は学術用語から一般用語化してきている。

(注)「山地農業の活性化を求めて」高知県農協中央会発行。1988年3月刊所収 55～84ページ。これは当時東京農工大学の梶井功教授を主査に広島大学の小野誠志教授、農政総合調査研究所の森巌夫理事、高知大学教授の私の4人で1986年から2年間にわたる高知県の山地農業調査をまとめたものである。

表－５　集落における高齢者（65歳以上）割合別分類

全　体	集落人口に対する高齢者（65歳以上）割合				合　計
	50％以上	うち100％	50％未満	無回答	
北海道	319 （8.0％）	18 （0.5％）	3,366 （84.2％）	313 （7.8％）	3,998 （100.0％）
東北圏	736 （5.8％）	41 （0.3％）	11,984 （94.2％）	7 （0.1％）	12,727 （100.0％）
首都圏	302 （12.0％）	6 （0.2％）	1,644 （65.5％）	565 （22.5％）	2,511 （100.0％）
北陸圏	216 （12.9％）	22 （1.3％）	1,440 （86.1％）	17 （1.0％）	1,673 （100.0％）
中部圏	613 （15.7％）	44 （1.1％）	2,813 （72.1％）	477 （12.2％）	3,903 （100.0％）
近畿圏	417 （15.2％）	20 （0.7％）	2,229 （81.1％）	103 （3.7％）	2,749 （100.0％）
中国圏	2,270 （18.1％）	138 （1.1％）	10,050 （80.1％）	231 （1.8％）	12,551 （100.0％）
四国圏	1,357 （20.6％）	83 （1.3％）	5,046 （76.5％）	192 （2.9％）	6,595 （100.0％）
九州圏	1,635 （10.7％）	58 （0.4％）	13,291 （87.0％）	351 （2.3％）	15,277 （100.0％）
沖縄県	13 （4.5％）	1 （0.3％）	241 （83.4％）	35 （12.1％）	289 （100.0％）
合　計	7,878 （12.7％）	431 （0.7％）	52,104 （83.7％）	2,291 （3.7％）	62,273 （100.0％）

注１）表は国土交通省調査による。
　２）カッコ内は構成比。

１９１集落の消滅

　国土交通省は２００６年度、過疎法に指定されている全国の７７５市町村の全集落６万２２７３集落を対象に集落の将来予測調査を実施した。調査結果によると、対象となった全集落のうち高齢者が半数以上を占める限界集落が７８７８（12・7％）あり、１９９９年度の前回調査以降、１９１集落が消滅していることが分かった。

　また、集落の予測調査では「10年以内に消滅する」可能性のある集落が４２３集落を数え、「いずれ消滅」の可能性のある集

表―６　今後の消滅の可能性別集落数

全体	今後の消滅の可能性別集落数				計
	10年以内に消滅	いずれ消滅	存続	不明	
北海道	23 (0.6%)	187 (4.7%)	3,365 (84.2%)	423 (10.6%)	3,998 (100.0%)
東北圏	65 (0.5%)	340 (2.7%)	11,218 (88.1%)	1,104 (8.7%)	12,727 (100.0%)
首都圏	13 (0.5%)	123 (4.9%)	1,938 (77.2%)	437 (17.4%)	2,511 (100.0%)
北陸圏	21 (1.3%)	52 (3.1%)	997 (59.6%)	603 (36.0%)	1,673 (100.0%)
中部圏	59 (1.5%)	213 (5.5%)	2,715 (69.6%)	916 (23.5%)	3,903 (100.0%)
近畿圏	26 (0.9%)	155 (5.6%)	2,355 (85.7%)	213 (7.7%)	2,749 (100.0%)
中国圏	73 (0.6%)	425 (3.4%)	10,548 (84.0%)	1,505 (12.0%)	12,551 (100.0%)
四国圏	90 (1.4%)	404 (6.1%)	5,447 (82.6%)	654 (9.9%)	6,595 (100.0%)
九州圏	53 (0.3%)	319 (2.1%)	13,634 (89.2%)	1,271 (8.3%)	15,277 (100.0%)
沖縄県	0 (0.0%)	2 (0.7%)	167 (57.8%)	120 (41.5%)	289 (100.0%)
全国	423 (0.7%)	2,220 (3.6%)	52,384 (84.1%)	7,246 (11.6%)	62,273 (100.0%)

注１）消滅の可能性は、市町村担当者の判断による。
　２）表は国土交通省調査による。
　３）カッコ内は構成比。

落が２２２０集落、合計で「消滅する恐れのある」集落は２６４３集落に達している。

ブロック別に数字を紹介すると、限界集落数は北海道３１９（８・０％）、東北圏７３６（５・８％）、首都圏３０２（12・０％）、北陸圏２１６（12・９％）、中部圏６１３（15・７％）、近畿圏４１７（15・２％）、中国圏２２７０（18・１％）、四国圏１３５７（20・６％）、九州圏１６３５（10・７％）、沖縄県13（４・５％）となる（表―５参照）。

今後「10年以内に消滅」する可能性のある集落をみる

と、北海道23（０・６％）、東北圏65（０・５％）、首都圏13（０・５％）、北陸圏21（１・３％）、中部圏59（１・５％）、近畿圏26（０・９％）、中国圏73（０・６％）、四国圏90（１・４％）、九州圏53（０・３％）、沖縄県０（０・０％）となっている。

「いずれ消滅」は、北海道１８７（４・７％）、東北圏３４０（２・７％）、首都圏１２３（４・９％）、北陸圏52（３・１％）、中部圏２１３（５・５％）、近畿圏１５５（５・６％）、中国圏４２５（３・４％）、四国圏４０４（６・１％）、九州圏３１９（２・１％）、沖縄県２（０・７％）となる（表―6参照）。

鮮明化する県内格差〜鹿児島県

国土交通省の集落状況調査に合わせ、独自に集落状況調査を実施して集落消滅の可能性や限界集落数を把握する県や新聞社も出てきている。

鹿児島県では、南日本新聞社が県内49市町村の集落（または町内会・自治会）を対象に独自調査を行った。その結果によれば、集落総数７３１８のうち「消滅の恐れがある」集落が95、うち54集落が「10年以内に消滅の恐れがある」とみられ、この10年間で12集落が消滅している。〝むらが消えていく〟厳しい現実がこの調査で浮き彫りにされた。

また、「消滅の恐れがある」集落のうち７割に当たる67集落が大隅半島の自治体に集中し、県内の地

南日本新聞
鹿児島市与次郎1丁目9番33号
(郵便番号 890-8603)
南日本新聞社

95集落消滅の恐れ

鹿県49市町村・本社アンケート

厳しい過疎浮き彫り

鹿児島県内で将来、人が住まなくなり「消滅の恐れがある集落」(または町内会・自治会)は、九十五カ所に上ることが二十七日、南日本新聞が行った県内四十九市町村アンケート調査で分かった。このうち五十四カ所は今後十年以内に消滅の恐れがあるとみられ、「ムラが消える」という厳しい過疎の一端が浮き彫りになった。調査は六月初旬、書面で実施し、回収率一〇〇%だった。

(28面に関連記事)

故郷《ふるさと》
かごしま地域再生

回答によると、県内の集落(または町内会・自治会)総数は七千三百十八。「消滅の恐れがある」集落(同)は大隅半島の自治体に多く、七割の六十七カ所を占めた。この十年間で実際に消えたのは計十二カ所だった。

六十五歳以上の高齢者が半数を超える集落(同)は、集落ごとの高齢化率を把握している四十二市町村内に八百十二カ所あった。これは四十二市町村内の集落全体の14・9%に当たる。曽於市九十六、霧島市九十一、薩摩川内市八十五、南さつま市七十などが目立ち、市町村合併で市域が拡大した自治体に多い。

六十五歳以上が集落人口の半数を超え、社会的共同生活の維持が困難になるとされる「限界集落」は十六市町村で二百四カ所だった。

鹿児島、出水、垂水、志布志、奄美の五市と、姶良、徳之島二町は集落ごとの高齢化率は把握していないと回答した。

集落機能を維持するため集落の統合・合併などが九九年以降、十五自治体で行われ、さらに四自治体が予定していると回答した。

同種のアンケートは国土交通省が、過疎地域自立促進特別措置法で過疎地域に指定されている市町村を対象に実施(昨年四月時点)。その結果、今後消滅の可能性があるとされた集落は全国で二千六百四十一、九州で三百七十二だった。県内では枕崎、出水、いちき串木野、姶良、加治木、与論の六市町は過疎地域に指定されていないため調査の対象外だった。

調査の方法　6月初旬、県内49市町村に調査用紙を郵送、書面で回答を求めた。集落の定義はそれぞれの自治体での行政区の基本単位とし、町内会や自治会が該当する場合はこれに含めた。設問は①集落ごとの世帯数と高齢化率の把握の有無②高齢化率50%以上の集落数や「限界集落」の数③いずれ消滅(無人化)する可能性がある集落数④この10年間で実際に消滅した集落数⑤集落再編成の実績や予定など。

「集落の危機」把握急げ

(解説)　鹿児島県の地域社会で「ムラが消える」という予測が現実味を帯びている。著しい過疎化の末、人が住まなくなることは県土の保全や防災の観点からも見過ごすことのできない課題だ。

今回のアンケート結果は少子高齢化が進む集落の実態を大づかみにしたものだ。「世帯数がわずか数戸で、高齢化率も高い。いつ消滅してもおかしくないと判断した」という担当者の回答が示すように、「消滅の恐れがある集落」の根拠は自治体側の主観が入り込んでいて、集落の定義も一様でない。

だが鹿児島県は、集落の危機に関するこの種の調査をこれまで行っておらず、全県的なデータがないのが実情。実効性を伴う過疎対策を打ち立てるために、県は市町村と連携して現場の実態把握を急ぐべきだ。

深刻なのは市町村合併に伴う旧役場の支所化や交付税減の影響で、地域の疲弊が急速に進んでいることだ。六十五歳以上の高齢者が集落人口の半数を超え、社会的な共同生活の維持が困難になる「限界集落」も今後も増加しそうだ。集落機能維持のため近隣と合併する再編策は一時しのぎにはなっても抜本的な解決とは言えない。

豊かに暮らせる県土の形成に向け、都市住民も含めて知恵を出し合うべきだろう。

(「故郷―かごしま地域再生」取材班)

域間格差が鮮明化してきている。

鹿児島県49市町村のうち集落ごとの高齢化率を把握している自治体は42市町村。この42市町村の中で65歳以上の高齢者が半数を超える限界集落は８１２に上る。これは42市町村の集落総数５４５０集落の14・９％に当たる。具体的には曽於《そお》市96、霧島市91、薩摩川内《せんだい》市85、南さつま市70などで、限界集落は市町村合併で市域が拡大した自治体に多くなっている。

こうした地域間格差の拡大は「市町村合併に伴う旧役場の支所化や交付税減の影響で、地域の疲弊が急速に進んでいる」ことによるものであり、「県は市町村と連携して現場の実態把握を急ぎ、実効性を伴う過疎対策を打ち立てること」が急務であると南日本新聞は指摘する（「南日本新聞」２００７年6月28日1面参照）。

消滅集落への一里塚～徳島県

徳島県は２００６年６月、国土交通省が実施した過疎地域の集落状況に関するアンケートに合わせ、県内の過疎地域に指定されている13市町村（旧30町村）の集落状況をまとめた（表―7参照）。

その結果、13市町村の総集落数１６２０集落のうち、限界集落が４３３集落（26・７％）、全体の４分の１に上っている。旧30町村のうち、限界集落率が50％を超えている町村が５町村を数え、このうち旧一宇村（現つるぎ町）では、35集落のうち28集落が限界集落となっている。

表－7　徳島県内旧町村別の限界集落数

旧町村名	限界集落数
美　郷	22 (51.2%)
穴　吹	26 (26.3%)
木屋平	31 (54.4%)
美　馬	10 (14.3%)
脇	18 (13.8%)
半　田	34 (41.0%)
貞　光	18 (26.5%)
一　宇	28 (80.0%)
三　好	14 (14.0%)
三　野	11 (16.9%)
池　田	58 (30.4%)
山　城	14 (28.6%)
井　川	23 (35.4%)
東祖谷山	19 (43.2%)
西祖谷山	18 (51.4%)
勝　浦	0 (0%)
上　勝	30 (54.5%)
佐那河内	1 (5.0%)
神　山	8 (3.7%)
鷲　敷	0 (0%)
相　生	7 (12.5%)
上那賀	18 (41.9%)
木　沢	8 (36.4%)
木　頭	6 (35.3%)
牟　岐	3 (10.3%)
由　岐	1 (12.5%)
日和佐	0 (0%)
海　南	2 (8.3%)
海　部	1 (8.3%)
宍　喰	4 (23.5%)
計	433 (26.7%)

注１）カッコ内は全集落に占める限界集落の割合（2006年６月）。
２）徳島新聞（2007年１月１日１面）より転載。

また、〃葉っぱ〃に市場での価値を見いだし、高齢者を中心に家族で年間８００万円～１０００万円を売り上げるケースもある「彩《いろどり》産業」が知られる上勝町でも55集落のうち限界集落が30集落を数え、町はその対策に苦慮している（注）。

こうした限界集落は現在、消滅集落へ向かいつつあり、徳島県内ではこの10年間に16集落が消滅している（「徳島新聞」2007年1月1日1面参照）。

（注）　木材と温州ミカンが主産物だった上勝町は１９９０年代から紅葉、柿、南天、椿の葉っぱや梅、桜、桃の花など季節の草花を料理のつま物にする材料に商品化した。60代から70代の女性が活動の中心。

都市型限界集落の登場〜長野県

長野県では、信濃毎日新聞社が2005年国勢調査の集計の最小単位である町丁・字を「集落」ととらえ、県内の約3400集落の中から65歳以上が半数を超える集落を抽出するという方法で限界集落数を把握した。

長野県市町村別の「限界集落」の数

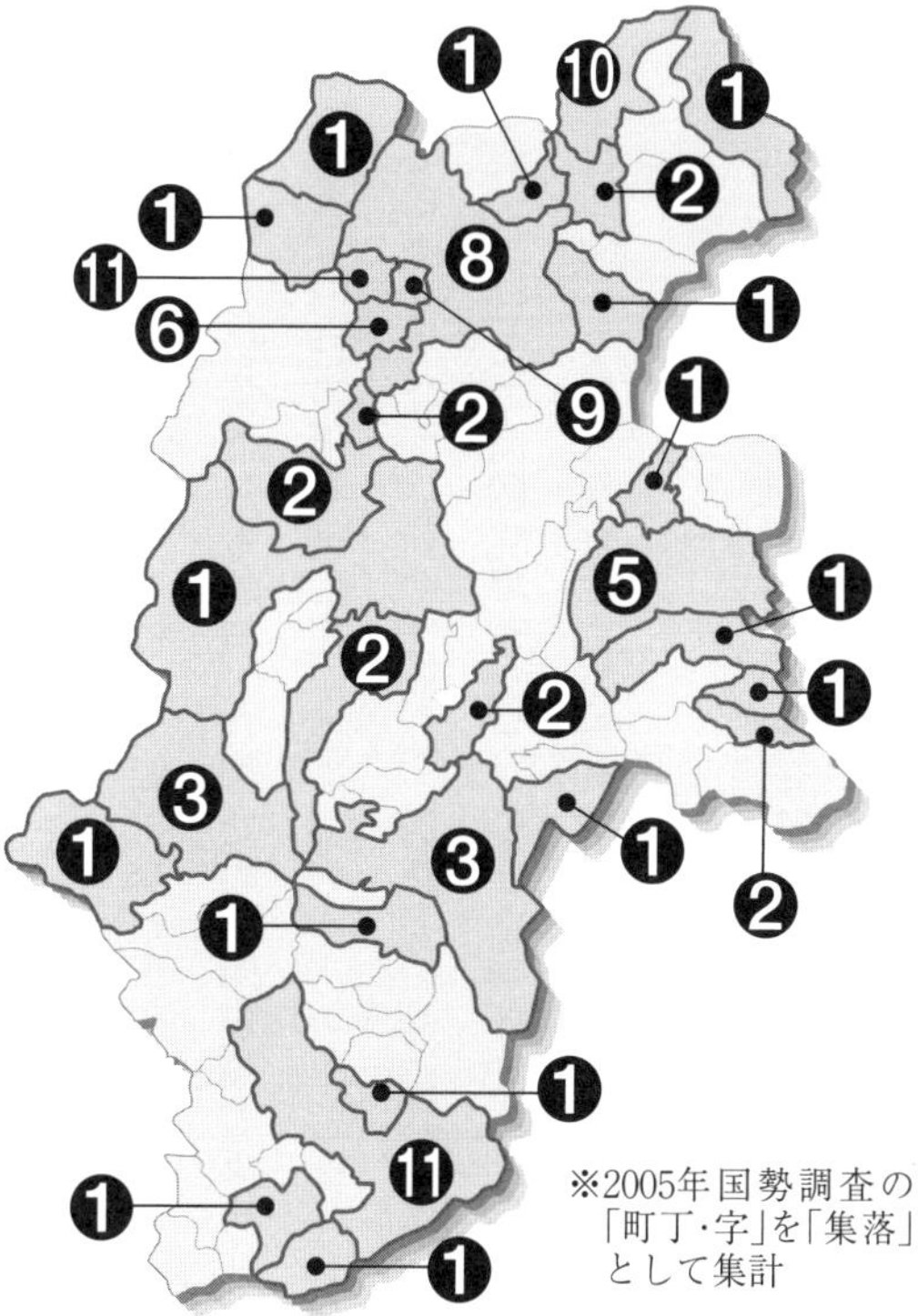
※2005年国勢調査の「町丁・字」を「集落」として集計

（「信濃毎日新聞」2007年10月5日1面より転載）

その結果、県内で65歳以上が住民の半分以上を占めている限界集落がある自治体は30市町村で、限界集落は93集落あった（人口が数人で年齢構成が非公表の集落や高齢者が多い医療・福祉施設があるところは除いている）。93集落の中で高齢化率が最も高かった集落は中条村日下野集落で84・8%となっている。

また、全集落のうち限界集落が占める割合が高い市町村は小川村（52・4％、11集落）、中条村（40・9％、9集落）など山間地域を抱えている自治体に集中していた。

県都・長野市は戸隠村、鬼無里村、大岡村など山間地域が大半を占めている自治体と合併して市域が広域化するとともに集落数も急増。このため、旧役場の支所化などで旧村部の周辺部化が起き、集落間格差が拡大、旧村の限界集落化が進んでいる。

一方、中心市街地では商店街の空洞化、居住者の高齢化などが進み、都市型の限界集落も生まれ、長野市南千歳一丁目では高齢化率が54・7％となっている。こうした現象は長野市だけではなく飯田市銀座一丁目（64・7％）などにも見られ、都市型限界集落が中心市街地の活性化に暗い影を落としている。

長野県は国土交通省の過疎地域を対象にした集落状況調査で35市町村が調査対象になっている。このうち回答の控えが残る26市町村の限界集落だけでも２９７に上った。これは国土交通省の調査では国勢調査の区分より細かい区や隣組など小さい単位で実施しているためである。つまり、調査対象の単位の範囲が大きいほど限界集落数は少なく、対象単位の範囲が小さいほど限界集落の数は多くなることを示している（「信濃毎日新聞」２００7年10月5日1面参照）。

急務の準限界集落の再生～秋田県

秋田県では、秋田魁新報社が２００５年国勢調査の町丁・字別年齢構成人口（５歳刻み）を基に独自集計し、県内４３５９集落のうち限界集落が１４５集落あることを明らかにした。県内29市町村のうち限界集落がある自治体は19市町村に及んでいる。中でも限界集落が最も多いのは県都・秋田市で48集落を数える。次いで大仙市（16集落）、横手市（12集落）、北秋田市（11集落）、男鹿市（11集落）、由利本荘市（10集落）などとなっている。

市町村合併で集落数が激増した市は、特に限界集落が多くなり、自治体内部の集落間格差の拡大が表面化してきている。限界集落の予備軍的存在といわれている55歳以上人口が集落人口の半数を占める「準限界集落」は９２６集落に上り、全体の２割を超えている。

集落数１２４の北秋田市は、準限界集落が60集落（48・４％）に上り、また旧二ツ井町も69集落のうち準限界集落が32集落（46・４％）を占める。北秋田市や旧二ツ井町では準限界集落が50％近くを占めているが、これらの多くが今後限界集落へ移行する可能性が大きい（**P27表―3「高知県大豊町の限界集落化の進行状況」参照**）。従って、準限界集落を存続集落へ再生していくことが自治体の大きな政策課題であり、その具体化が急がれる（**「秋田魁新報」２００７年５月22日１面参照**）。

秋田さきがけ　1874年(明治7年)創刊　2007年(平成19年)5月22日　火曜日　(日刊)

発行所 秋田魁新報社
秋田市山王臨海町1番1号
〒010−8601
©秋田魁新報社 2007年

限界集落 県内145カ所

過疎、高齢化進み消滅も

秋田魁新報社集計

六十五歳以上の高齢者が人口の半数を超える地域が、県内で百四十五カ所に上ることが、平成十七年国勢調査の町字別年齢構成人口（五歳刻み）を基にした秋田魁新報社の集計で二十一日、分かった。こうした地域は共同体としての機能維持が困難となる「限界集落」と呼ばれ、過疎化や高齢化によって集落自体が近い将来、消滅しかねない実態が浮き彫りになった。

準限界、全体の2割超

集計は国勢調査の調査区域である県内四千三百五十九カ所すべてを「集落」とみなし、各集落人口を分母に、そのうちの六十五歳以上人口を分子にして、それぞれの比率が五割を超えるかどうかを算出した。

限界集落があるのは県内二十九市町村（国勢調査が行われた一昨年当時）のうち、秋田市（四十八カ所）、大仙市（十六カ所）、横手市（十一カ所）、北秋田市（十一カ所）、男鹿市（同）、由利本荘市（十カ所）など十九市町村。市町村合併で集落数が激増した市部に集中しているほか、町村部も八自治体にわたるなど、ほぼ全域に及んでいる。

人口が数人程度の小集落については、個人情報保護を理由に年齢構成人口が公開されていない。これら非公開対象集落は、一般的に高齢化で共同体維持が危ぶまれているとされる。県内の該当集落は二百八十九カ所あり、集計上は限界集落にカウントしていないが、そのほとんどが限界集落化の状況にあるとみられる。

また、五十五歳以上人口が集落人口の半数以上を占める「準限界集落」は、実に全集落の二割以上に当たる九百二十六カ所に上った。北秋田市は集落数百二十四カ所のうち、準限界集落は六十カ所（48・4％）。集落が六十九カ所ある旧二ツ井町も、準限界集落が三十二カ所（46・4％）と半数近くを占め、今後十年で大半が限界集落化する可能性も浮かび上がった。

限界集落の実態調査については、国土交通省が昨年四月、過疎地域自立促進特別措置法に基づき、「過疎地域」に指定している全国七百七十五市町村を対象に実施。調査結果はブロック別しか公表されておらず、東北圏では一万二千七百二十七カ所のうち、七百三十五カ所（5・8％）が限界集落とされた。

県内で調査対象となった自治体は、一部区域だけが過疎指定されている五市町を含む十九市町村とみられる。対象市町村によると、「集落」の区分は町内会などの細かい単位で、国勢調査に比べ地域をより細分化して調べているケースが多いという。この調査法を国勢調査に当てはめれば、本県の限界集落数はさらに増えるとみられる。

限界集落の概念を唱えた大野晃・長野大教授（環境社会学）は「（国の政策は）投資効率のいい合理的な都市づくりと、平成の大合併により中心部と周辺部の地域格差を拡大させた。限界集落の増加は、山の管理や水質の保全を困難にさせ、やがては都市の住民生活にはね返る。流域住民が共同で山林を管理するなどの発想が必要だ」と指摘する。

【お断り】集計に当たり秋田魁新報社は、県内一円の限界集落の状況を把握することを主眼に据え、国指定の過疎地域だけでなく中心市街地なども一律に「集落」とみなしました。このため、国交省調査（昨年四月、過疎地域だけが対象）が「市町村行政において扱う行政区の基本単位」と定義した「集落」や、農業生産活動の基盤をベースとした農業センサス上の「農業集落」とは必ずしも一致しません。

限界集落　65歳以上の人口比率が50％を超える集落。過疎化や高齢化の進展に伴い、全国で急速に増えているとされる。限界集落は、農作業や冠婚葬祭などコミュニティーとしての機能が維持できず、やがて消滅に向かうとみられる。長野大の大野晃教授（当時は高知大教授）が平成3年に概念化した。集落を年齢構成で区分すると「存続集落」「準限界集落」「限界集落」「消滅集落」の4つに分類される。

解説　衰退回避へ対策急務

過疎化や高齢化を象徴する「限界集落」「準限界集落」の"対語"に、「存続集落」という概念がある。それは五十五歳未満の人口比率が50％を超え、共同体としての機能を次世代に引き継いでいける集落という意味だ。

秋田魁新報社の集計では、県内の全集落の四分の三に当たる三千二百八十八カ所は限界・準限界集落には属さない。だがそのすべてが存続集落というわけではない。この中には共同体の維持が困難とされる極小集落で、年齢構成人口が公開されていない「秘匿地域」（本県は二百八十九カ所）が含まれるし、「限界」の果てに既に無住化している集落も確認できる。

数字の詳細な分析からは、集落の衰退の度合いが集計結果以上に深刻な状況であることが読み解ける。

限界集落の増加は、国の三位一体改革で生じた地域間格差を象徴する現象だ。集落の消滅は地域独自の文化の消失を意味するだけでなく、水源の涵養（かんよう）を担う山の荒廃にも直結する。いま求められるのは、源流を守る集落を「公共財」と認める県民合意であり、そのためにも県は限界集落の実態把握を急ぐべきだ。

改正まちづくり三法に代表されるように、国は中心市街地への都市機能の集約を誘導する。過疎化と高齢化が急速に進む本県にとって、限界集落への対策は市街地再生と同様、時を待たない。

（社会部・吉田新一）

限界集落570集落〜北海道

北海道庁は２００８年３月28日から４月25日、１７６全市町村の全集落６６２９を対象に「高齢化集落状況調査」を行った。その結果、住民の半数以上が65歳以上の「限界集落」が道内全集落の８・６％、５７０集落に上ることが分かった。

北海道には14支庁がある。14支庁管内で全集落数に占める限界集落の割合（限界集落率）が高い地域は日本海側に目立つ。集落総数３５４の檜山管内では限界集落が１４４を数え、限界集落率は40・7％の高さを示す。集落総数２１２の留萌管内では限界集落が42、集落総数２４７の宗谷管内では限界集落が39で、限界集落率はそれぞれ19・８％、15・８％となっている。

また、住民の半数以上が55歳以上の「準限界集落」は２３９６集落。これは道内全集落の36・１％を占める。限界集落率が高い檜山、留萌は「10年後の限界集落」の比率も高く60％近くに上る。

限界集落５７０の「今後の動向」は、「いずれ消滅」が１２６（22・1％）、「10年以内に消滅」が34（6・0％）で、限界集落の30％近くが「消滅」すると回答している。

この調査では「集落」の定義を「一定の土地に数戸以上の社会的まとまりが形成された、住民生活の基本的な地域単位であり、市町村行政において扱う行政区の基本単位」とし、どの範囲を一つの集落と見なすかは各市町村の判断に任せている。

市町村の判断を見れば、「条例に定める『自治会』や『行政区』を基礎集落として設定」82、「地域コミュニティーの基礎単位としての『町内会』を基礎集落として設定」78、「学校の校区を基礎集落として設定」12、「センサスによる『農業集落』、『漁業集落』を基礎集落として設定」5、その他42で、「行政区」と「町内会」に大きく二分されている（回答合計数が市町村数を上回るのは複数回答による）。

このように、市町村の「集落」のとらえ方にはばらつきがあり、一義的に決めるのは難しい。実態としての集落は、コミュニティーの社会的共同性の範囲、行政連絡との関連、集落の歴史形成の過程、地理的特性などが絡み合う。「集落」のとらえ方の定義は今後の検討課題である。

なお、北海道の限界集落の問題を考えるとき、「地域間格差の拡大」という視点に加え、生産性の低い谷地などへの戦後入植の問題や国策に翻弄《ほんろう》されてきた産炭都市の衰退問題など特殊な北海道的問題との関連で見ることが必要である（「北海道新聞」２００８年５月24日１面参照）。

Chapter 4

第4章

限界集落はいま～日本列島を行く～

限界集落はいま～日本列島を行く～
北海道津別町
秋田県上小阿仁村
新潟県上越市
長野県
長野市(旧大岡村)
長野県北相木村
静岡県静岡市
(旧安倍6カ村)
滋賀県高島市(旧朽木村)
高知県仁淀川町(旧池川町)
長崎県五島市
鹿児島県南さつま市
鹿児島県南大隅町
北
西
東
南

集落調査から地域づくりへ～鹿児島県南さつま市、南大隅町

一本の電話

夜、自宅の電話が鳴った。「限界集落について詳しく知りたい。限界集落についての新聞記事や雑誌論文を読んで、自分たちの町の問題そのものだと思い、町議会で限界集落の問題を取り上げたが、逆にいろいろ質問され答えられなくなった。直接会って話を聞かせてほしい」――真剣な男性の声が伝わってきた。

鹿児島県内で最も高齢化率が高い旧大浦町（現・南さつま市）の議員からだった。「高知まで来るのは大変。宮崎の椎葉村へ講演に行くので、椎葉へ来てくれればゆっくり話ができる」。そう伝えて電話を切った。椎葉村で大浦町議会議員のN氏と対面したのは1992（平成4）年の秋だった。

私が知る限りでは、地方の市町村議会

で限界集落問題を取り上げたのは旧大浦町が日本で最初だと思う。

その後、幾度となく旧大浦町へ足を運んだ。講演、調査や高知県の旧十和村（現・四万十町）の村民20人ほどと訪れ交流したこともあった。

旧大浦町を含め１市４町が合併して２００５年に誕生した南さつま市は２００８年２月、市長が限界集落対策も含めた「集落再生整備」方針を市議会で明示。具体策として２００８年度から学校区を単位に「地域元気づくり事業」を実施に移す。「市民と行政の協働のまちづくり」が限界集落対策へステップアップすることを期待したい。

全１０９集落が対象

２００７年12月、南さつま市と同じ鹿児島県の南大隅町で第55回日本村落研究学会が開かれた。この学会は農村社会学、農業経済学、歴史学、民俗学などそれぞれの立場から「村落」を研究対象にする。全国各地の農村で合宿形式の大会を行うユニークな学会としても知られている。

大会初日、南大隅町の要請を受け私は町民を対象に「自分たちの地域を自分たちの手で」という演題で2時間講演。行政の集落の実態把握の重要性に加え、住民が自分たちの地域課題を話し合い、自分たちで課題の具体的政策化を実践し、住民の主体を形成していく必要性を指摘した。

南大隅町では学会以後、町内の集落調査の検討を始め、「南大隅町の限界集落分析」を行うとともに

表－8　南大隅町の集落の状態

地区＼人口・戸数＼集落状態		存続集落	準限界集落	限界集落	集落総数
根　占	6,701人	21	26	17	64
	3,003戸	(32.8)	(40.6)	(26.6)	(100.0)
佐　多	3,290人	8	15	22	45
	1,688戸	(17.8)	(33.3)	(48.9)	(100.0)
南大隅町	9,991人	29	41	39	109
	4,691戸	(26.6)	(37.6)	(35.8)	(100.0)

注1）数字は2007年9月30日の住民基本台帳による。
　2）カッコ内の数字は構成比。単位％。

２００８年3月から約2カ月かけて町内のすべての１０９集落の自治会長を対象に集落調査を実施した。

南大隅町は２００５年３月31日、根占《ねじめ》町と佐多町が合併して誕生した自治体で、現在、鹿児島県内で高齢化率が最も高い41・３％。旧町別では根占地区（人口６７０１人）の高齢化率は37・２％、佐多地区（人口３２９０人）は49・６％。旧佐多町は２人に１人が高齢者の限界自治体となっている。

「南大隅町の限界集落分析」結果によると、表－8に示されているように限界自治体化する佐多地区では集落総数45のうち限界集落が22（48・９％）と5割近くを占め、次いで準限界集落15（33・３％）、存続集落８（17・８％）。この集落データに大隅半島最南端地域の厳しい状況が如実に示されている。

年金が主産業

南大隅町の「集落調査」では、調査項目が「生活」「産業」「自然環境及び防災」「地域文化」「景観」「定住促進」など多岐にわたった。その中で、集落から多く寄せられた声は、「周辺に雇用の場がなく、就業機会が少ない」を筆頭に「森林（人工林）が荒廃」「農作物の鳥獣被害」「空き屋、老朽家屋が増加」「耕作放棄地の増加」「緊急医療の搬送に時間を要する」などが続いている。集落住民の収入源は、「年金」と農業、水産業、商工業などの組み合わせが大半を占め、〝年金が主産業〟の状況にあった。

厳しさを示す指標を見ると、「日用雑貨店」がない集落は72集落（60・5％）もあり、集落内に「店がない」「移動販売が来ない」「最寄り店まで2キロ以上」の厳しい条件の集落が9集落もあった。また、直近10年間程度に閉鎖された店舗は42店舗にも及ぶ。

限界集落を抱える地域の典型的な状況に、南大隅町は今後、調査を踏まえ農業振興、観光振興、集落合併などによる「地域づくり」対策を具体化するというが厳しさも募る。

県人口の3分の1が集中する鹿児島市は行政機関や文化施設を集中させ、都市生活の質の高さを求める「コンパクトシティ構想」を進めている。この県都と大隅半島最南端に住む人びとの暮らしのギャップを県民はどう見ているのだろうか。

島の集落再生へ都市住民参加～長崎県五島市

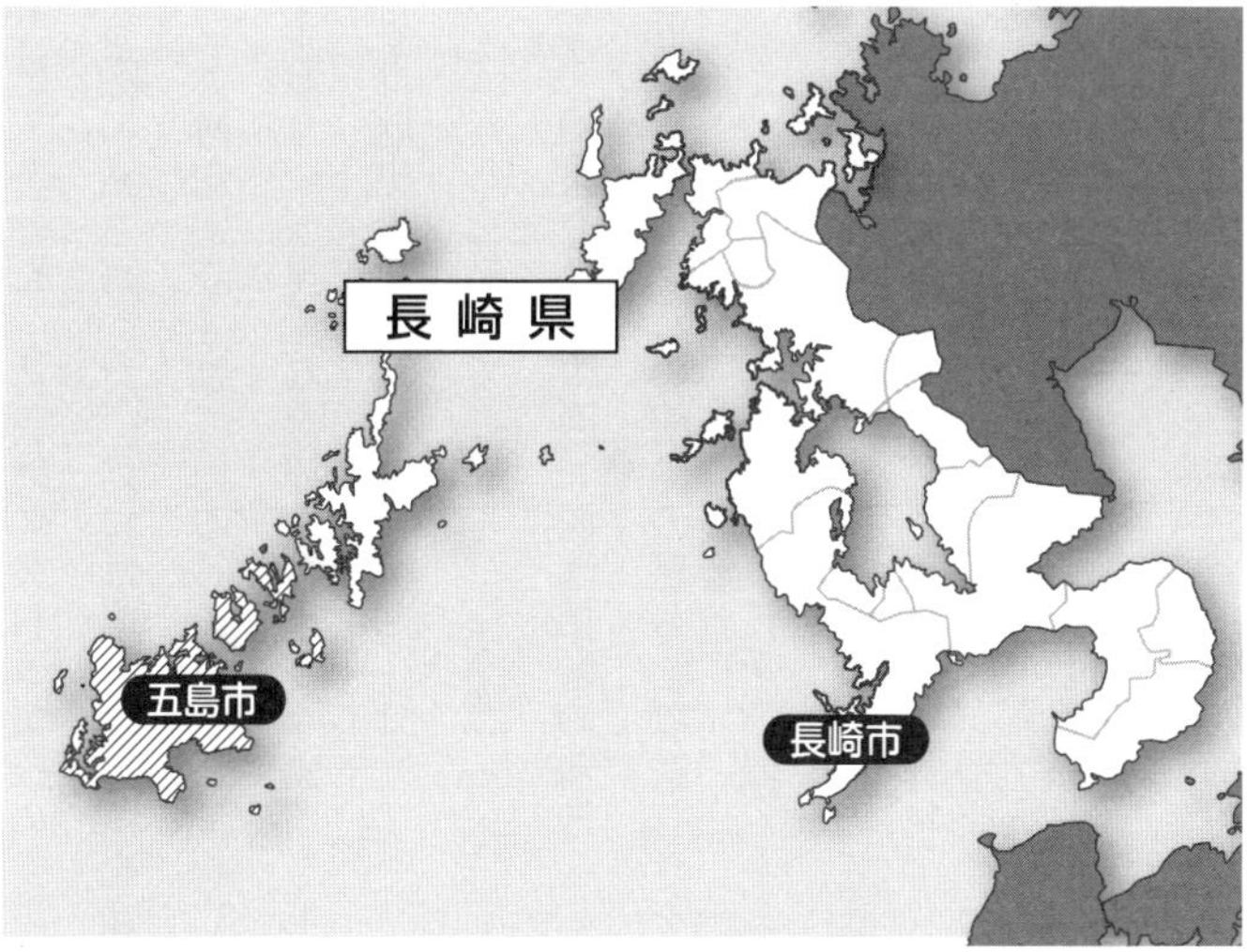

全国一、離島が多い長崎県。中でも五島列島の名は広く知られている。長崎港から100キロ余り離れた東シナ海に浮かぶ列島の中核・福江島を中心に、平成の大合併で誕生した新生・五島市は人口4万4000人。11の有人島と52の無人島で構成され、高齢化率は30％超、2030年には実に50％近くにもなると予想されている。

2006年6月調査の長崎県資料では、県内の限界集落は119カ所。うち49集落、4割強が五島市に集中する。なぜ五島市にこれほど限界集落が多いのか。そこには全国の離島が抱える厳しい現実が垣間見える。

厳しい離島の暮らし

朝鮮半島や中国大陸に近い五島は古くから貿易の中継

基地であった。遣唐使船の日本最後の寄港地として知られ、804年には空海（弘法大師）が唐へ渡る際に立ち寄った。島には空海の遺徳を顕彰する「辞本涯《じほんがい》」（日本の最果ての地を去るという意味）の記念碑が建立されている。一方、18世紀には長崎の外海《そとめ》地区のキリシタン信徒たちが弾圧を逃れて海を渡り、人里離れた浦々に小さな集落を形成し、信仰を守りながら半農半漁のつましい生活を営んできた歴史もある。

こうした最果ての地も、「倭寇」の拠点として、あるいは東シナ海という〝豊饒《ほうじょう》の海〟の恩恵を受けての漁業やサンゴ漁、西海捕鯨の基地として繁栄を謳歌《おうか》した時代もあった。しかし、近年の漁業の衰退や耕地に乏しい離島の暮らしは厳しさを増す一方で、高度経済成長の時代から次第に取り残されていく。島には働く場所も乏しく、かつてカクレキリシタンたちが住み着いた小さな集落などを中心に、若者たちは新たな生活の場を求めて次々と島を離れ始めた。

「わしらの世代が終われば…」

福江島の北端に戸岐之首《とぎのくび》集落がある。この集落にはかつて40戸、200人以上が暮らしていたが、現在は6戸、13人。うち65歳以上の高齢者が8人。高齢化率61・5％の限界集落だ。6戸のうち70歳を超えた老人夫婦世帯が4戸、夫婦（世帯主64歳、妻62歳）と子ども2人（長女40歳＝勤め、長男35歳＝勤め）の2世代世帯1戸、40歳男性の単身世帯1戸となっている。

「ここは昔から仏教徒の集落で、キリシタンはいない。今は若い人が出て行って年寄りだけだ。島のどこの集落も同じだ。買い物は車で15分で店に行ける。釣り好きの息子が冷凍にした魚を送ってくれるので、肉はほとんど食べない。年金があるから生活費には困らない」と赤銅色に焼けた78歳の男性Sさんの顔が笑った。

Sさんの世帯状況を紹介する。

1、世帯構成

世帯主（78）…農業と年金

　妻（73）…家事と年金

2、耕作地

水田　コシヒカリ　4反（40アール）…反収6～7俵（360～420キロ）

水田の耕作放棄地　5反（50アール）

飼料畑　5反（50アール）

　※かつては水稲3町歩（3ヘクタール）を作付けしていた。

3、支給年金

①国民年金　1カ月　7万5000円

②農業者年金　1カ月　3万5000円

③被爆者年金　1カ月　3万4000円

「生活費には困らない」と笑ったSさんだったが、私が聞き取り調査を終えた別れ際にこう言葉をつないだ。「わしらの代が終わればここもどうなるか分からない」。Sさんの笑いが消えていた。

「田園ミュージアム」構想

長崎から船に揺られ五島市奥浦町の小さな船着き場に着いたのは、夏の日差しが照りつける暑い日だった。「限りなく透明に近いブルー」の海が旅の疲れを癒やしてくれる。

車で奥浦町奥ノ木場へ向かう狭い曲がりくねった山道を進む途中、道沿いに続く荒廃した杉の人工林が目に飛び込んできた。何年も人の手が入らず枝打ちされないまま放置されている線香林。日が差さず下草も生えないむき出しの地表面。高知の「山」で長い間見てきた「沈黙の林」そのものだ。「五島よ、おまえもか」。むき出しの地表面が雨に洗われ、赤土が川へ、海へと流れ出せば磯枯れした死の海がやがて生まれる。「限りなく透明に近いブルー」の海がいつまで続くのか。不安がよぎる。

長崎県内の杉、ヒノキなどの人工林は9万1000ヘクタル。うち7万ヘクタルが手入れの必要な「山」だ。このうち間伐などの手入れ実施率は4割に過ぎず、10年間全く手入れなしの「山」は60%に達している。これが2007年度からの「ながさき森林環境税」創設・導入の背景だ。県民1人500円、総額3億7000万円が2007年度予算に計上された。

新税の有効活用で「限りなく透明に近いブルー」の海を子々孫々まで残すこと——これが島を愛す

る者すべての社会的責務だろう。

いま、島では限界集落再生に向けた新しい取り組みが民間レベルで始まっている。

都市で潤いのない日常生活を送っている人、多様な知識を持った団塊世代などに農的暮らしや自然の素晴らしさを提供、逆に移入者の力を借りて環境を含めた持続可能な環境型社会の形成を図り、地元の人たちとの交流を通して地域再生を図る「田園ミュージアム」構想がそれだ。プランナーの濵口孝さん（55歳）は、東京と五島を行き来する「二地域居住」を実践した後、定住。濵口さんらはへき地の戸岐町半泊の、閉校した小学校の分校を活動拠点にする。半泊地区は福江島の半島部にある、海と山に囲まれた５００メートル四方の小さな集落。濵口さんと地域住民は同構想のもと、田舎暮らし体験でここを訪れる都会人や島外の子どもたちに１人５００円の「環境維持費」を出してもらい、集落の自然や文化、暮らしを継続する経費に充てる取り組みを始めた。地域で開くサマースクールでは、空腹体験やシュノーケリング、魚釣りと料理、教会堂でのクラシック音楽祭などがあり、漁業者との交流の輪が広がっている。

濵口さんの定住の出発点になった「二地域居住」は２００５年に国土交通省の研究会が提唱を始めた。その人口を２０１０年１００万人、２０２０年６８０万人、２０３０年１０８０万人と見込む。「季節居住」「週末居住」などさまざまな形態があるが、いずれにせよ、地域の活力に結びつくものになるかが注目されている。

地方自治体でもこうした動きが見られ、富山県では「富山で定住、半定住を！」と２００６年から首都圏居住者が週末や連休を富山県で活動する「ときどき富山県民」推進事業に取り組む。２０１４年度に予定される北陸新幹線の富山開業を視野に入れた戦略でもある。

内閣官房地域活性化統合事務局は２００８年度に地域活性化戦略へ「地方の元気再生事業」を開始した。地域活性化戦略チームの資料によると元気再生事業は地方再生の取り組みを進める上でポイントとなるプロジェクトの立ち上げ段階からソフト分野を中心に支援を行う。２００８年5月1日から16日までの応募期間に１１８６件・総額２３０億円もの応募があった。応募主体もＮＰＯなどの民間法人45％、地方公共団体22％、官民連携協議会33％とさまざま。関心の高さがうかがえるが、提案を分野別に整理すると「交流　観光・二地域居住」が３４０件、29％もの割合を占めた。最終的に選定された１２０事業では「交流　観光・二地域居住」が42事業、35％を占めた。「二地域居住」への関心は高い。

「二地域居住」は都市と農山漁村を往復するだけに金銭的な問題も絡む。楽天リサーチと日本総合研究所が２００６年11月に発表した「二地域居住実践者実態アンケート」で明らかになった実践者の世帯年収は▼３００万円未満11・３％▼３００万円～５００万円未満22・０％▼５００万円～７００万円未満18・０％▼７００万円～１０００万円未満26・７％▼１０００万円～１５００万円未満13・３％▼１５００万円以上８・７％――となっている。

さまざまな課題はあるが、求められるのは実践。「田園ミュージアム」構想が新生五島をどう創造していくのかを見守りたい。

〝緑と清流〟の復活を～高知県仁淀川町（旧池川町）

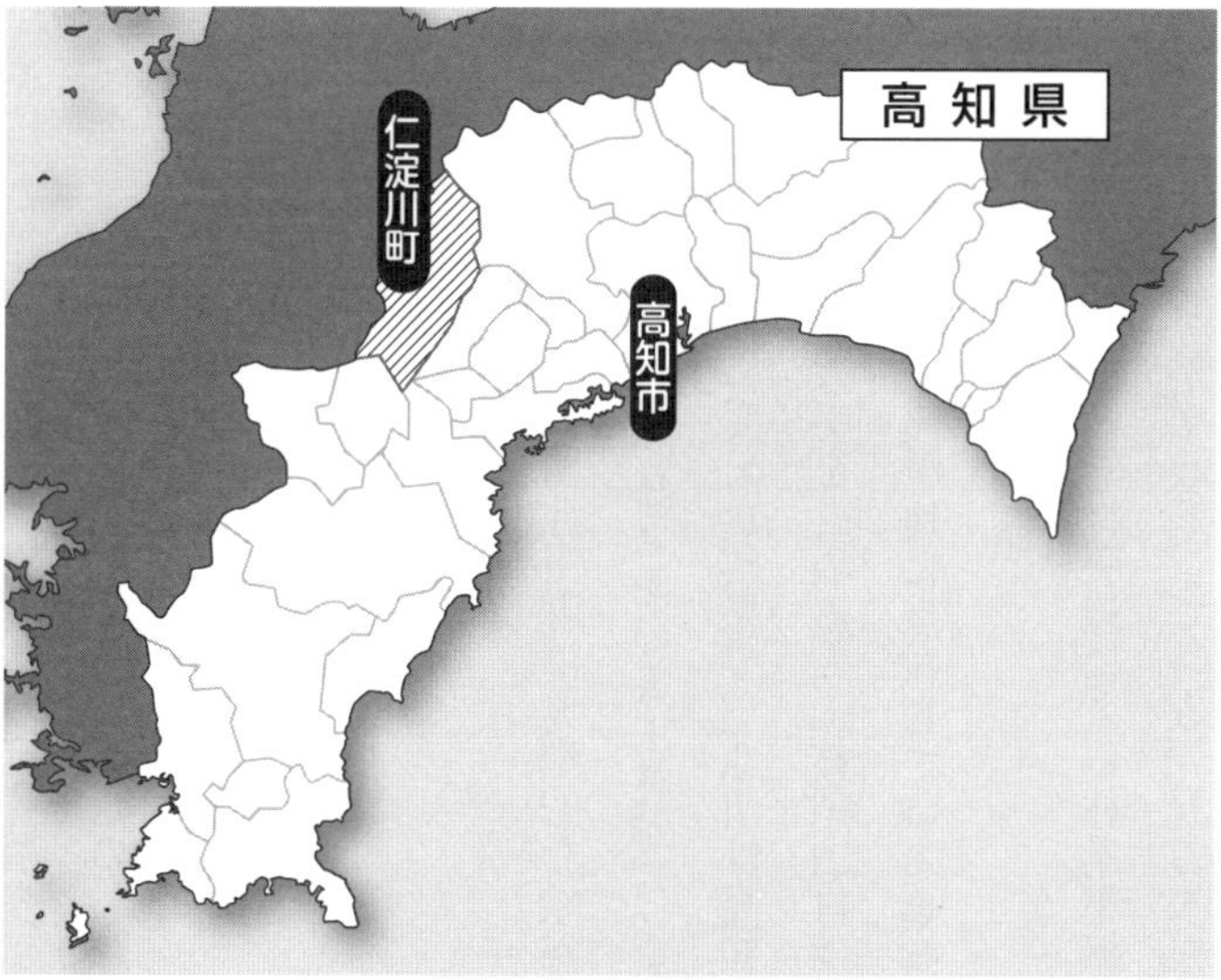

山道を背丸めゆく杣人《そまびと》に棚田の杉の影長く引く
茶畑の畝間畝間に杉の木の背丈勝りて花褪《あ》せてみゆ
枯谷に錆《さ》びて横たう鉄塊に在りし水車の面影しのびぬ

急こう配な傾斜畑と段々畑。狭い階段状に点在している家々がへばりついている「むら」。先人の創意に工夫を重ね、土壌侵食・肥料流失と闘い、先祖伝来の土地と家を守ってきた「むら」。いま、この地は人の気配がなくなり、サルやイノシシが「むら」の主人《あるじ》と化している。

旧池川町へ通い始めて30年以上が過ぎた。地下足袋で、ザックを背負い、ノート片手に通った旧池川町。何足の地下足袋を履きつぶしたことだろう。椿山集落の焼き畑調査を機に、林業労働者の振動病問題、外材圧迫による林業不振、限界集落の実態調査、高齢者福祉問題、「山」の荒廃・環境問題、そして「山」の保水力低下の実態。池川は山村問題の〝貯水池〟だ。池川に見る社会的現実の姿はまさに日本の山村の縮図といえる。

水車の面影

林野率93・7％の旧池川町は典型的な峡谷型山村。林野面積1万3110㌶のうち民有林は9742㌶で、このうち杉、ヒノキの人工林が77％を占めている。これは戦後の拡大一斉造林で雑木林を杉、ヒノキの人工林に変えた結果で、池川は高知を代表する「人工林型山村」だ。

杉、ヒノキが大半を占める人工林型山村は外材圧迫による林業不振で、人口・戸数が激減。高齢化が急速に進行し、傾斜地に点在している集落の7割が限界集落になっている（**P28表—4「高知県仁淀川町の集落の状態」参照**）。

限界集落の増加と外材圧迫による林業不振で、いまや池川の「山」は人工林の大半が「放置林」と化し、保水力が年々低下している。沢の水を生活用水に使っている集落では水の確保が難しい状況になっている。

池川には大きく切れ込んだ深い谷になっている安居川、用居川、大野椿山川、土居川の4河川とそれに注ぐ191の小谷がある。河川の上流から下流に沿って集落が点在する。水田がほとんどないこの一帯では、１９６０年ごろまでキビ（トウモロコシ）が主食だった。どこの家でも水車でひき割りし、荒く砕いたキビを炊いて食べていた。このため、どこの集落にも水車があり、輪番で水車の管理をしていた。

時を経て「山」の保水力低下を示すのが「水車」だった。水車小屋とその跡が確認できたのは25基。この水車を回していた谷の水量は枯れ谷10、水量が大きく減って水車を回せない谷12（うち渇水期に枯れ谷になる谷5）、水車を回すだけの水量がまだある谷3となっている。

安居川上流の幹線道路から奥谷へつづら折りの小道を登りきったところに余能集落がある。高齢化が進む中、定年Uターン組で一時活気を取り戻し、マスコミに取り上げられた集落だ。しかし、頼みの綱だった定年Uターン組もいまは80歳を超え、10戸、16人の生活のうち14人が65歳以上の限界集落となる。２００６年には、区長の引き受け手がなくなり、明治、大正、昭和と続いてきた区会（自治会）を解散した。

この余能の人たちも、かつては水車のひき割りで暮らしてきた。家々を結ぶ急な階段の小道を抜け、墓場を通り、山道を登ると杉の線香林に覆われた枯れ谷に出る。さびた車軸の鉄塊が枯れ葉に埋もれ、かすかに顔を出している。そのさまが、在りし日の水車の面影をしのばせる。

簡易水道施設のない余能の人びとは、昔から谷川の引き水で生活用水、防火用水を確保し暮らしてきた。いまでは、水車跡の枯れ谷に象徴されるように年々谷の水量が減る中、冬でも枯れない水源を求めて引き水ホースを１キロも伸ばし、水を確保している人もいる。85歳の女性が大雨の度に枯れ葉で詰まる取水口の管理をいつまで続けられるのか。彼女いわく。「水の切れ目が命の切れ目だ」と。

彼女の言葉は重い。余能集落の現実は日本がいま直面する大きな問題そのものだ。

「山」の荒廃が保水力低下をもたらし、それが下流域のわれわれの日常生活に渇水や水害などの多くの問題を引き起こす。都市機能を充実させ、山村に暮らす人びとを都市に集めて住まわせることでは、日本の未来は開けない。

いまこそ、『「山」の荒廃が都市生活の荒廃を招く』ことの重大さを考え、林業・山村に税を投入し、その再生に国民総意で取り組むことが急務である。

大手ビール会社も支援

そんな旧池川町を中心にして、「仁淀川町再興」への起爆剤になりつつある組織がある。長良川河口堰《せき》反対運動で、〝川のジャンヌダルク〟といわれた天野礼子さんの全面的なサポートを受けて2001年に組織された「池川の〝緑と清流〟を再生する会」がそれだ。市町村合併に伴い、「仁淀川の〝緑と清流〟を再生する会」に名称変更されているが、組織立ち上げから7年を経て、着実に活動の輪を広げ、地域のサバイバル戦略の可能性さえ感じさせている。

旧池川町内の仁淀川の4つの支流と水質が全国4位になったこともある仁淀川本流を昔のように大量の天然アユのさかのぼる川に再生したいという目的で立ち上げられた住民組織は、手入れの行き届かない山、高齢者の多い地域でどのようにすれば清流復元が可能なのかを基調テーマに①近自然工法による川の自然再生や森では大橋慶三郎式林内路網づくり（地形図や地質や水系図をしっかりと読んで、危険な場所を避けて、良い材を安全に、そして効果的に出せる路網づくり）②自然界の微生物の力を借りての水の浄化③木質バイオマスの利活用――などを学び、実践。山仕事の重要性や地域おこしの可能性を広く住民、県民にアピールしてきた。

２００８年8月31日。仁淀川町中央公民館で開催された「仁淀川の〝緑と清流〟を再生する会」７周年記念シンポジウム「森と川の里・仁淀川町に生きるために」には、「アサヒビール株式会社協賛企画」の冠が掲げられ、多彩な顔ぶれが壇上に並んだ。日本の森を再生するために日本人になった作家C・W・ニコル氏や京都大学の竹内典之名誉教授がマイクを握り、天野氏が進行役を担当したパネルディスカッションには尾﨑正直高知県知事も参加した。

満員の会場の熱気は「地域に生きる」という情熱と地域戦略の重要性を教えるものになった。この日、７年もの間に地元で地道な活動を続けてきた「仁淀川の〝緑と清流〟を再生する会」会長の奥田英雄さんやその仲間たちという地方と天野礼子さんという中央のプランナーが見せたタッグマッチはこれからどう広がるのか。「限界集落の町」に「産官学の連携」さえ呼び込んだ「再生する会」の活動から反転攻勢はあるのか。注目だ。

針畑ルネッサンスへの挑戦〜滋賀県高島市（旧朽木村）

滋賀県最後の村が２００５年１月に消えた。朽木《くつき》村が県北西部の高島町などと合併して高島市となったからだ。朽木村は旧若狭国小浜と京を結ぶ道、「鯖街道」が縦断し、かつて街道筋として栄えた村だった。また、「朽木の杣《そま》」と呼ばれ、京への木材の供給基地だったともいう。私が訪ねた「針畑郷《はりはたごう》」はその旧朽木村の最深部にある。琵琶湖に注ぐ安曇川の支流、針畑川の源流域にある針畑郷はブナ林が残る豊かな自然に恵まれた地だ。

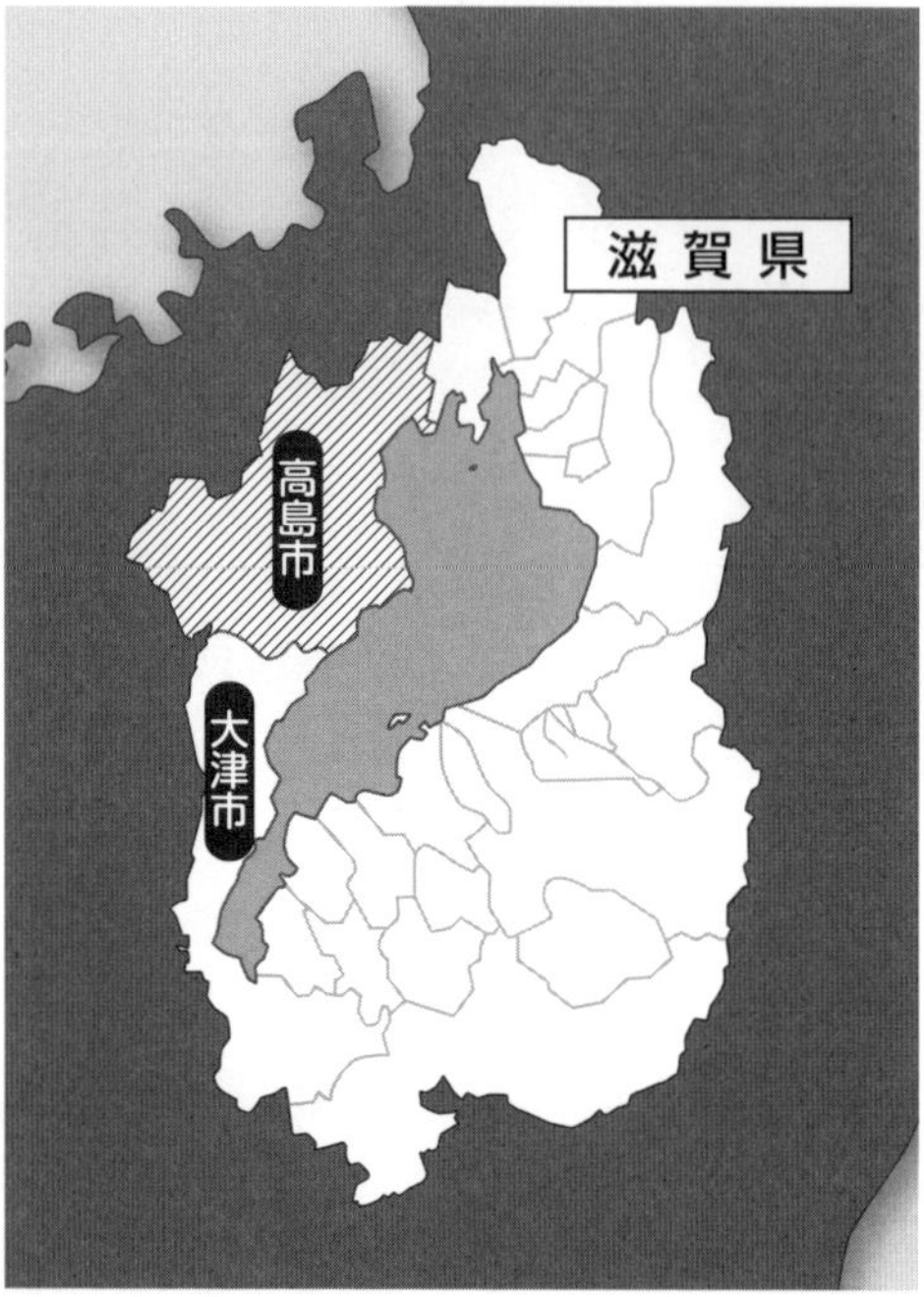

別格の山

平たんな地に落ち着いたたたずまいを見せる針畑の集落を歩き驚いた。全国各地の山村を歩くと、必ずと言っていいほど杉林の荒廃現場に出合うが、針畑郷の「山」は別格の美しさだ。杉の手入れが行き届き、村人が「山」を大事にしていることが見て取れる。古里に誇りを持って生きていることが景観からも分かる。

旧朽木村の人口は２３１７人、高齢化率は34・１％。３人に１人が高齢者だ。朽木の集落数は24集落。うち８集落が針畑郷にある。65歳以上の高齢者が半数を超えている集落は７集落。このうち５集落が針畑郷に集中している。「全国10美林」に数えられる美しい針畑郷も限界集落に支えられているのが現実だ。

２００８年６月、針畑郷の平良集落（11戸、18人、高齢化率57・９％）と桑原集落（９戸、20人、高齢化率60・０％）を訪れ、区長宅で集落状況を聞き、さらに「針畑ルネッサンスセンター」で開かれた座談会に参加した。

平良、桑原集落とも高齢者が６割を占めているにもかかわらず草刈り、河川の清掃、祭礼行事、寺の雪下ろしなど集落の社会的共同生活が維持されている。しかし、悩みはあふれていた。

座談会には針畑郷８集落の区長をはじめ村人が各集落から集まり、畳の部屋は満員状態で入り口に立っている人もいた。

「シカは2メートルジャンプ」

区長の一人のこんな発言が口火を切った。「16戸のうち８戸が独居老人。月６万円の年金生活の苦しさから抜けだす方法を教えてほしい」。それ以後、村人からは発言が絶えることがなかった。

「8戸のうち千葉、大分、京都などからのIターンが5戸。彼らには神社、寺の付き合いまでは応援してもらえない」「定年Uターンの人が増えている。この人たちの活動に期待したい」「全国10美林に入るこの地の美林を守っていきたい」「よいことが何もない。寂しい地域だ」「獣害が深刻。シカは助走なしで2㍍ジャンプする。3㍍の獣害防止柵が必要」「国の応援は事業だけの応援だ。その地域に人の暮らしが残る支援が必要」「朽木では年間100頭のシカを駆除している。シカ肉の加工施設が今年完成した。肉を食用販売し活性化の起爆剤にしたい」「都市圏から1時間余りで自然豊かなこの地に来れる。豊かな自然によりながら観光産業を行うことが地域の生き残りに必要だ」

日ごろ針畑郷が抱えている問題や生活をしている人たちの熱い思いが真剣に語られ、たちまち2時間が過ぎたが、何よりこの座談会は針畑郷が集落再生に必要なパワーを内在する可能性を見せていた。針畑郷に限らず多くの「限界集落」やその予備軍集落は今後こうした話し合いを重ね、その解決策を自分たちで具体化し、行政当局に向け提起していくことが求められているのだ。

NPOと古屋簡易郵便局

針畑郷には、外から移住してくるIターンの若者もいる。彼らは針畑郷の豊かな自然と村人のスローライフに魅せられやってくる。針畑郷の活性化には移住者の力が欠かせない。「地元の熱いまなざしと外からの新鮮かつ冷静な視点」とが一つになってはじめて地域の活性が現実化する。これを私は「内なる眼《め》と外なる眼《め》」の統一と表現するが、「山人から街人へ　街人から山人へ」を唱える針畑郷「ＮＰＯ朽木針畑山人協会」がまさにこれだ。

若い新住民のフレッシュな目と地元の風土に根差したお年寄りたちの生きた知恵によって「共同」で設立されたのが、この協会だ。中牧集落にある針畑郷山村都市交流館を拠点にした２０００年からの活動は針畑に「山と人の博物館設立」、森や田んぼの学校などによる「環境教育の実践」、「都市住民との交流」をもたらすなど幅広い。

ＮＰＯ朽木針畑山人協会だけではない。針畑郷の古屋簡易郵便局にもユニークな取り組みをしている局長がいる。局長は郵便局を郵便業務だけでなく、住民生活が便利になる多目的機能を持った総合的施設にしようと奮闘中なのだ。

現在、この郵便局は郵便業務以外にパンやトイレットペーパー、乾電池、線香、ろうそく、殺虫剤、ネズミ捕り、蚊取り線香や刈り払い機、チェーンソー用のチェーン、エンジンオイルなどの林業資材、野菜の種など地域の求める物品の販売を続ける。また、２００８年度から局を拠点に、高齢者への車の送迎サービスをするボランティアの「おたすけ福祉サービス」も開始した。

多目的機能を目指すこの郵便局の取り組みを地元の人びとは大歓迎している。

中牧集落には針畑郷山村都市交流館「山帰来」や針畑ルネッサンスセンターなどがある。「山帰来」では食事もできることから、日常的に人が集まる。いま、局長が実現したいのが、古屋簡易郵便局の「移転」だ。離れたところにある古屋簡易郵便局を「山帰来」内に移せば住民にとって最も利便性が高く、新たなコミュニティー形成の強化にもなるというもくろみだ。しかし、現実には縦割り行政の厚い壁がある。「『山帰来』は林野庁の補助事業。そこに郵便局を入れることは目的外使用になり移せない」と局長は話す。

不可能への挑戦

林野庁の補助事業施設に簡易郵便局を入れるという発想は誰もが「無理」と考える。「お上の言うことには従う」という日本の民主主義の欠陥がそこにある。しかし、「行政を変える」「政治を変える」ことは可能なのだ。

私が限界集落調査を継続している国にルーマニアとスウェーデンがあり、スウェーデンの中北部、ノルウェーと国境を接しているイエムトランド県にオーレコミューンという自治体がある。スウェーデンでは自治体をすべてコミューンと表現する。そのオーレコミューンの中に「フーソー」という限界集落がある。

ここに生きる人たちは、たとえばＥＵや国など行政組織から「橋建設」の補修予算をもらったとき、ボランティアで作業に取り組み、予算を余らせ、そのお金を別の事業に投入する。

こんな例もある。学校統廃合問題が起こったとき、都市部へ学校を統合するという考え方でなく、都会から子どもたちを引っ張ってきて学校運営をやろうという考えをした。小学校の建物を自分たちの、フーソーの所有にして、学校を運営する。フーソーの中には４人の教員経験者がいるから、先生確保は大丈夫。都会から子どもたちが来れば親も呼び込めるのではないか。そうすれば地域も活性化できる、という発想に立った。

そして２００３年ごろ、こんな活動をした。

フーソーは素晴らしい自然を持つ。ずっとずっと続く傾斜地。牧草畑が続く。放牧された牛や羊が草を食《は》む。針葉樹があり、針葉樹の上は森林限界地。木が何もなくなって、冬になればスキー場になる。そして大きな湖。アルプスの少女ハイジの舞台のような景観がある。

この環境をセールスポイントにして「子どもたちに伸びやかな教育を提供します」と訴え、都市部の十数人の親に会い、いわば山村留学の承諾を取り付けた。そして、この事実を持って学校の許認可権を持つカル地区委員会に学校開設の交渉をした。結果は拒否されたが、フーソーの人たちは自分たちの地域を自分たちの手で管理、運営していく活動こそ、住民自治の原点ととらえている。

フーソーの取り組みは、日本では本当に不可能なことか。針畑郷の人たちが古屋簡易郵便局を「山帰来」に移転することを望むなら、人びとが一つになって実現へ挑戦してほしい。地域の力で新たなコミュニティー形成が実現するのか。行政がその声をどう聞くのか。新しい針畑ルネッサンスは生まれるのか。地域力と限界集落への行政の目線が問われている。

動きだした議員集団～静岡市（旧安倍6カ村）

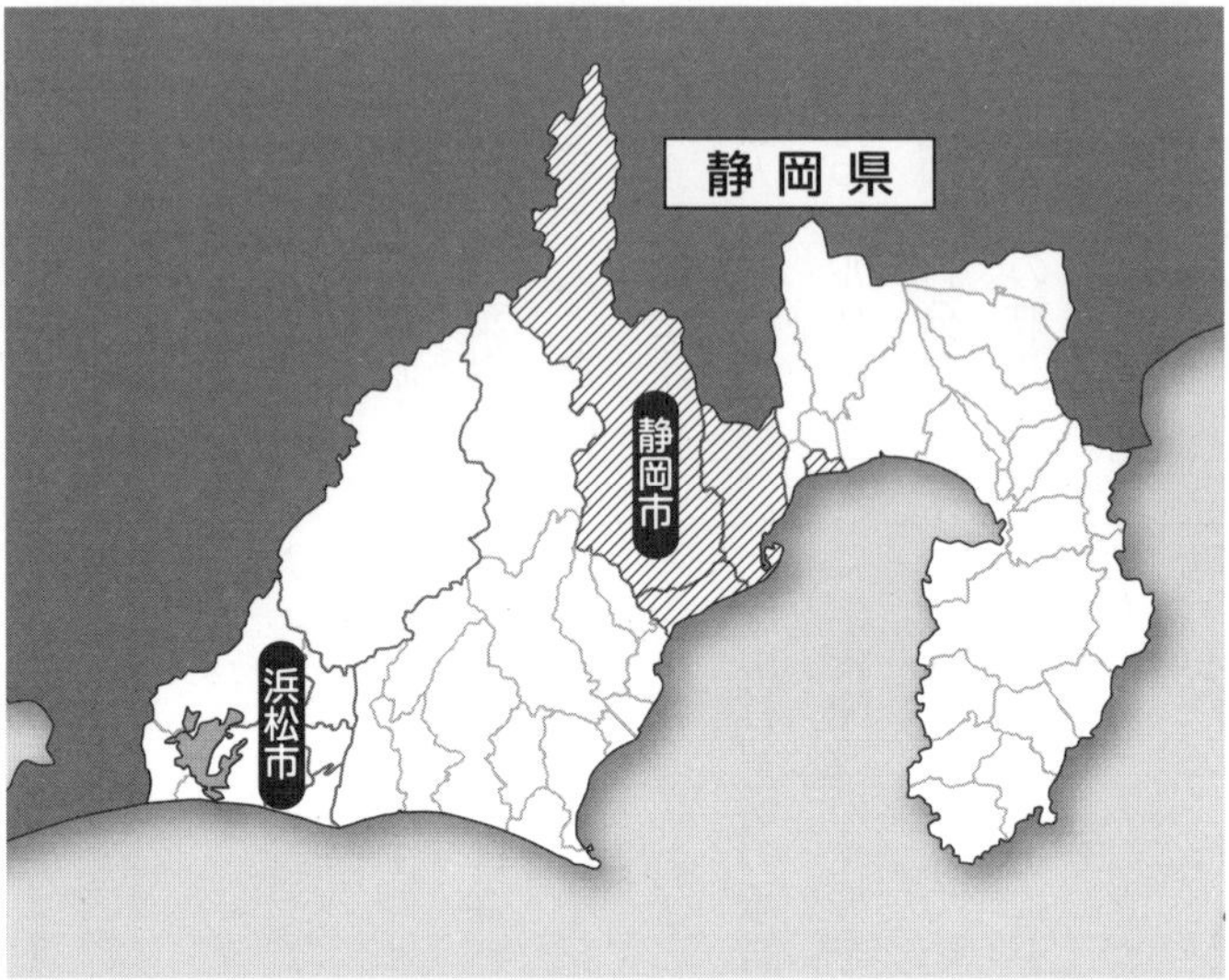

静岡県には人口81万人の浜松市と人口71万人の静岡市の2つの政令指定都市がある。この2つの政令指定都市は、合併による旧町村集落の限界集落化が急速に進行している点で共通の問題を抱えている。

浜松市は2005年7月、12市町村が合併し、2007年4月、政令指定都市になった。旧天竜市、旧春野町、旧佐久間町、旧水窪町、旧龍山村で構成されている天竜区は高齢化率が最も高く、旧天竜市、旧春野町を除く3町村はいずれも40％後半の高さで、旧佐久間町は48・2％と50％近くになっている（2008年4月1日現在）。自治会レベルでは高齢化率100％のところもあり、65歳以上が半数を超える自治会が46を数えている。

静岡市は清水市と合併して、2003年4月、政令指定都市になった。安倍川水系と藁科《わらしな》川水系にある旧安倍6カ村（梅ケ島村、玉川村、大河内村、井川村、大川村、清沢村）は1969年に旧静岡市と合併。2009年には合併40周年を迎える。

この間、都市部の中心市街地と安倍6カ村の山間地域との地域間格差が拡大し、安倍6カ村の人口は1万2000人から6000人台へと半減している。安倍6カ村には48集落あるが、このうち14集落が限界集落になっている。

ブルーベリージャム

2008年7月、安倍川水系と藁科川水系の山間地域を訪れた。暑い夏の日差しの中にも川のせせらぎが、訪れた者に涼しさを演出してくれていた。

静岡市葵区口仙俣《くちせんまた》は9世帯、13人の小規模集落。13人の平均年齢は74歳で、年金生活者が10人。一人暮らしが7世帯の限界集落だ。

区長は81歳になる女性区長白鳥はなさん。80歳のご主人と200㌶《ヘクタル》を超す山林を守り、47歳の息子と3人で暮らす。口仙俣の林家に生まれ、この地でずっと暮らしてきた白鳥さんは「この口仙俣が日本で一番良いところ」と話す。その白鳥さんがオールドパワーを存分に見せている。白鳥さんは「口仙俣にブランド品を」とジャムづくりに取り組んでいるのだ。

畑でブルーベリーを栽培。周囲にも栽培を勧めながら、「ブルーベリーの郷」を目指す。ご主人と息子に手伝ってもらい台所を加工場にリフォームした。自宅は「口仙俣ブルーベリージャム工場」となっている。

80歳を過ぎてなお、集落再生の夢を実現しようと力強く生きている〝若き〟区長に心からエールを送りたい。

外食チェーンとの連携

有東木《うとうぎ》は、安倍川の支流有東木沢の標高500〜600㍍の三方を山で囲まれた豊かな湧水《ゆうすい》と肥沃《ひよく》な土地に恵まれたところで、ワサビ栽培発祥の地として知られている農業集落である。静岡のチベットとも呼ばれているという。

有東木には世帯数71戸、284人が生活するが、高齢化率は42・5%の準限界集落だ。71戸のうち、ワサビ栽培農家53戸。30㌃の大規模栽培農家は10戸、他は1㌃から1・65㌃の小規模栽培農家だ。ワサビ直販を主目的に大規模栽培の後継ぎなど11人で組織する「有東木こだわり倶楽部」は、東京や京都の料理店、すし店などとの取引で販路を広げ実績を上げている。

また、有東木では歴史ある伝統行事が今日まで大切に受け継がれる。中でも白髭神社で春祭り（4月）と秋祭り（10月）に奉納される「有東木の神楽」は静岡市の無形民俗文化財に、毎年8月の14、15日に東雲寺境内で催される「有東木の盆踊り」は国の重要無形文化財にそれぞれ指定される。こうした歴史的伝統行事の担い手は現在は確保されているものの、近い将来、確保ができなくなることが予想され、存続が危ぶまれている。

ワサビ、茶の生産と伝統芸能、伝統文化の維持・存続を図るためには「準限界集落」の段階にあるうちに存続集落へ再生していく具体的手だてを講じることが不可欠であり、これが有東木の直面している重要課題である。

ただ、有東木は同時にその課題を解決する力を内在するように感じる。既に先例を持つ。それは「有東木こだわり倶楽部」を含めた「安倍山葵《わさび》業組合」とモスバーガーとの連携だった。モスフードサービス（東京都新宿区）が２００３年８月から発売を開始した高級バーガー「匠味《たくみ》」シリーズの「ニッポンのバーガー匠味アボカド山葵」に使用されたワサビは、有東木で栽培されたものが厳選された。「匠味アボカド山葵」は２００６年10月に終売したが、「匠味シリーズ」はリニューアルされ、ワサビはオプションとして「静岡産本山葵」として継続販売されていた（シリーズは２００８年５月末で終了）。

有東木地域との連携をモスフードサービス購買戦略グループの由井誠一・チーフリーダーは次のように総括する。

「有東木地区との本ワサビの取り組みは限界集落・地域という認識ではなく、『ワサビ発祥の地』『本物中の本物のワサビ』の生産地ということがきっかけで考えました。本ワサビは高級食材なので、導入に当たっての一番の障害は価格。有東木地区の本ワサビを外食で取り扱う価格にどうやって合わせられるか。その障害の除去に安倍山葵業組合の方々にも一丸となって私たちと一緒に取り組んでいただいた。高級品の本ワサビですが、部分的に切り取られたものは品質が同じでも、規格外となってしまい、商品価値は極端に落ちます。そこで、その部分を弊社向けに出荷していただくことになりました。導入後も、黒サビ病というワサビの病気について研究させてもらい、組合の総会にも出席させていただくなど、組合の皆さんと一体となって取り組んでいくことができました。残念ながら商品の販売終了に伴い取り扱いも終わってしまいましたが、大変貴重な経験になりました」

地域浮揚戦略が一流企業とのパートナーシップ確立のサポートを受けられるものなら、未来は輝く可能性だってあろう。企業戦略もまた、地域と共に歩む時代になりつつあるのは、高知県でのアサヒビールの仁淀地域再生への協力態勢でも示される。企業の協賛金で間伐など森林整備を進める「協働の森」事業も高知などで着実に広がる。

連携の重要性はデータ的にも示される。有東木こだわり倶楽部のメンバーの一人、白鳥儀光さん（59歳）は「倶楽部の目標を5年間の売り上げ1億円達成においてきたが、2008年度にそれが達成できそうです。農業・林業の環境がこれだけ厳しい時代だけに足元を見詰めながら戦略を立てたい」と話す。

確かな可能性を感じるコメントだ。

過疎地有償運送

蓼科川水系の清沢地区（旧清沢村）で座談会を開いた。人口１３３４人、４２１世帯、高齢化率38・2％（２００８年４月１日現在）の清沢地区は14集落で構成されている。14集落中10集落から12人が集まった。12人からは「空き家が多い」「一人暮らしが多い」「60歳以上ばかりだ」「サル、イノシシ、シカの被害で大変」「バスがない」「携帯電話が入らない」など各集落が抱えている問題が出された。意見交換をはさんで「今後もこうした機会を持つことが必要だ」という確認をして、２時間半の座談会を終えたのだが、清沢でこうした問題の解決に正面から取り組んでいる組織がある。「ＮＰＯ法人フロンティア清沢」だ。

交流施設「きよさわ里の駅」のオープンなど多彩な活動をするＮＰＯ法人フロンティア清沢の事業で、いま注目を集めているのが「過疎地有償運送」だ。過疎地有償運送は、公共交通機関がなく、車が運転できない高齢者をバス停まで有償で送迎するサービスで、中部運輸局の許可を得て２００６年11月１日から運行を開始している。

路線バスの終点「久能尾」から５㌔～10㌔離れている高齢化率41％の６集落が送迎対象で、現在２５３人が会員登録している。運賃は距離に応じて３００円～５００円。ドライバーはバスやタクシーの元運転手など15人。輪番で専用車「やまびこ号」を運行。「足をひきずってバス停まで行かなくて済む」と移動手段のない交通弱者に大歓迎されている。

ＮＰＯ法人フロンティア清沢の代表者大棟鉄雄氏は「地区の問題を自分たちで解決していこうとする意欲をどう引き出すかが地域活性化のポイントだ。これが一番難しい」とさりげなく話した。

■ＮＰＯ法人フロンティア清沢の活動内容

名称	特定非営利活動法人（ＮＰＯ法人）フロンティア清沢
所在地	〒421―1307 静岡県静岡市葵区相俣200番地 ＴＥＬ 054―295―3783
設立	平成15年11月7日
目的	ＮＰＯ法人フロンティア清沢とは、清沢地区を中心とした周辺地域に対して、食文化等を通じて都市と農山村の交流、福祉の増進、青少年の健全育成、環境の保全などの実践事業を行い、中山間地域における地域資源を活用したモデル的な地域づくりを進め、これを情報発信することにより、誇りを持ち心豊かで安心して支えあうことのできる新たなシステムづくりに寄与することを目的とします。
事業内容	(1)食文化の伝承・体験及び普及に関する事業 (2)都市と山村との交流に関する事業 (3)各種福祉サービスの提供に関する事業 (4)青少年の健全育成に関する事業 (5)社会教育の推進に関する事業 (6)農山村の保護再生を目的とした環境保全に関する事業 (7)地域づくりのための調査研究事業 (8)各種情報の提供に関する広報啓発事業 (9)その他目的を達成するために必要な事業
主な活動	(1)過疎地有償運送 (2)子育て支援 (3)都市と農山村の交流 (4)桜の植樹

■ＮＰＯ法人フロンティア清沢の地域づくりに関する年表

年度	概要
昭和58年	「清沢を考える会」設立。
昭和59年	「清沢を考える会」を「清沢地区振興会」に名称変更。 第１回清沢ふるさと祭り開催。 以後毎年11月に清沢小学校を会場に開催。 「きよさわよもぎきんつば」開発・販売開始。清沢地区振興会女性部発足、のち「きんつば部会」となる。
平成２年	天竜市くんま「水車の里」加工物販施設視察見学。
平成３年	静岡葵ライオンズクラブの支援により、きよさわ昆虫の里（坂本地区）坂本川周辺の整備開始。 静岡市の支援によりイベント用舞台完成（組立式・移動可能）。坂本地区において清沢夏祭り開催、花火を盛大に打ち上げ（７月） ふるさと体験ツアー「清沢」開催、静岡市・八王子市・川崎市の住民と２泊３日の交流（８月）
平成11年	静岡市による「地域づくりモデル事業」開始（４月）
平成13年	「地域づくりモデル事業」終了（３月）、全12回開催。 国道362号沿線やけんどう地区に「きよさわ里の駅」オープン。日曜日営業（３月11日） 地域主導による「清沢活性化モデル事業実行委員会」設立（４月） 女性グループによる「万芽の会」発足（９月） 清沢地区の特産品開発と販売を目指す。
平成14年	農産物加工販売施設運営主体としてＮＰＯ法人設立に向けて勉強会開催（２月） 天竜市ＮＰＯ法人夢未来くんま、くんま水車の里視察見学（３月） ＮＰＯ講座開催【講師・静岡県ＮＰＯ推進室長渡辺豊博氏】（９月）
平成15年	清沢地区振興会の発展的解消を合意（１月） 特定非営利活動法人フロンティア清沢設立総会開催（１月） 真富士の里運営委員長見城八郎氏を講師に勉強会開催（２月）

年度	概要
平成15年	JR静岡市アスティーに出店販売開始［月2回程度］（3月） 特定非営利活動法人フロンティア清沢申請書を石川静岡県知事に提出（6月） 新静岡センターに出店販売開始［月2回程度］（10月） フロンティア清沢が特定非営利活動法人として県より認証（10月28日） 特定非営利活動法人フロンティア清沢法人登記（11月7日）
平成16年	清沢ふるさと交流施設「きよさわ里の駅」建設開始（1月） 経理事務の合理化と統一化を目指しパソコン導入を決定　勉強会開始（1月） 下相俣地区を中心に桜ともみじの植樹を行う。清沢小学校児童の記念植樹同時開催（1月） 清沢ふるさと交流施設「きよさわ里の駅」竣工式（3月27日） 清沢ふるさと交流施設「きよさわ里の駅」オープン（4月11日） NHKラジオ　ふるさとマイタウンで「いのしし丼」を紹介（4月26日全国放送） 静岡県ユースカレッジ研修会をきよさわ里の駅と棚田を会場に開催（8月） 清沢公民館新築記念事業として中央公民館と共催で神楽笛作りと白髭神社散策を開催（9月）
平成17年	清沢小学校前黒俣川対岸に桜の植樹を行う（3月13日） 青葉イベント広場で清沢の広報活動開始［月2回］。きんつば実演販売も行う（3月より） スーパー田子重の瀬名店と下川原店に出店販売開始［月2回程度］（3月より） 中央公民館と共催で相俣棚田で田植え体験を実施。（草取り、収穫等全5回の講座）30名参加。 過疎地有償輸送事業導入のため移動ネットサービス静岡に参加（6月） 清水エスパルスプラザに出店（月2回）（9月） フロンティア清沢事業の一環として清沢幼稚園・小学校母親有志による子育て支援の取組み開始（10月）
平成18年	静岡市福祉・過疎地有償運送運営協議会開催（フロンティア清沢が過疎地有償運送の合意を得る）（3月20日） 中部農林事務所の呼びかけにより、グリーンツーリズム研究会が発足。取組み開始。（3月） 第1回フロンティア清沢杯グランドゴルフ大会開催（八幡河川敷）　（7月16日） 国土交通省中部運輸局静岡運輸支局から過疎地有償運送の許可が下りる（9月15日） 過疎地有償運送事業開始　（やまびこ号）　出発式（11月1日） 第44回愛の都市訪問に公募、過疎地有償運送車両1台寄贈が決まる（12月）

年度	概要
平成19年	きよさわよもぎ金つばの商標登録を特許庁に提出（3月） 第44回愛の都市訪問福祉支援活動車両寄贈式。新車両運行開始（3月13日） 丸一日体験ツアーin清沢（11月17日～18日）モニター12名で実施 きよさわよもぎ金つば商標登録認証（11月30日）

政策集団

静岡市の旧安倍6カ村の地域再生への取り組みを見るとき、どうしても言及しておかなければならないのが、「政策集団」の存在だ。

1冊の提言書がある。「葵区の中山間地域の活性化に関する提言～平成21年は、旧安倍6カ村合併40周年」だ。２００７（平成19）年12月11日に発表されたこの提言書をまとめたのは自民党静岡市議会議員団葵区選出議員たち。合併により過疎と過密が混在する葵区の再生へ「政務調査活動」として提言書を作成したのだ。「政務調査」は複数回行われ、8月14日には国の重要無形民俗文化財「有東木の盆踊り」も視察した。静岡新聞は8月16日付でその内容を大きく報道する。

環境やゆとりある生活を求める国民意識の変化をも背景に中山間地域の将来ビジョンを求めて、自民党市議団の打ち出したプロジェクトを紹介する。

地域格差ゼロ推進プロジェクト（道路整備、ブロードバンドの格差解消、保健・福祉・医療・教育

自民党静岡市議団

中山間地振興へ政務調査

「有東木の盆踊り」視察

静岡市議会会派の自民党市議団（剣持邦昭会長）に所属する葵区選出の市議らが十四日夜、国の重要無形民俗文化財に指定されている「有東木の盆踊り」を視察した。中山間地振興を目的とした政務調査活動の一環。扇子やサラサ、コキリコなどを手にした古風な盆踊りの中央で、五層の天守閣をかたどった飾り灯籠（どうろう）を掲げた男性が踊る独特の伝統芸能に肌で触れた。

静岡市議会会派の自民党市議団が視察した「有東木の盆踊り」＝葵区有東木

沢沿いに開けた有東木の集落は江戸時代からワサビ産地として知られ、人の往来に伴って「他国」の文化も入ったとされ、城型灯籠も中世の都の流行が伝来したという研究者もいる。数百年の歴史を持つこの盆踊りも、集落からの若者の流出に歯止めがかからないことなどから、その存続が危ぶまれている。

視察した市議の一人は「限界集落や消滅集落の危機にある地域では、集落の維持とともにこうした伝統文化も危機的状況に陥っている」との認識を示した。

市によると、中山間地の旧安倍六カ村地域では、旧静岡市と合併した昭和四十四年当時、一万二千人だった人口が六千人（平成十七年度）に半減している。六十五歳以上の高齢化率は42％。高齢化率が50％を超え、冠婚葬祭などの社会的共同生活の維持が困難になった「限界集落」が、四十八集落中十四集落を数えるという。

同会派は本年度の政務調査活動について、「中山間地振興」（葵区）、「区全体の交通アクセス整備」（駿河区）、「清水港整備」（清水区）など区ごとにテーマを絞って政策研究を進める方針を決めている。

静岡新聞　平成19年８月16日付

中山間地の施設視察

静岡市議会自民市議団　振興策、市に提言へ

中山間地の現状などを視察する静岡市議会会派・自民党市議団のメンバーら＝同市葵区梅ケ島

静岡市議会会派の自民党市議団（剣持邦昭会長）に所属する葵区選出の市議らがこのほど、同区梅ケ島の日影沢金山跡地や安倍峠、コンヤ温泉周辺の観光施設などを視察した。

同会派が区ごとに設定した政策課題についての政務調査活動の一環。地元の梅ケ島学区連合町内会や観光団体関係者らとも懇談して現状の説明を受け、行政への要望などを聴いた。地元側からは「何とか、日影沢金山を観光に結び付けたい」などの意見が寄せられた。市議側は「安倍峠で県境を接する山梨県側との綱引き合戦を行い、人の行き来を喚起してはどうか」などと提案した。

葵区について同会派は、冠婚葬祭などの社会的共同生活の維持が困難になる「限界集落」の問題などを取り上げ、中山間地振興策の検討を政務調査活動の柱に据えている。年内にも検討結果をまとめ、小嶋善吉市長に政策提言する方針。

静岡新聞　平成19年11月３日付

の格差解消）、**農林業振興プロジェクト**（河川利用者への公共トイレの設置、有害鳥獣対策、地産地消、地場産材の利用促進、水源保全のための負担、マンパワー確保）、**環境調和型企業立地促進プロジェクト**（低未利用地の有効活用、自然調和型企業立地への支援、木質バイオマスの積極的活用）、**南アルプス世界自然遺産登録推進プロジェクト、安倍・藁科文化創出プロジェクト**（安倍峠での徳川・武田軍「綱取り合戦」など）、**山岳文化センター整備プロジェクト、中山間地域定住特区構想推進プロジェクト、ふるさと応援団結成推進プロジェクト、エコツーリズム推進プロジェクト**――が記される。

そしてプロジェクト実現への進め方として①全庁的な推進体制整備と専門セクションの設置②静岡市山岳文化振興基金条例の制定③中山間地域活性化10年行動計画の推進――を示す。

提言の「おわりに」で市議団はこう記す。

「美しい森と澄んだ水の流れは、本市が世界に誇る貴重な財産であり、我々が、先人達から引き継ぎ、子々孫々に継承していくべき財産です。そのためには、中山間地域が活力を持続していくことが必要であり、今、まさに、この地域を活性化していくことが、静岡市政最大の課題となっています。我々は、この提言をとりまとめていく過程で、多くの住民の皆さんの生の声を伺いましたが、その声は、大きな期待とともに将来への不安を覗かせるものでした。この不安を解消し、未来への大きな夢と希望を抱いていただくためには、市長を先頭に、全市を挙げた取り組みが必要となってきます」

政党会派が「政務調査費」を使って、「限界集落」対策に正面から取り組んだ例はほかに知らない。提言の具体化はどこまで可能か。多くの限界集落を抱える自治体の政策展開の参考になろう。行政マンでなく、本来、地域形成の役を担うべき議員集団の重要な政策提言は「光明」と位置づけていい。彼らがよりパワーアップをすることを求めたい。

２００７（平成19）年夏の参議院選挙で民主党の小沢一郎代表が「限界集落」行脚して話題になった。「限界集落」対策へ国政、地方を問わず議員集団が積極的に政策提起へ踏み込んでいくことを望む。

「むら」で暮らしたい～長野県北相木村、長野市（旧大岡村）

「五感を通して社会的現実に学ぶ」を合言葉に私は35年間、学生を連れ、山村の現地調査を続けてきた。24時間営業の不夜城、コンビニ通いが日常になっている近年の学生たちは、現地に入ると必ず、「コンビニがない」「携帯電話が使えない」を連呼する。山間の地に、限界集落に入ることは、彼らにとって日常からの大脱出なのだ。

長野大学環境ツーリズム学部の大野ゼミでは毎年夏に山村の限界集落の調査を行う。調査の前には必ず、「庭先調査」「上がりかまち調査」「座敷調査」という段階を学生に説明し、現地に入る。調査の終わりに、全員が調査の感想を述べるのが慣行だ。「去年の調査は庭先調査でショックを受けたが、今年は座敷の調査ができ、お菓子も出してもらいうれしかった」と下級生の前で胸を張る上級生にほっと胸をなで下ろす。

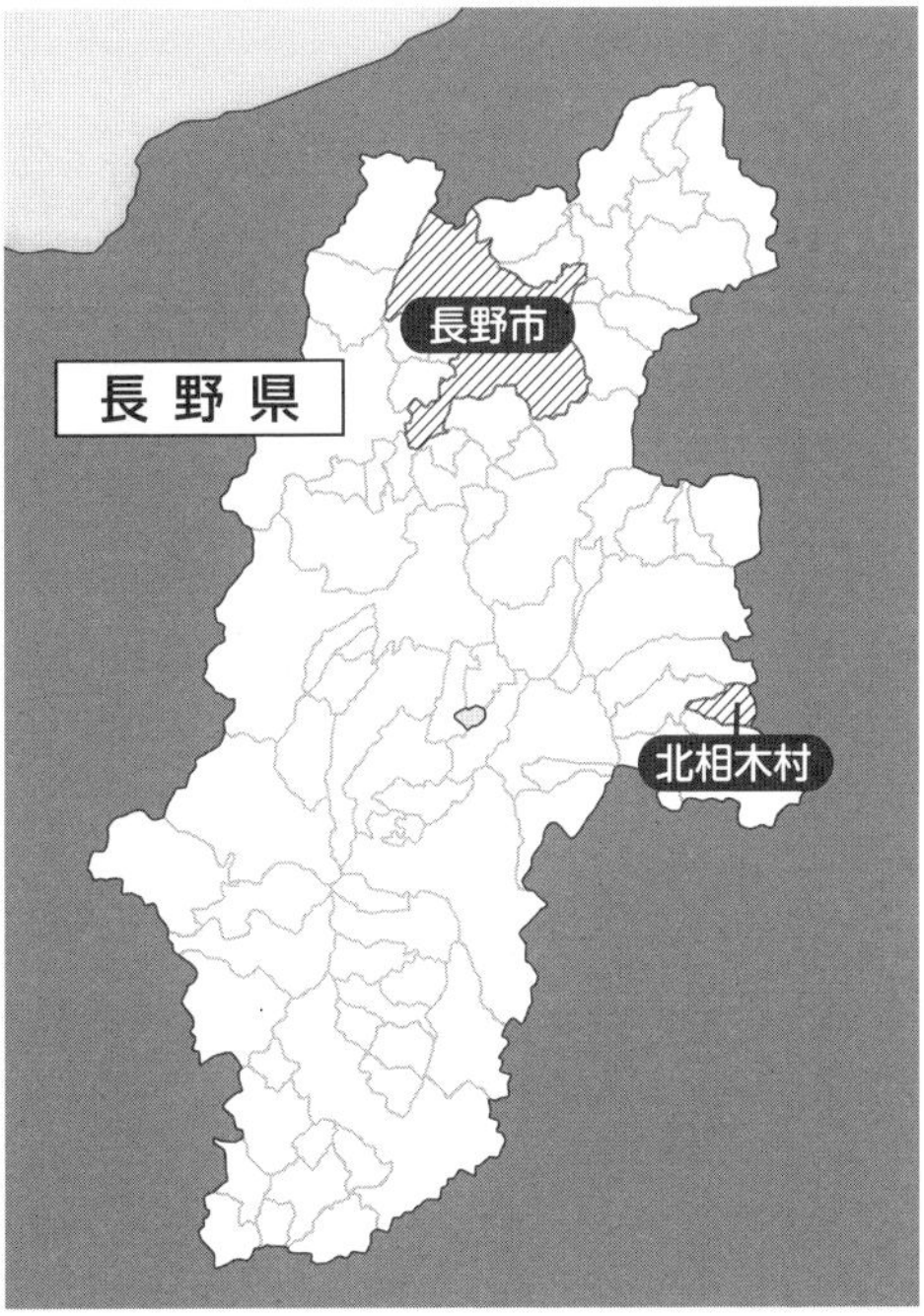

調査結果は現地報告会を冬に開いて住民の皆さんにフィードバックしている。２０

06年度は東信地区で人口減少率、高齢化率が共に高い北相木村、2007年度には北信の旧大岡村（現長野市）、2008年度は南信の阿智村へ現地調査に入った。

軽トラみこし

北相木村は県の東端にあり、群馬県の上野村に境を接している林野率90％の山村だ。農林業が主産業の村は若者の雇用の場がなく人口流出が続く。1960年2106人の人口は1000人を割り、2008年8月には900人台になった。世帯数は340戸程度。高齢化率は41・4％だ。

村内には9つの集落があるが、群馬県境に近い集落の人口減少が激しく、そのうちの一つ坂上集落は1960年に300人を超えていた人口が120人に激減。2008年8月現在、50世帯の高齢化率は51・2％で限界集落になり、神社の祭礼さえ維持するのが困難な状況にある。

この地域一帯では、毎年8月13日～16日の4日間、宮ノ平集落にある諏訪神社の夏祭りが盛大に行われる。この祭りは、8月13日、諏訪神社のご神体がみこしに乗って運び出され、宮ノ平から久保、坂上、山口の各集落を練り歩き、山口集落の御仮屋から16日に諏訪神社へご神体がみこしで帰る。みこしが各集落を練るときには、集落ごとに4人の男性がかつぎ手となり、各集落の30人ほどの子ども音楽隊が横笛、太鼓などでみこしを先導する。これが諏訪神社の夏祭りだった。

しかし、この祭りも1998年ごろから大きく様変わりした。村内の子どもは全部で12人。かつぎ手の高齢化でみこしは軽トラックに載せられ先導隊なしで宮ノ平と山口を往復するようになった。この祭りの姿に限界集落の状況が象徴されている。

今後、この〝軽トラみこし〟さえいつまで続くのか。

愛着

旧大岡村は零細な棚田が小集落に分散している山村で北信の中で人口減少率が最も高い。行政区10地区のうち高齢化率72・3％の四ケ村地区は人口が78人、戸数40戸で上栗尾、下栗尾、棚原、高市場、北小松尾の５つの小集落からなる。40戸のうち独居老人世帯は13戸。４戸、７人の高市場は高齢化率が１００％。９戸、14人の上栗尾は高齢化率が87％となっている。９戸のうち独居老人世帯が５戸だ。

高齢者が7割を超す四ケ村地区では「病院通いが大変だ」「郵便局や銀行がないので年金をもらうのに苦労する」「店がないので生鮮食料品や日用品の買い物が不便で困る」などの話から「サルやイノシシ、ハクビシンなどの被害が年々大きくなっている」「空き家が多くて寂しい」などいろいろ話が聞かれた。しかし、「ここから出たい」と言う人は誰もいない。「気心が知れた人ばかりだからここで暮らすのが一番」と四ケ村で生活することを皆望んでいる。これは、阿智村の高齢化率65・6％の横川集落に住む人もまた、同じだった。住民の小さな願いはある。地区の中で、歩いて年金を受け取れたり、郵便物の発送ができたり、生鮮食料品が買えたり、たまにはそば、うどんが食べられるところがあれば、ここでの暮らしがずいぶん楽になる。こうした願いは四ケ村地区で高齢者が暮らしていくための最低限度の生活条件ともいえる。

ライフ・ミニマム

四ケ村にいま求められるのは何か。住民の求める生活条件づくりには、現在の調理・加工場付き集会所の「四ケ村地区センター」をこれまでの集会や加工品づくりなどの利用に加え、定期的に金融機関、郵便局などの簡単な業務や生鮮食料品の調達できる出前出張式の「多目的総合施設」の機能を持った「山の駅」として利用できれば、高齢者が地区内で「生活」を続けられ、ここに暮らしたいという願いをかなえることができるのではないか。出前出張に伴うセンター内での準備、建物の管理などは集落の当番制でやればよい。こうした取り組みを行政が支援していくことが大切だ。

２００８年2月に行われた四ケ村地区センターでの大野ゼミの報告会では「歩いて用足しできる暮らし」の具体策（**図1参照**）をまとめ、住民の皆さんに報告した。私たちの報告に対して会場からすぐ「そばとうどんの食堂から始めてみよう」という女性グループの声が起こった。

ゼミ生の提言を四ケ村の人たちは真剣に聞いてくれた。しかし、村の人たちは「時間」とも闘いながら、懸命に生きているようにも感じる。人間が生きていく上での最低限度の生活条件を私は「ライ

＜図1＞　旧大岡村四ケ村地区の活性化

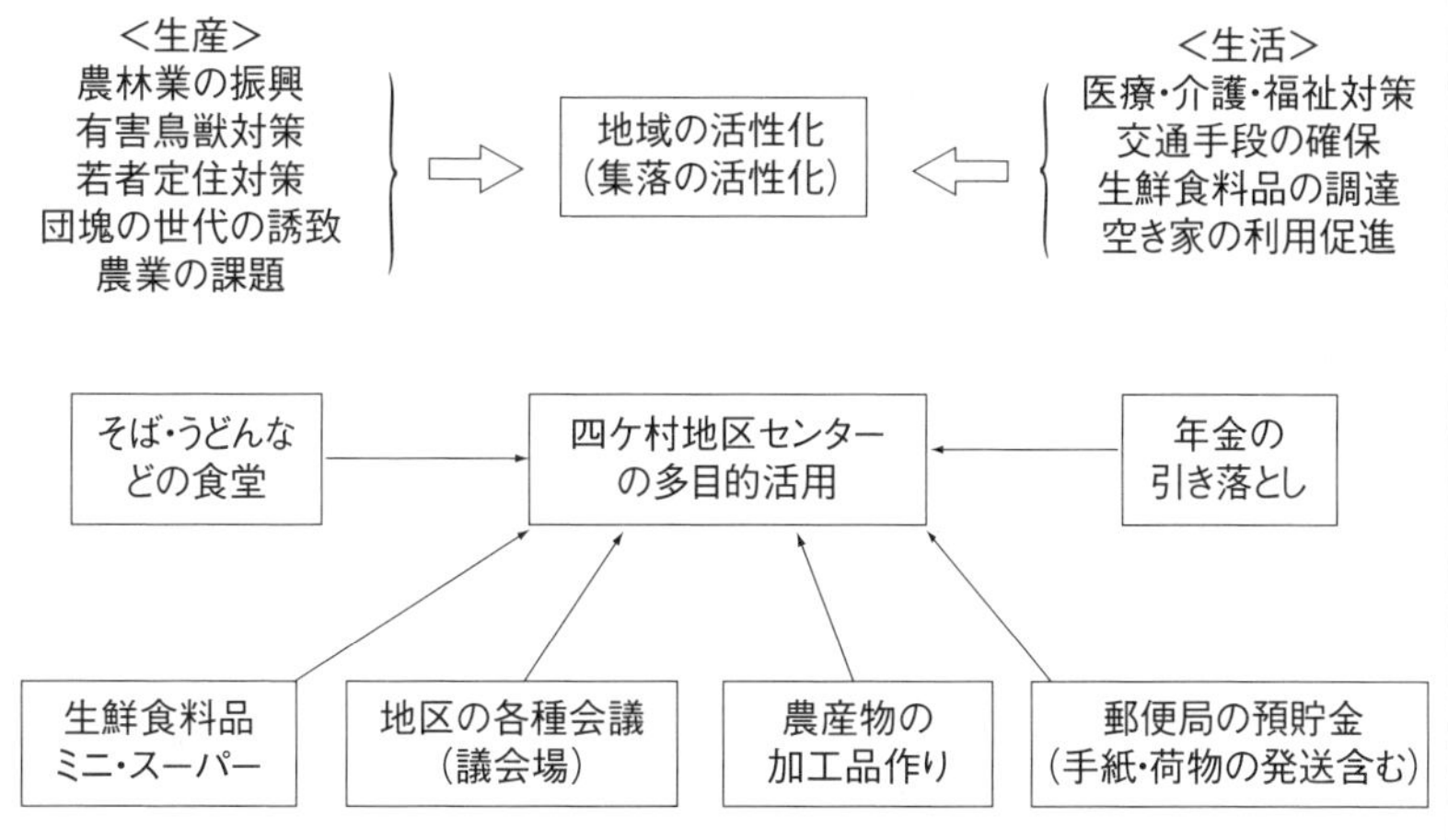

フ・ミニマム」と呼んでいる。都市機能を充実させ、限界集落の高齢者を都市部へ移す対策を考える前に、行政は高齢者の声に耳を傾け、血の通った対策を考えるべきだ。

報告会では四ケ村に住む人たちから「おしゃべりサロン」で集めた「声」も示された。あらためて「生の声」を紹介する。「いろいろな組織の役はあるが高齢化でやり手がない」「地区内で利用できる店舗が農協だけになった」「市の配布物が多過ぎる」「一人暮らしの老人が多くなってきている。お互いに声を掛け合っていきたい」「子どもは町で暮らせというが、子どもに頼らず自立したい」「集落が持続できるように行政も応援してもらいたい」――どう受け止めるか。

棚田の維持に迫る限界～新潟県上越市

上越市吉川区の上川谷を訪れたのは2007年6月だった。家の玄関先を回り込むように澄んだ水が勢いよく流れている。水は横井戸から来ている。「冬はこの水が玄関先の雪を溶かしてくれる」と話す70歳を過ぎたおばあちゃん。一人暮らしになってもう長いという。家の脇にある山道の傾面を横に掘ったところから水がわいてくる井戸。横井戸だ。井戸は地下に向かって縦に掘るものとばかり思っていたが、上川谷で、横に掘る井戸があることを初めて知った。

この水の豊かさはブナ林が広がる山ならではのこと。長年、荒廃した杉の人工林の枯れ谷ばかりを見てきた者にとって、この水の豊かさは本当に驚きだ。

市議会質問戦

2005年1月1日、1市13町村の広域合併で誕生した上越市は、人口20万800

０人の特例市になった。合併した６町７村は東頸城《ひがしくびき》、中頸城《なかくびき》の山間豪雪地帯を抱え、その多くは過疎法の指定地域であるため、上越市は「日本最大の過疎地域」だ。市の集落総数８４２の集落の状態を見れば、限界集落53（６・３％）、準限界集落２２０（26・１％）、存続集落５６９（67・６％）となっている。

そんな上越市が限界集落問題に正面から取り組み始めたのは市議会質問戦が端緒だった。２００６年３月の定例市議会。限界集落問題を取り上げた議員のその質問は古里を愛する切実なものだった。再録しよう。（要旨）

限界集落の現状認識と今後の施策の方向についてであります。限界集落というのは、65歳以上の皆さん方が一つの集落で50％以上を占めている集落を言います。これは元高知大学教授の大野晃さんという方が最初に使った言葉なんですけども、旧国土庁や今の政府もみんな使っています。そして、集落において55歳以上の人口割合が50％を超えたときには準限界集落というんです。この間市役所の職員の皆さん方に調べてもらったら随分ありました。８２３集落ある中で49限界集落があるそうです。準限界集落は２２０もあると。

今ここに一つ写真を用意しました。市長さんにはもう渡してありますが、あまりよそのところの話をすると怒られますので、自分のところの写真を持ってきたんですが、遠くの方は見えるでしょうか。私の大好きな古里、尾神岳の写真です。この写真は、恐らく昭和60年前後に撮られた、空から撮った写真だと思うんです。宮崎駿監督の「天空の城ラピュタ」、あの雰囲気のある写真なんですが、あらためて見てみますと非常にきれいな棚田がたくさん見えます。もう既になくなった家もちゃんと写っています。棚田については、もう牧とか安塚に負けない棚田があったんです。

ところが、今はもうこういう姿はありません。尾神岳のこの周辺にあった集落、今ある集落はどうなっているか。一番北側に南黒岩の集落があります。柿崎区です。その柿崎区の南黒岩には31人が今お住まいですが、19人が65歳以上のお年寄りで、率にして61・29％です。それから、すぐその隣に東横山がありますけど、そこは11人中9人で81・82％です。すぐその隣に旭平というとこがありましたが、もう消滅しました。そして、その隣が坪野という集落で、今58人中32人、55・17％であります。そして、私が少年時代、青年時代を過ごした尾神という集落は現在61人住んでおられまして、35人が65歳以上、57・38％。私の住んでいた家からちょっと離れた下の集落に半入沢という所があったんですけど、そこも消滅しました。そして、昨年いろいろ話題になった川谷、下川谷につきましては25人中17人が65歳以上、68％です。

こういう所で一体どういう問題が起きているか。やはりお年寄りの皆さん方が大勢ですので、体力が落ちてくる。道普請や溝ざらいができにくくなってきたと。集落の行事もあまりやるには大層になってきていると。集落の機能を維持できなくなってきているんです。そういう問題がございます。市長にはこうした現状をどのようにとらえられておられるのか、そして今後どういうことをやっていこうとされておるのかお尋ねしたいと思います。

上越市は動いた。２００6年11月に53の限界集落の聞き取り調査を実施した。聞き取りは企画政策課、農林水産部、高齢者福祉課や各区総合事務所などの職員が6班に分かれ3人1組で行った。調査項目は①世帯状況②日常生活における買い物、病院などへの移動手段と雪対策など③農業生産活動④集落の共同取り組み⑤集落の維持など多岐にわたった。

この調査結果が２００7年5月、「高齢化が進んでいる集落における集落機能の実態等に関する現地調査報告書」としてまとめられ、公表された。報告書から山間地域の限界集落に暮らす人びとの厳しい状況が浮き彫りにされた（**巻末に調査項目と報告書全文**）。

集落に古くから伝わる神楽や春駒などの伝承が行われているのは、53集落中わずか2集落。「稲作は自分の代で終わり」と断言する農家。高齢化による除雪の困難さや急病時の不安を訴える一人暮らしの老人。こうした日常の心配事を抱えながらも「元気でいられる限り、ここに住み続けたい」と願っている老人。今後の見通しで「このままで維持が可能だ」とする集落は3集落のみだった。

弱体化する生活共同組織

調査結果に散見される状況は、53ある限界集落の生活共同組織が高齢化で弱体化し、その維持が困難化しつつあることを示している。

高齢化率は集落維持の〝体力〟を測る重要なバロメーターである。53限界集落の「集落維持」の状況を高齢化率の視点から見る。53限界集落の1集落平均の戸数と人口を高齢化率別に見ると、高齢化率50%台の集落が19集落で最も多く、次いで60%台が16集落。双方合わせると全体の3分の2を占める（表—9参照）。

表—9　上越市の限界集落の高齢化率別戸数と人口

高齢化率別	項目		
	集落数	世帯数（戸）	人口（人）
50%台	19(35.8)	369(19.4)	890(46.8)
60%台	16(30.2)	236(14.8)	513(32.1)
70%台	9(17.0)	137(15.2)	274(30.4)
80%台	4(7.5)	29(7.3)	47(11.8)
90%以上	5(9.4)	9(1.8)	15(3.0)
計	53(100.0)	780(14.7)	1739(32.8)

注1）数字は2006年3月31日現在の住民基本台帳調べによる。
2）集落数のカッコ内は53集落数の構成比。単位%。
3）世帯数と人口のカッコ内は1集落当たりの平均戸数および人口である。

吉川区石谷（10戸、22人、高齢化率50・0%）と大島区藤尾（11戸、26人、高齢化率65・4%）の集落は、高齢化率が50%台と60%台の集落だ。両集落とも「葬儀の際の互助」「市道・農道や用水などの維持管理」などの担い手は定年退職者を中心に現在は確保され、集落の社会的共同生活が維持されているが、「10年過ぎたら難しい」と区長たちは話す。

ほとんどの家が米を作っているこれらの集落では、集落内に生産組合を組織して集落協定を結び、農業の直接支払制度の活用で棚田を維持している。400万円～500万円の交付金を受け、その半額を集落の共同取り組み活動に充てている。ここでは、町内の生活共同組織と棚田を維持する生産共同組織が一体化して、生活共同組織の弱体化を生産共同組織が支えている。

高齢化率が70%に近い浦川原区谷集落（40戸、76人、高齢化率68・４％）の町内会長は「高齢者が７割を超せば、３期目（２０１０年から5年間）の直接支払いの集落協定を結ぶのは難しい。15年早く直接支払制度ができていれば」と棚田が放棄地になることを心配する。高齢化率80％台と90％以上の集落は、戸数が10戸未満と小規模化し、集落協定を結んで、直接支払制度の交付金を受けるだけの体力がなく、棚田の大半が耕作放棄地になっているのが実情なのだ。また、集落の体力低下による生産組織の維持が困難になれば「町内会の役職者の確保も難しくなる」と付け加えた。

「最低限、安心に」

上越市の棚田稲作地域の限界集落は、高齢化率が50％台、60％台の集落ではまだ生産組織が弱体化しつつも維持されている。棚田で米を作るためには水を通しての共同・協力関係、すなわち家ごとの水の調整や用水路の共同管理が必要不可欠である。しかし、高齢化率が70％台になれば生産組織の維持困難化が問題になってくる。

段々畑や傾斜畑の零細分散の耕地形状にある高知の山地《やまち》畑作地域の限界集落では、自家用野菜が主。各家の作目には稲作のような統一性がなく、バラバラで生産組織化の余地がない。このため、集落協定を結ぶことも困難で直接支払制度の実施率が極めて低い。山地畑作地域で高齢化率70％を超す集落では、棚田稲作地域のような「生産組織の維持が困難化する」段階ではなく、集落組織そのものが解散に向かっている。

ともあれ、上越市の限界集落対策のポイントは、53限界集落の3分の2を占める高齢化率50%台、60%台の集落の生産組織を今後どう維持・存続させるかにあり、その具体策が急がれる。限界集落の進行や豪雪は村人の「自助」の限界を超えている。

上越市議会は2008年5月、「中山間地対策特別委員会」を全会一致で組織した。「中山間地域振興条例」も視野に入れながら、限界集落対策へ乗りだしている。上越市は実態調査を踏まえて「生活する人の安心をどう確保するか」を基本に、集落に暮らす人たちに配布する「日常生活サポートガイドブック」作成を手掛ける。上越市の動きに「加速度」を求めたいが、「地方分権、困窮財政の中で地方自治体がいま、何ができるのか。最低限、安心して住んでもらえることに全力を注ぎたい」(上越市企画・地域振興部企画政策課)との声は偽らざる本音。限界集落問題はやがて地方自治体の死活の命運さえ握ろう。

22人の子どもたちが実態調査〜秋田県上小阿仁村

２００８年９月12日の早朝、札幌市内のホテルへ北海道大学農学部のＡ先生が迎えに来てくれた。北海道大学富良野サテライト開設記念講演会「地域と大学が考える持続可能な富良野の未来」に出かけるためだ。私の演題は「現代山村の現状と地域再生の課題」。Ａ先生とは初対面だったが、車の中で話が弾んだ。Ａ先生はこう話した。「秋田の大学にいたとき、農家調査で上小阿仁《かみこあに》村の上仏社《かみぶっしゃ》集落を訪問したのですが、その際、農家の人から大野先生の〝龍馬が泣くぜよ〟の逸話を聞きましたよ」

北秋田にある上小阿仁村は秋田天然杉で有名な村。１９８７年10月、林業労働者の振動病問題実態調査でこの村へ初めて入った。１９８９年２月には、上小阿仁村の村政90周年の講演に招かれ、「高齢化社会と農山村福祉」の演題で、限界集落の高齢者の生活問題を中心に講演した。講演会は、村主催で農協、森林組合、商工会と全林野労組上小阿仁分会も協力していた。

講演の翌日、「限界集落」や農業問題を畑

で話し合っている5人の若者に出会い、野良での臨時勉強会になった。話がいつの間にか米ナスの栽培の方法になったので、高知への先進地視察を勧めた。すぐ、彼らと一緒に役場の農林課に出向き、電話で高知県農協中央会の営農部長に視察の件を伝えた。ところが営農部長は「栽培技術を盗まれるから困る」。私が「おまん、半年も雪に埋もれている秋田の山村の連中が視察に出かけてきて、盗まれたら困るようなやわな農業をやってるのかよ」と切り返し、「龍馬が泣くぜよ」とかぶせた。視察は実現。NHKと全国農協中央会共催の「日本農業賞」の高知県審査委員長をしている私が視察の案内を引き受けた（審査委員長は2008年で24年目を迎えている）。

以後、当初3戸だった米ナス農家は30戸を超え、秋田県内の野菜部門で著しい伸びを示し、仙台市場でも秀品ぞろいの品質で大きな信頼を得るまでに成長。また、上小阿仁農協では米ナスの自動包装機を業者と共同で開発し、高知県からも視察に訪れている。いま、村の特産は食用ホオズキ、米ナス、ズッキーニだ。

八木沢集落

上小阿仁村は人口2998人、世帯数1261戸で、高齢化率は秋田県内で最も高く、42・5％（2008年6月1日住民基本台帳）。20集落の状態区分は、存続集落2（10・0％）、準限界集落11（55・0％）、限界集落7（35・0％）となっている。2007年4月、24年ぶりの選挙戦を制した小林宏晨町長が同年7月、使用済み核燃料から出る高レベル放射性廃棄物最終処分場の村内誘致の可能性を検討する方針を打ち出して注目を集めたのは記憶に新しい（村内外の猛反対を受け断念表明）。

上小阿仁村の7つの限界集落のうちの一つ八木沢集落は私が長年、調査してきた集落だ。役場や農協がある村の中心地、小沢田から車で30分以上の奥地集落で冬が大変な場所だ。八木沢には沖田面《おきたおもて》にある上小阿仁営林署の担当区事務所があり、国有林の伐採、運搬作業の基地になっていた。八木沢は山一つ越えた旧阿仁町の根子集落の分家集落で根子の番楽が八木沢に伝えられ、八木沢番楽として舞われてきた。

初めて調査に入った1987年当時の八木沢は戸数16戸、人口39人だった。16戸の主な仕事は、農業5戸、林業4戸（うち伐根業者2戸）、商業1戸、営林署勤務3戸、無職3戸だった。世帯主は50代が中心で65歳以上の高齢者は4人。一人暮らしは2戸。16戸のうち大半は自家用米を棚田で作付け。階段状に連なる実りの秋の稲穂の棚田は独特の美しい景観を見せていた。

以来10年間八木沢に通い続け、国有林の減量経営による雇用削減、営林署の規模縮小が地域の衰退に大きな影響を及ぼしている実態を見てきた。

2008年6月、11年ぶりに八木沢を訪ねた。八木沢は大きく変わっていた。16戸、39人の集落は9戸、18人になっていた。うち65歳以上の高齢者が15人。大半が70歳代後半か80歳代。1軒あった店もいまはない。棚田はすべて耕作放棄され、かつての景観はどこにもない。11年前に区長をやっていたMさんの家はさら地になっていた。当時のMさんの家は、入り口を入ると土間の右側に座敷が、左側に馬屋があり、馬の代わりに乗用車が入っていた。

かやぶき屋根の家も姿を消している。八木沢集落は、カヤ場の共有地を個人分割してカヤ場が個人持ちになっている。このためかやぶき屋根のふき替えは個人で行う。そんな話を聞かせてもらったTさんの家も取り壊され、跡形もなかった。

一人暮らしのおばあちゃんSさんの家も無くなっていた。「煮物が煮えるまで待ってろ」と言っていたばあちゃん。煮物をごちそうになって帰ろうとすると、コロッケのパックを台所から持ってきて「これ持ってけ」。仏壇からリンゴを持ってきて「これリュックへ入れてけ」と私のナップザックへ入れるばあちゃん。断ると必ず「兄ッコ、ここには年寄りから物をもらうと風邪ひかねえという言い伝えがあるだ」「これ持ってけ」といろいろなものをくれたばあちゃん。今は……。

11年ぶりの八木沢。84歳になる区長さんは別れ際に、「先生と久しぶりに会えてよかった。元気が出る話も聞けた。またぜひ来てくれ」と笑顔で言った。「ここにいて不便なことはなんもない」と力強く言い切った老区長の言葉がいつまでも耳に残っている。

学校の挑戦

突然の訪問だった。男鹿市立船川南小学校の教員、渡部豊彦さん（53歳）が２００８年6月23日の夜、北秋田市の講演会場へ私を訪ねてきた。

「小学校で限界集落の授業を行っています」と話しながら「過疎を考える――限界集落の実態」という教育実践報告書を渡してくれた。

驚いた。小学校で「限界集落」が教えられている。いったい、なぜ。

渡部さんが子どもたちに「限界集落」を教えようと思ったのは数年前。前任地の三種町立鹿渡《かど》小学校勤務の時だ。そして２００５、２００６年に５、６年生の総合授業で、現地調査を含めた限界集落の勉強を始める。

渡部さんは「ＮＨＫ秋田放送局の限界集落特集番組がきっかけでした。放映されたのが上小阿仁村の姿。それを見てこの事実を子どもたちが知らなくていいのだろうかと。『むら』が消えていく現実。『むら』が消滅していくことは何を意味するのか。きちんと子どもたちに教えていくべきもの、社会が考えていくべきことではないのか。何より、子どもたちにとってこそより重要な問題であり、子どもたちの未来の問題」と考え、アプローチを始める。

ＮＨＫのテレビ番組「クローズアップあきた２００５――限界集落　むらはよみがえるか」「クローズアップ現代――故郷が消えていく　相次ぐ集落崩壊」、ＮＨＫスペシャル「豪雪・山里を襲う」に共通して取り上げられた上小阿仁村の八木沢集落を学習の対象にした。

３つの番組を子どもたちに見させ、ゲストティーチャーに町の過疎担当者、ＮＨＫの番組制作ディレクターを招き、過疎への理解を深めた後、渡部さんは22人の子どもたちと八木沢集落を訪問する。

渡部さん自身、事前学習の中で、町役場の担当課長が子どもたちに問い掛けた言葉を何度も反すう

廃屋も点在する上小阿仁村八木沢集落。子どもたちの心を揺さぶった（2006年6月＝渡部豊彦さん提供）

しながら現地を訪ねた。それは「なぜ人びとは厳しい過疎の中で生きていこうとしているのか考えてほしい」という言葉だった。

八木沢に足を踏み入れた子どもたちは地域の、自然の、豊かさ、美しさに感動しながら、一人暮らしのおばあちゃんや区長さんとの対話を通して、問題点を見つけていく。生き物の多さ、きれいな水からは喜びを感じ、棚田の耕作放棄地、豪雪でつぶれた廃屋には表現のしようのない悲しさを感じている様子だったという。

子どもたちは八木沢を訪れた後、感想をこんなふうにまとめている。（要旨）

八木沢に行ってまず思ったことは自然がすばらしいことです。川もきれいだしオタマジャクシやヘビもいます。山菜も採れるそうです。八木沢まで行く道路はがけがあったし、道もほそかったので、もしかしたら八木沢は思っていたよりもひどい所かもしれない……と考えていましたが、行ってみるとぜんぜんちがっていていてとてもすてきな所だなぁと感じました。私はこんなに自然が豊かなんだから、自然を生かしたキャンプ場を作ったり、山菜がたくさんとれる所としてたくさんの人に広めればいいんじゃないかと思いました。

八木沢をフィールドワークしている時に出会った八木沢のみなさんはとても元気そうで安心しました。特に印象的だったのは「上杉ユキさん」です。みんなが来てとてもうれしそうな顔をしていました。写真を撮ろうとするとはずかしそうにしていましたが、あとで撮った写真を見たら、うれしそうな、幸せそうな顔をしていたので、やっぱり、行ってよかったなぁと思いました。だから、八木沢を無くしたくない！という気持ちも強くなりました。そのためにも、パンフレットを作って広めたり、インターネットで広めてみんなで力をあわせて、人を集めて、八木沢が消滅してしまわないようにしたいのです。

八木沢集落のみなさん、これからもがんばってください！

（牧野　佳織）

八木沢のみなさんへ

この間の、八木沢訪問で、私は思ったことがいくつかあります。

まず一つ目は八木沢は自然であふれているということです。近くには木がたくさんあり、川はとてもきれいで、いろいろな生き物もたくさんいました。私は八木沢に行って初めてヘビに合いました。歩いているときも鳥の声や川の音、いろんな音が聞こえてきて、とても気持ちがよくなりました。

2つ目は、八木沢の人達がとても元気なことです。私はなんであんなに苦しそうな生活をしているのに明るく元気にすごしているのだろうと思っていました。でもそれは八木沢の人達がきれいですてきな八木沢をほこりに思っているからだとわかったのです。

私はこんなにすばらしい八木沢をなくしたくないと思っています。今の私には応援することしかできませんが、がんばってください。

（畠山　春菜）

八木沢でたくさんの自然、八木沢の人たちにふれあってきました。学校では「きっと大変なことになってるんだ」と思っていたのですが、想像とはちがう、あたたかいふんいきにつつまれていることがバスから下りて分かりました。

佐藤さんというここの自治会長の人が元気そうな笑顔でむかえて、集落を案内してくれました。広がる緑の自然、きれいな空気とうらはらに問題がおきているとは思えませんでした。

歩いていくと草がいっぱいはえた田んぼがありました。「耕作ほうき地」です。田んぼのもち主は秋田に行ってしまい、そのままになっていました。「まだ使えるんじゃないかな?」と思いました。佐藤さんが昔いた小学校でいろいろな質問をしましたが、驚いたのは「不便じゃない」という言葉でした。

「たんぽぽ」を歌って帰ろうとしたとき、上杉さんと会いました。笑顔でみんなにあいさつしてくれてうれしいし、写真もとりました。

（杉山　涼香）

小さな村の小さな希望

渡部先生は子どもたちの八木沢訪問を「小さな村の小さな希望をさがす」旅と位置づけていた。渡部先生自身が実践記録にこうまとめる。

「自治会長の佐藤さんが『みんな支え合って生きる八木沢が悪いとは思わない』と胸を張った。住む地域を大事にし、よいところだと言い切る姿に感動を覚えた。上小阿仁村に『自立の選択』をさせたのは、『合併は過疎を加速させる。それはできない』と判断したお年寄りたちの気概であった。そう考えたとき、生活と戦って暮らすお年寄りたちにこそ、『小さな希望』を見いだすことができた」

八木沢集落で廃校になった八木沢分校。その廊下に、もう誰も演ずる人がいなくなった「八木沢番楽」のお面を見た子どもたちは、八木沢訪問の後も京都府綾部市の「水源の里条例」などの学習も続けた。

森が水を生み、その森も人の手があってこそ守られる。その担い手は山村集落に住む人たち。環境問題の原点も、あるいは「豊かさとは何か」「人はどう生きるべきか」の問い掛けにも、限界集落は答えを教えている。子どもたちの教育の場で、限界集落がいつも教えられるようになることがあるのかどうか。渡部先生と子どもたちの取り組みに心からの敬意を払いながら、再び、教育実践記録のページをめくった。

渡部先生はこう結んでいた。

「中央、地方を問わず幸せに暮らすことができるようでなければ、それを不可能にしている施策や政治経済システムにこそ『限界』があると断言せざるを得ない」

住民に企画・立案能力～北海道津別町

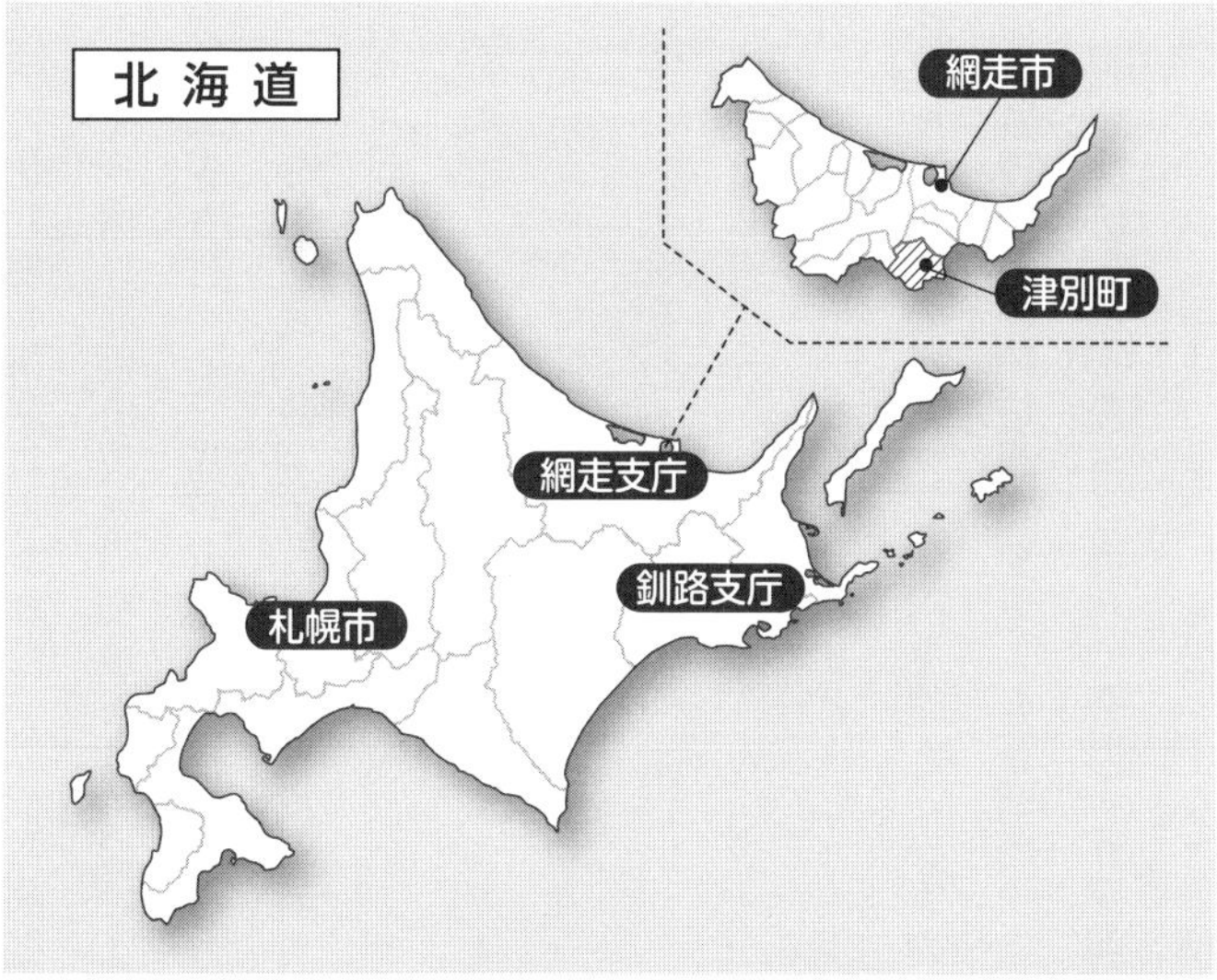

北海道東部の内陸部にある津別町は、林野率86％の「愛林の町」として知られている。平成の大合併時、北見市を中心にした網走管内一市四町の合併問題で津別町は２００５年１月31日、住民投票の結果「自立の道」を選択した。

１９６０年の１万５６７６人をピークに以後人口が減り続け、２０００年には７０００人を割り、２００８年８月末現在、６０２１人、世帯数２６１３戸。高齢化率は35・６％。網走支庁管内18市町村の中でもトップクラスだ。

農業振興プロジェクト

私が津別町を初めて訪れたのは１９９１年の秋。林業活性化問題の講演に招かれた。以後、高知県の旧十和村住民や高知県東部の中芸地域の商工会メンバーと一緒に津別町民との交流を深めた。1994年には農家の空き家を借り、1年間、エゾシカの食害調査も行った。当時、津別町のエゾシカ食害被害額は2億1000万円にも上っていた。

1995年夏、津別町では、農業就業者自らが農業振興政策を提起する目的を持つ「津別町農業振興プロジェクト会議」を発足させた。メンバーは畑作農家、酪農家、農協職員、役場の農業関係者など総勢25人。私もアドバイザーとして参加した。

発足から1年間で17回もの会合を重ねたプロジェクト会議は1996年12月13日、町民会館で政策研究の発表会を行った。

発表は2班に分かれ、それぞれの代表者が壇上に大きく張られた津別町農業の問題解決策を示した図を使いながら行われた。取り上げられた課題は▼農業の経営問題をはじめ負債問題▼離農による遊休農地増大への対応▼2億円を超えるシカの食害問題▼後継者問題▼農業への公的支援問題▼家畜の汚物処理などの環境問題▼老人介護問題――など多岐にわたった。

課題解決へは①農業者自身で努力すれば解決できるもの②農協や役場レベルで取り組むもの③道や国でなければ解決できないもの――など、解決の主体を明確にした報告が行われた。非農家の一般町民からも農業支援の必要性が提起され、政策研究の発表は大きな成果を得た（**津別町農業の課題解決策要約一覧参照**）。

津別町農業の課題解決策要約一覧（1996年12月策定）

課題策	自己の取り組み	地域内での取り組み	農協の対策	町の対策	道･国への要望
1. 経営改善					
①経営	輪作体系の確立 酪農家の堆肥の還元 農業女性の地位の改善 ヘルパーの導入	畑作と酪農の交換耕作 機械の共同利用 施設管理作業体系の具体化 農業女性の地位の向上	条件不利地への酪農家の誘導 コントラクター育成 農業機械のリース事業 作付、営農指導 家族経営協定の指導	農地の流動化、集積化	農地規制の緩和
②所得	農家個々の技術交流 所得格差調査の資料提供	所得格差の原因調査、指導	所得格差の原因調査、指導	所得格差の原因調査、指導	
③加工	津別ブランドの生産	津別ブランド生産の組織化	地元に加工販売所の設置 ブランドづくりの共同研究 地元消費の拡大	専門機関の紹介 研究開発費の支援	中山間事業の充実
④ＰＲ	消費地との情報交換	生産手段の独自性を強調 消費地との情報交換	生産手段の独自性を強調 消費地との情報交換	木材工芸館に農産販売所の併設 消費地との情報交換	
2. 負債問題	負債を増やさない努力 複式簿記の導入		組勘の廃止 第三者の経営診断 農協の営農指導力 低利、長期の融資	負債対策専門員設置 農地流動化の促進	負債整理対策の制度化 公金の投入 価格保証制度の創設
3. 土地問題	交換分合による地帯別農業体系への理解 条件不利農地の山林化 農業者は作物生産主義	地帯別農業体系の確立	地帯別農業体系の誘導 新規参入制度の確立 離農地の押し付けをしない	新規参入制度の確立 一括購入で集積化 遊休農地の活用方法 農地流動化の促進 大規模な交換分合	農地法の規制緩和 土地基盤整備は国営事業
4. 組織問題	構成員の意識改革 自らがリーダーの自覚 組織運営への積極参加	組織内での役割を分担 生産組織としての意識改革 農協への負担の軽減化 重点課題に沿った活動	専門農協への再編 専門指導員の配置 ホクレンから離れる 学識者を含めた組織運営	優良生産組織への支援	
5. 農政問題	効率的な投資判断能力 安易な補助事業は拒否	共同生産基盤の確立	農民運動の推進	補助事業の選択	所得補償制度の導入 価格保証制度の推進 補助事業制度の改善

津別町農業の課題解決策要約一覧（1996年12月策定）

課題策	自己の取り組み	地域内での取り組み	農協の対策	町の対策	道･国への要望
6. 食害問題	フェンス事業への協力 駆除による共存	鹿害対策の組織化	酪農、畜産経営への誘導 駆除対策	補助事業の導入 自然保護団体への要望 駆除対策の優先	全額国費負担の要請 賠償責任の所在の明確化 食害対策基金の創設
7. 環境問題					
①地域環境	個人の自覚、意識改革 農地内の景観の改善	リサイクル運動の組織化	資源の有効利用の指導	環境条例の制定 環境教育によるモラルの高揚	農業環境保全の整備
②農道整備	農作業時間の効率化	堆肥利用組合の設置	処理施設の整備	産廃施設の建設 農道の有効的な整備	
③糞尿処理	畜産と畑作農家の連携	有機資源としての活用 家畜糞尿堆肥づくりの組織化	堆肥化及び利用法技術指導	補助制度の有効活用	補助制度の充実
8. 社会問題					
①商業		大規模な小売店への再編		乗馬クラブトレッキング	
②職業	乗馬クラブトレッキング ファームヘルパーへの登録	観光農場の設置	ファームヘルパーの設置	魅力ある観光農場設置の支援 ファームヘルパーへの支援	産業構造政策の見直し
③医療対策	在宅介護 衛星回線の利用			介護制度の確立 専門病院の協力体制	財政的支援の確立 ホスピスの建設
9. 人口問題					
①雇用問題	シルバー人材登録	農業機械、作業の共同化	シルバー人材センターの設置	高齢者の職場の確保 コントラクター制度の整備	産業構造政策の基本的な見直し コントラクター制度の充実
②都市交流	現実を楽しくエンジョイ ファームステイの受け入れに慣れる	観光農園化		自然活用型施設設置 都市交流施設の整備 定住奨励制度の導入	ファームイン制度の規制緩和 都市交流制度の整備
10. 担い手問題					
①後継者対策	農業者自らの育成 自立できる農業者 農業に対する偏見解消 ヘルパーの利用	新規就農者への積極的援助	新規就農者への積極的援助	新規参入の機関的指導体制の確立	学校教育への導入
②教育問題	自己資金相応の修学 私的、公的資金の活用		ヘルパー制度の拡充	運営資金の援助 修学援助資金の創設	修学援助資金制度の拡大 津別高校に特殊科目の設置

自主・自立への道

農業振興プロジェクトの政策研究発表から、津別町では自分たちで政策をつくり、提起する機運が高まった。

1999年には、国の政策として打ち出された「農業の直接支払制度」を農業者と行政が検討。直接支払いの前提をなす「集落協定」は、「津別農業の現状にそぐわない」「有効性に欠ける」と「集落協定不要論」の立場から国の定めた傾斜度による条件不利地域の規定を排し、津別町独自の条件不利地域を設定し、これに直接支払いを行うという独自の「津別方式の直接支払制度」を創設した。

2005年、自立の道を選択した津別町は、「津別町自主・自立まちづくり構想」を打ち出した。これは、これまで行政が計画して住民に説明し、理解を求めるやり方のまちづくりを改め、計画策定段階から多くの町民参加によって自ら計画をつくり、まちづくり活動に主体的にかかわってもらうという構想だ。

そのため「津別町自主・自立まちづくり検討会議」が設置された。メンバーは公募委員11人、団体選出8人、町長推薦5人、学識経験者1人の計25人。委員長は学識経験者委員の私が選出された。この検討会議の下に町民と行政からなる総務（19人）、住民福祉（14人）、経済（15人）、教育（13人）の4専門部会が置かれた。専門部会から出された意見を検討会議で議論しまとめていくシステムだ。

検討会議、専門部会の議論は全町民にオープンにされ傍聴でき、議事録もすべて見ることができる。

2005年7月から検討会議が開かれ、2006年8月の13回目の会議を経て「津別町自主・自立まちづくり構想」がまとめられた。町長に構想を示す際、検討会議は「町民の総意で策定されたものであり。それなりの重みを持っているものである」という言葉を添えた。

2008年7月には「第5次津別町総合計画策定審議会」がスタートした。これまでの総合計画は、行政が策定してきたが、「第5次総合計画」の策定は町民50人（8部会）による住民主体の計画づくりとして着手され、2009年度末までに策定の完了を予定する。

津別町に見る「自主・自立のまちづくり」は「自分たちの地域を自分たちの手で」を基本理念にしている。どう地域を活性化していくのか、その課題解決の具体的政策化と問題提起を通して住民自身が実践主体を形成していくこと、これが理念の根底だ。

換言すると津別町の取り組みが評価されるのは、その姿勢が戦後の日本民主主義の最大の欠陥である「お上まかせ」を脱却していることにある。地方分権の時代、マニフェスト時代なら住民が意思を明確にするシステムこそ確立が求められる。「住民参加」「住民主体」と響きの良い言葉を並べるだけの自治体が多い中、「住民自治の原点」に立ち、討論内容をすべて町民に公開し、地味ではあるが着実に「住民参加」と「住民主体」を実践している津別町だ。

Chapter 5

第5章

地域再生とその課題

何が失われるのか

限界集落の増加とその全国的拡大によって、私たちはいま、何を失おうとしているのか、私たちの生活にどのような問題が起こっているのか。地域再生の道を考える前に、「失われている」「失われる」ものを見ておきたい。

伝統芸能・文化の衰退

第1に指摘しなければならないのは、「伝統芸能、伝統文化の衰退」だ。例えば神楽。神楽はどこの集落にもあった伝統芸能。舞手と笛、太鼓、鉦《かね》のおはやしがそろってはじめて成り立つ。しかし、担い手の高齢化とともにおはやしは録音テープから流され、舞手の動きもつらくなる。そして、やがて集落から神楽が消えていく。

神楽は子どものころから親しんできたものであり、集落の住民にとっては活力と喜びであり、集落を離れた者にとっても郷里への愛着として心の中に残り続けている。神楽が集落から消えることは、単に伝統芸能を失うことではなく、心の支えを失うという人間の生きざまに深くかかわる。

山村の原風景の喪失

第2は、国土の荒廃による「山村の原風景の喪失」である。わが国の山村が持っている景観は素晴らしい。生命萌《も》えでる春の新緑。夏には濃い緑に変わりセミの大合唱。秋には赤や黄が織りなす色鮮やかな紅葉。そして冬には葉を落とした木々に白い花、雪が舞う。季節ごとに一幅の「絵」を私たちに見せてくれる「山」。また、「田毎《たごと》の月」とうたわれてきた棚田は、昔から俳句や短歌に詠まれ、親しまれてきた身近なものだった。

私たちは、こうした山村の原風景を通して日本文化の基層をなす叙情性、豊かな感性を培ってきた。この原風景の喪失は、日本人の美しく豊かな感性の喪失にもつながる。

自然環境の貧困化

第3は、「山」の荒廃による「自然環境の貧困化」だ。限界集落化が急速に進行している山村では、田畑の耕作放棄地の増大や外材圧迫による長期の林業不振と高齢化で人工林が放置林と化し、「山」は荒廃の一途をたどっている。「山」の荒廃によって、保水力の低下した山が、渇水あるいは水害を発生させ、磯枯れした海をつくり出し、下流域の都市住民や漁業者の生活に大きな打撃を与える。限界集落、それに伴う「山」の荒廃は下流域の都市住民や漁業者が正面から受け止めるべきものなのだ。

伝統芸能、伝統文化の衰退、日本人の感性に深く根差している山村の原風景の喪失、「山」と「むら」の崩壊が招く自然環境の貧困化――これらが離れがたく一体化している限界集落の問題は、いまや国民総意で考え取り組んでいかなければならない重要な社会的問題である。

急げ！「山の駅」

「予防行政」

山村の地域再生を考えるとき、「集落の状態に応じた対策」の必要性を指摘したい。山間地を抱える自治体の集落は、「存続集落」が「準限界集落」へ、「準限界集落」が「限界集落」へ、「限界集落」が「消滅集落」へと移行する。準限界集落の状態にあるときに存続集落へ再生していく手だてが求められる。

限界集落の状態に陥った集落を存続集落へ再生するには多くの困難を伴う。限界集落になってから対策を考える「後追い行政」ではなく、準限界集落の状態にあるときに存続集落へ再生していく対策を講ずれば、財政的にも安上がりになる。「予防行政」の視点に立った対策が重要である。

限界集落への対処はどうすべきか。限界集落で暮らしている高齢者の多くは、現在住んでいる集落で暮らしたいと考えている。それは、「山」で50年、60年一緒に暮らしてきた気の知れた者同士の長い付き合いが心の支えであり、周囲の山村の環境が自分の生活に溶け込み、そこで暮らすことが最もストレスのない生活の場になっているからだ。高齢者が街へ下りなくても山村で生活できるような手だてを考えることが血の通った対応である。

人間が生きていくための最低限度の生活条件である「ライフ・ミニマム」。限界集落の高齢者にとって、この「ライフ・ミニマム」の保障がいま、必要であり、その仕組みづくりが急がれる。歩いて年金を下ろせ、預貯金ができ、荷物を送れ、生鮮食料品を購入できるところ。気分転換にそばやうどんが食べられる場所があれば、顔見知りとしばし、長話を楽しむことができる。「ライフ・ミニマム」を保障する機能を集めた「山の駅」（多目的総合施設）を行政が設置したい。運営は集落で話し合い、当番制で管理していけば人件費はかからない。「山の駅」が束ねる集落数は地理的条件で全く異なる。

第4章「限界集落はいま～日本列島を行く～」で紹介した、長野市旧大岡村四ケ村地区センターの多目的利用や滋賀県旧朽木村の針畑地区の簡易郵便局の多目的活用などの方向が考えられる。また、農協の統廃合で廃止された農協支所などを代替利用することも可能だろう。こんな事例もある。

高知県四万十市西土佐（旧西土佐村）の大宮地区（人口３０４人、世帯数１３６戸、高齢化率43・０％）にある幡多農協大宮出張所が２００５年10月廃止された。地区唯一の日用品や燃料の販売所であった農協出張所の廃止は、高齢者の日常生活に支障を来すため「地区民の命を守る運動」が起こった。地区住民の話し合いの結果、住民が出資者となり会社を設立することになった。出資者には地区内96人、地区外12人計108人が参加。出資金総額700万円（1人当たり平均6万5000円）で2006年5月、「大宮産業」が設立された。支所の建物など物件は、高知県地域づくり支援事業のサポートで買い取り、土地は農協からレンタル。生活物資、日用品の販売事業に乗りだした。結果、2006年度決算では15万円の黒字を計上した。

こうした施設代替利用は、限界集落で暮らす人びとの「ライフ・ミニマム」を住民自らが実現する活動として、重要性を認識したい。行政の支えによって多くの限界、準限界集落に「ライフ・ミニマム」を維持するため「山の駅」の早期設置が待たれる。

流域共同管理を

山村再生へ「流域共同管理」の大切さを理解したい。山と川と海は自然生態系として有機的に結びついている。上流、中流、下流の流域社会圏の中で下流域住民が上流域の「山」の荒廃などの問題を自分たちの問題としてとらえ、上流への多面的支援を行い、流域住民が一体となって流域環境を共同で管理していくことが求められる。「山」を豊かにすることが、川や海を豊かにし、流域に暮らす人びとの生活の豊かさにつながることを認識すべきである。

「森は海の恋人」

「流域共同管理」を最もわかりやすく全国に教えるのが宮城県気仙沼市唐桑町の「牡蠣《かき》の森を慕う会」（畠山重篤代表）と岩手県一関市室根町の第12区自治会「ひこばえの森分収林組合」（小岩邦彦会長）が連携して展開する「森は海の恋人」植樹祭だ。

運動を詳細に報道している河北新報によれば、「牡蠣の森を慕う会」の畠山さんは牡蠣の育つ健全な海を守るためには森、川、海全体の環境保全が大切と1989（平成元）年、気仙沼湾に注ぐ大川上流の室根山に広葉樹を植える環境保護運動「森は海の恋人」を始めた。ブナ、トチ、ミズキとその数が増え始めた1993年、「森は海の恋人」運動に共鳴した「ひこばえの森分収林組合」が大川のもう一つの源流・矢越山古沢に広葉樹の森を造ろうと動きだした。

唐桑町はカキやホタテの産地として有名。おいしさの秘密は県境を越えて旧室根村から流れ出て、気仙沼湾に入る大川の水に含まれる植物プランクトンや鉄分にあるといわれる。この栄養分は水源地の室根山と矢越山とがかかわっていた。

海と山が手を携えた「いのち」をはぐくむ運動は、着実にその輪を広げた。「ひこばえ」とは切り株から出てくる新しい芽のことだ。

過去19回の取り組みで針葉樹林の伐採跡地など13㌶に2万9000本の広葉樹が植えられたが、2008年6月1日、「矢越山ひこばえの森」で開かれた20回目の植樹祭には過去最高の1200人が参加し、新しく1200本の木が植えられた。

畠山さんの持論は「海は森、川と続く自然の中でしか生きられない」という。

畠山さんたちの運動は全国へ共感の輪を広げ、環境保護活動にも大きな影響を与えてきた。北海道網走郡北見市の常呂漁協女性部はホタテ養殖のため、オホーツク海に注ぐ常呂川河口から120キロ上流の置戸町の山林に広葉樹の植林を進め、道内の注目を集める。

京都大学がリードする「森・里・海連環学」（森や川、海が絡んで生みだす自然環境への影響を科学的に調べる）の発足を促したのは畠山さんという。また、畠山さんは次世代の環境保護活動を担う子どもたちへの「山と海」を結んだ環境教育を実践し、小学校や中学校の教科書にも紹介されている。「森は海の恋人」植樹の運動は流域共同管理の生きた実践例といえる。

1992年5月、河北新報社が主催した国際シンポジウム「環境・人間・食糧――地球から地球へ」で畠山さんは「海を守る植林運動／沿岸養殖の環境づくり」と題して実践報告を行い、「カキと川は切っても切れない関係にある。それは、カキのえさが植物プランクトンであるからだ。植物プランクトンのクロロフィルの発生に必要な物質である鉄分やマグネシウムなどの微量元素は、広葉樹の腐葉土の中に多く含まれている。山の土にある微量元素などが水に溶けて海に流れ込むまでには2つの条件があり、腐葉土はそれを満たしている。その条件とは、山の土がいつも水にぬれていることと、空気に直接触れないことだ。山に十分な木があり、十分に葉っぱが落ちて腐葉土がたまっていると、土がいつもぬれ、直接空気にも触れない。鉄などは空気に触れると酸化して水に溶けにくくなるが、腐葉土があると葉が腐るので酸素がなくなる還元状態となり、水に溶けやすくなる。そうすると、雨が降る度に鉄分などが川に流れ込み、海に流れて植物プランクトンを増やし、それをカキが食べる。『森は海の恋人』なのだ」「光合成を行う植物プランクトンはカキを育てるだけではなく、地球環境にも大きく貢献している。海水に溶け込んだ炭酸ガスを酸素に変えているのだ。海は陸の何倍もの広さがあり、その役割は計り知れない。海にも森がある。しかし、陸の森が破壊されると、栄養分が川を通って海に流れなくなり、海の植物プランクトンも増えない。森林破壊は地球環境にとってダブルパンチになるわけだ。川をダムでせき止めることも、海に影響を与える。環境問題は森、川、海という連続した体系の中で考えなければならない」と述べている（河北新報1992年5月20日付参照）。

四万十川と千曲川

高知・四万十川と長野・千曲川を例に「流域共同管理」にさらに言及したい。

高知県四万十川は流域の森林の65％が人工林で、この人工林の荒廃が山の保水力を奪っている。かつては緑のダムにたとえられた森林が、今や大雨のたびに土石流の原因となっているケースも多い。上流に降った雨が下流に到達する時間は年々短くなっている。

四万十川流域では、水質浄化や流域周辺の自然環境保全のために、さまざまな団体が組織され、多様な活動が展開されてきたが、「山と川と海」の統一的視点に立って流域の環境を共同で管理していこうという取り組みは行われていなかった。しかし１９９６年3月に、高知県が「清流四万十川総合プラン21」を策定。初めて山、川、海の自然のつながりの大切さを考えて清流の森づくりを実践することが提起され、「四万十川総合保全機構」が中心となって１９９６年12月に「第１回四万十川清流の森づくりキャンペーン」が源流の旧東津野村（現・津野町）の県有林で開催された。

キャンペーンには、流域の漁師や遊漁船主ら漁業関係者、地元の子どもをはじめとする流域の人たち、県、市町村関係者ら４５０人が参加し、上・中・下流域の人びとが山と川と海のつながりを理解し、相互交流を深めた。

こうしたキャンペーンによって、流域を「山と川と海」の一体化した「自然」としてとらえ、流域住民が主体的に流域の自然環境を保全・管理していこうとする気運が高まっている。

また、「最後の清流」と呼ばれる四万十川の源をなす森林を、経済的機構と環境保全機能の両立を目指す近自然林施業によって管理していく環境保全型森林管理の取り組みや、自然工法による源流域の渓流の復元を目指す取り組みなども始まっている。

これらの取り組みは互いの連携がまだ少ない。相互連携が強化され、有機的に結びついて初めて最後の清流の保全が実現しよう。

長野県の市町村自治体は人口３０００人未満の小規模自治体が２０００年時点で31。それが２０３０年には37に増えると予測されている。自治体の高齢化率を見ると、50％以上となる自治体が栄村、天龍村の２つ。そして40％台の自治体が19に上る。

千曲川流域の東信・北信で、高齢化率が最も高いのは栄村。次いで小川村、中条村、信州新町、そして5番目に北相木村が位置する（２００6年時点）。栄村は32集落のうち12集落が限界集落であり、中でも東部と秋山地域の限界化が進展している。また、北相木村の高齢化率は41・4％であり、限界集落が9集落のうちの1つ、準限界集落が3つある。千曲川流域の小規模な山間地域の中で限界集落はひたひたと迫ってくるのが現状であり、しかも千曲川源流域にあたる北相木村の相木川や、そこに注ぐ南相木川の流域状況が極めて懸念される。東信の人工林比率は62％と長野県平均を大きく上回り、植えられている木の多くはカラマツ。林業の衰退や地域の高齢化で手入れされなくなったカラマツ林は「線香林」となり、むき出しの地肌が沢へ流れ込む林地崩壊を起こしている個所も少なくない。これが水害や流域の水質汚染の原因となる。下流域の状況が山と密接に結びついて生まれていることを、もっと認識すべきと指摘できる。

こうした状況の中で求められる方向として「環境保全型流域社会の創造」を提言する。

森林環境税や森林環境保全交付金の実施を求めながら、今、私たちが進めなくてはならないのは、環境汚染型の流域社会から脱出をして、流域環境の保全を通して人間と自然が共に豊かになるような流域社会を創造していくことだ。これを私は「環境保全型流域社会」と呼んでいるが、取り組みの第一歩が「流域共同管理」なのだ。山、川、海を自然生態系の総体ととらえ、上・中・下流域の環境を流域住民が共同で管理していくことが必要である。上流域山村の問題は下流域住民の問題であり、その両者の溝を埋めていくのが「流域共同管理」なのだ。

「流域共同管理」の実践のためには、流域住民の交流と結びつきを密にしていくことが必要不可欠であり、たとえば千曲市で行われている「地域通貨」などの一層の広域的な取り組みが重要になってくる。

そして、流域社会圏の中で「地域循環型社会の実現」――一般家庭から出る生ゴミを肥料として再利用するようなシステムを持つ地域社会をつくっていくことが必要だろう。

さらに「千曲川流域の環境保全宣言」を実現し、近い将来ＩＳＯの認証を得られるような統一的な取り組みと組織化が求められる。

長野・千曲川では２００５年からの上流・中流・下流域での連続シンポジウムをベースに、２００７年６月、流域住民、ＮＰＯ、企業、行政機関などが一体となった「千曲川流域学会」も立ち上げられた。

清らなる千曲の川の源に棲みし山女に恋する我は

こうした思いを持ちたい。

プロジェクトリーダーと複眼的視点

山村と地域再生へ求められるものに、北海道・津別町の事例で見た地域住民が「自分たちの地域を自分たちの手で」活性化していくために政策の企画立案を実践し、それを通して主体を形成していく姿勢がある。

自分たちが直面している課題を集落（町内会・自治体）単位で話し合い、課題を整理、問題を共有して、求められる具体策が何かを話し合う。集落で努力すれば実現可能なもの、自治体が後押しすれば前へ進むもの、県や国でなければできないことなどを課題に即して政策化する。集落ごとに立案された政策を自治体と一緒に検討して、「自分たちの地域を自分たちの手で」活性化していく住民の主体を形成していくこと――これがいま、われわれ一人一人が問われている大きな課題である。その意味で、政策の企画立案のまとめ役としてのプロジェクトリーダーは不可欠な存在であり、プロジェクトリーダーを自治体職員の専門職として養成していくことが急務である。

これからの地域再生を考えるとき、特産物のブランド化に代表されるアイデア提案型の地域づくりにとどまらず、住民自らが政策の企画立案を実践していく政策提起型の地域づくりが必要であり、今後それが社会的に大きな役割を果たす時代になる。

地域再生の方向性を∧人間と自然∨の「複眼的視点」に立って考えることもポイントだ。都市機能を集約するコンパクトシティーの発想は、人間社会のみに焦点を当てた効率主義一辺倒の単眼的視点である。このコンパクトシティーの必要性、優位性がいま声高に叫ばれている。しかし、私はコンパクトシティーの言葉を聞くたびに、都市住民の求める利便性とは全く遠い存在の「限界集落」に思いをはせる。「山」に人が住まなくなって田畑や山林をはじめ「山」の多様な自然が本当に守れるのだろうか。国土の荒廃を止められるのだろうか。

大都市の潤いのない砂漠的人間関係からくる現代人のストレスをしっかり受け止め、われわれに心からの安らぎを与えてくれる多面的機能を持った「山」の持つ価値を今こそ見直そう。そして〈人間と自然〉が共に豊かになるような地域社会の実現を目指すことが、明日の日本を見つめる地域再生の基本的方向であろう。

森林環境保全交付金創設を

森林環境税

森林保全を目的に「森林環境税」などの新税を導入する県が全国的に広がっている。高知県森林政策課のデータによれば、2008年度までに「森林環境税」、あるいは同様の課税制度を設けているのは30県（09年度導入決定済みの愛知県を含む）に上っている（**森林保全に関する独自課税の導入状況表参照**）。また2008年9月現在、北海道など14道府県が導入を検討中だ。検討の動きがないのは東京、大阪、沖縄だけとなっている。

高知県は2003年4月、全国に先駆けて、5年間の期限付きで「森林環境税」を導入した。高知県は林野率が83・5％と全国一高く、森林の約6割が杉、ヒノキの人工林で、その面積は39万ヘクタール《ヘクタール》に及ぶ。人工林は、外材圧迫による林業不振と林業の担い手の高齢化が主要因となって放置され「沈黙の林」と化している（**図・高知県の森林状況参照**）。人工林の荒廃は水源涵養《かんよう》機能の低下による水不足の

森林保全に関する独自課税の導入状況

（2008年４月１日現在）

No	県名	税の名称等	県民税超過税率		税収規模（H19見込）	施行期間	課税期間
			個人	法人			
1	高知県	森林環境税	500円	500円	1.8億円	03年４月１日	５年間
2	岡山県	おかやま森づくり県民税	500円	５％	4.6億円	04年４月１日	５年間
3	鳥取県	森林環境保全税	300円	３％	1.8億円	05年４月１日	３年間
4	鹿児島県	森林環境税	500円	５％	3.8億円	05年４月１日	５年間
5	島根県	水と緑の森づくり税	500円	５％	2.0億円	05年４月１日	５年間
6	愛媛県	森林環境税	500円	５％	3.6億円	05年４月１日	５年間
7	山口県	やまぐち森林づくり県民税	500円	５％	3.8億円	05年４月１日	５年間
8	熊本県	水とみどりの森づくり税	500円	５％	3.6億円	05年４月１日	５年後見直し
9	福島県	森林環境税	1,000円	10％	10.0億円	06年４月１日	５年間
10	兵庫県	県民緑税	800円	10％	21.0億円	06年４月１日	５年間
11	奈良県	森林環境税	500円	５％	3.8億円	06年４月１日	５年間
12	大分県	森林環境税	500円	５％	2.9億円	06年４月１日	５年間
13	滋賀県	琵琶湖森林づくり県民税	800円	11％	6.0億円	06年４月１日	５年後見直し
14	岩手県	いわての森林づくり県民税	1,000円	10％	7.1億円	06年４月１日	５年間
15	静岡県	もりづくり県民税	400円	５％	8.4億円	06年４月１日	５年間
16	宮崎県	森林環境税	500円	５％	2.0億円	06年４月１日	５年間
17	神奈川県	水源環境保全税	均等割 300円 所得割 0.025％	なし	38.0億円	07年４月１日	５年間
18	和歌山県	紀の国森づくり税	500円	５％	2.6億円	07年４月１日	５年間
19	富山県	水と緑の森づくり税	500円	５％	3.3億円	07年４月１日	５年間
20	山形県	やまがた緑環境税	1,000円	10％	6.4億円	07年４月１日	５年後見直し
21	石川県	いしかわ森林環境税	500円	５％	3.6億円	07年４月１日	５年間
22	広島県	ひろしまの森づくり県民税	500円	５％	8.1億円	07年４月１日	５年間
23	長崎県	ながさき森林環境税	500円	５％	3.2億円	07年４月１日	５年間
24	福岡県	森林環境税	500円	５％	13.0億円	08年４月１日	５年後見直し
25	栃木県	とちぎの元気な森づくり県民税	700円	７％	8.0億円	08年４月１日	10年間（５年後見直し）
26	秋田県	水と緑の森づくり税	800円	８％	4.8億円	08年４月１日	５年後見直し
27	長野県	森林づくり県民税	500円	５％	6.8億円	08年４月１日	５年間
28	茨城県	森林・湖沼環境税	1,000円	10％	16.0億円	08年４月１日	５年間
29	佐賀県	森林環境税	500円	５％	2.3億円	08年４月１日	５年間
30	愛知県	あいち森と緑づくり税	500円	５％	22.0億円	09年４月１日	５年間

注１）課税期間欄中「５年後見直し」とあるのは、条例施行後５年をめどとして必要な措置を講ずるとの見直し規定を設け、課税期間を定める規定は設けていない県（栃木県を除く）である。
２）高知県森林政策課の調査を基に作表した。

問題や土壌流出による川や海の生態系への影響を招いた。こうした「山」の危機的状況の打開策の一歩として新税が導入され、5カ年の時限措置は、さらに2008年度から5カ年延長された。

高知県を含む全国の新税導入の背景には、2000年4月施行の地方分権一括法で、地方自治体の裁量により税を導入できる「課税自主権」の拡大もある。

高知県の森林状況

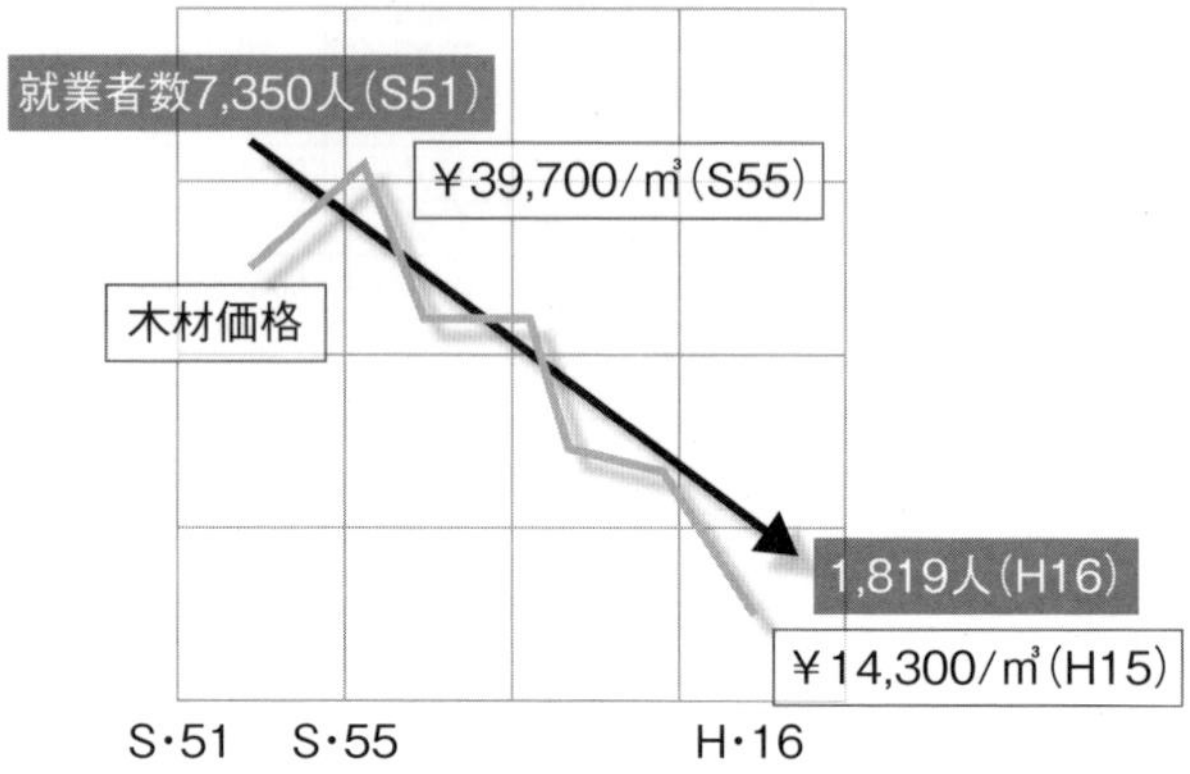

木材価格と林業就業者数の推移
※木材価格はスギ中丸太価格

＜高知県森づくり推進課提供＞

高知県の「森林環境税」の主旨は、県民に薄く広く税負担をしてもらい、県民総意で「山」の再生に取り組むところにある。課税は県民税の均等割に上乗せする仕組み。税額は個人・法人ともに年額500円で税収総額は年間約1億8000万円。税収は使途を森林保全に限定するため「森林環境保全基金」に積み立てられている。

事業は「県民参加の森づくり事業」と「森林環境緊急保全事業」の2本柱からなっている。「県民参加の森づくり事業」は①「こうち山の日」(11月11日)の制定をはじめ森林に関する県民活動の支援や森林環境教育の推進②森林所有者への除間伐などの働き掛け③テレビなどによる広報活動——などだ。「森林環境緊急保全事業」は公益上重要で緊急に整備する必要のある森林を対象に、県が所有者と協定を結び、強度の間伐を行い、自然に近い広葉樹と針葉樹の混交林づくりを行うものだ。

低い認知度

高知県の５年間の税収総額は７億５９００万円。そのうち約７割が山に直接手を入れる間伐などのハード事業に使われている。間伐された森林は５年間でおよそ２５００ヘクタール。作業に協力した森林保全ボランティアの団体数は導入当初の４から27にまで増加、会員数は１００人から８８０人に増えている。このボランティアが整備した森林や竹林の面積は約１３８ヘクタール、２００４年度25ヘクタール、05年度36ヘクタール、06年度35ヘクタール、07年度40ヘクタールと、毎年実績を積み上げている。

森づくりへの参加を促す意識啓発などのソフト事業費は２億２４００万円。森づくり参加を促す広報活動「こうち山の日」関連イベントの開催や森林環境学習などを行っている。関連するイベントは５年間で２５０２件、参加者は延べ14万人に上る。

こうした事業活動は県民にどう受けとめられているのか。

高知県が新税導入以降、隔年で実施している県民意識調査では「日ごろ身の回りの森林に関心や興味を持つことがありますか」の問いに、「非常に関心がある」と「関心がある」と答えた人は２００３

年度62％、05年度63％、07年度61％とほとんど変化がない。これは森林環境税徴収の認知度についても同様である。森林環境税の徴収を知っている人も47％、51％、50％と変化はなく、2人に1人は徴収されている認識がない（高知新聞2008年5月8日～15日付全7回連載の「500円の森づくり―検証・森林環境税」参照）。森林環境税は、県民税に上乗せされているため、納税通知書に表示されていないことが認知度の低さの一因といえる。とはいえこうした森林環境税への認識度の低さは「県民参加の森づくり事業」がまだ県民に浸透していないことの表れである。

環境保全寄与率

高知県内の未整備森林は約10万㌶で、その整備には200億円が必要といわれている。森林環境税は前述したように5年間の総額で7億5900万円。この税収だけでは森林整備の必要額には遠く及ばない。ボランティアを活用した住民参加でも限度がある。これは高知県以外の県でも共通している問題で、森林環境税は林業、山村再生に十分な財源規模ではない。県レベルでの森林環境税による対応の限界がここにある。

従って、日本の森林づくりは県レベルの森林環境税に加え、国政レベルでの対応が必要である。国は「森林・山村再生」に向け現行の地方交付税体制を見直す必要がある。国土面積の約7割、森林面積のおよそ8割を占め国土、自然、環境保全に重要な役割を果たしている山村自治体に対し、人口による交付税に加え、林野率、林野面積を基準とする「環境保全寄与率」に応じた「森林環境保全交付金」を配分し「森林・山村再生」に充てるべきだろう。配分された交付金で若者の雇用の場を提供し、森林整備を進め、荒廃した「山」を保水力のある豊かな森林に再生しての山村を維持し存続させる。荒廃した森林を一日も早く再生して、山村の存続をすなわち「限界集落」や「準限界集落」の存続を図っていくためには、こうした新しい交付金体制の早期実現が必要不可欠である。

「水源の里条例」は何を生むのか

綾部市の挑戦

「限界集落と地域再生」を考えるとき、今、全国から注目を集めているのが京都府綾部市の「水源の里条例」だ。２００６年12月、綾部市議会で全会一致で可決され、２００７年４月から施行された「水源の里条例」（５カ年の時限立法）＝**Ｐ１３４～１３８に条例全文**＝の成立過程を振り返る。

「水源の里」は文字通り、水を生み出す緑豊かな山々に抱かれた集落を指す。しかし、その集落が過疎・高齢化の波に洗われ続け、「限界集落」として現代社会の病巣となっていることは指摘してきた通りだが、綾部市の水源の里も例外なく、過疎・高齢化の深刻化で人びとの暮らしや集落の存続が厳しさを増していた。

綾部市は「水源の里づくり」を念頭にしながら、集落の再生を話し合う組織として「水源の里を考える会」を設置。２００６年４月から８月まで、集落の現状と課題の把握、その対策や解決策について検討を重ね、９月に報告書をまとめた。

その中に盛り込まれた「水源の里条例制定の主旨」は「水源の里は美しい水や森林などの豊かな自然に恵まれ、水源涵養や国土の保全、心をいやす安らぎの場など多くの重要な機能を持っている」と述べ、「水源集落の消滅は私たちの生活の崩壊を意味する。今、手を打たなければ廃村の危機を食い止めることが難しくなる」と指摘した。

報告書を受け制定された条例は「水源の里」の要件を次のように定めた。①綾部市役所からおおむね25キロ以上離れていること②高齢者比率が60％以上であること③世帯数が20戸未満であること④自治会が水源地域に位置していること。

実際に「水源の里」条例の対象になっている地域は、福井県境に近い由良川支流の上林川最上部に位置する５つの限界集落である。２００６年4月時の5集落（市志、古屋、栃、大唐内、市茅野）の総人口は95人。うち高齢者74人で高齢化率77・８％。世帯数は56戸。このうち独居老人世帯が25戸と半数近くを占めている。５集落の内訳は市志（13戸）23人で高齢化率１００％、古屋（６戸）７人で高齢化率85・７％、栃（12戸）23人で高齢化率60・９％、大唐内（19戸）30人で高齢化率63・３％、市茅野（６戸）12人で高齢化率１００％だ。

「水源の里」条例は振興目標を第3条に定めた。それは①空き家の有効活用などによる定住対策の促進②農林業体験事業の開催などによる都市との交流の推進③特産物の開発などによる地域産業の開発と育成④水洗化、除雪、保健・医療などの生活基盤の整備を促進し、地域の暮らしの向上を図ること――とした。さらに、住民自らの活動を支える組織として「水源の里連絡協議会」設置や山菜などの野生植物の採取制限、事業推進のための基金設置を条例に盛り込んだのも特徴的だ。

条例制定後の動きはどうか。綾部市市民環境部市民協働課地域振興担当・大槻康彦さんが財団法人地域活性化センターの「月刊地域づくり」（２００7年8月号）にこう紹介している。

「条例制定後、集落側の取り組みも活発化してきた。水源の里の活性化を目標に、５つの集落の住民が活動するための組織として『水源の里連絡協議会』が２００7年4月に発足した。本年3月と6月には、市志集落において地域の特産物であるフキノトウとフキを活用した収穫体験ツアーを旅行業者と連携して開催、１２０人を超える都市住民が参加した。他の地域では体験できない珍しいツアーということもあり大好評だった。来年以降も同様の体験ツアーの開催に向けて、集落は意欲的である。

残る4つの水源の里の集落においても、地域の資源を生かした都市農村交流に手応えを感じている。耕作放棄地を再生させ、特産物栽培のほ場を確保するなど、これまでにない意欲的な取り組みが始まっている。また、定住希望の相談なども数多く寄せられ、現在、水源の里連絡協議会の委員などが中心となり、集落内の空き家などを調査中。定住希望者の相談窓口は、行政（綾部市役所市民協働課地域振興担当『上林いきいきセンター』）が行い、集落との仲介を行っている」

綾部市水源の里条例

平成18年12月25日
綾部市条例第58号

本市の水源地域に位置する集落は、水源かん養、国土・自然環境の保全、心をいやす安らぎの空間等として重要な役割を担っているが、都市部への人口流出や少子化等により、過疎・高齢化が進行し、地域社会における活力が低下している。

こうした状況が特に深刻化し、集落自体の存続が危機的状況に直面している集落を水源の里と位置付け、過疎化に歯止めをかけ、地域の振興と活性化を図り、もって住民福祉の向上、地域格差の是正及び本市の発展に貢献することを目指し、この条例を制定する。

（目的）

第１条　この条例は、水源の里における施策に関する基本的事項を定め、水源の里の振興を総合的かつ計画的に推進することを目的とする。

（施策の対象）

第２条　この条例に基づく施策の対象は、次の各号のいずれにも該当し、かつ、自らが主体となり、住民の創意工夫により、市、府及び国とともに地域の振興を推進することを表明した自治会とする。

⑴綾部市役所からおおむね25キロメートル以上離れていること。

⑵高齢者比率が60パーセント以上であること。

⑶世帯数が20戸未満であること。

⑷自治会が水源地域に位置していること。

（振興目標）

第３条　水源の里の振興は、次に掲げる目標に従って推進されなければならない。

⑴住宅の建設、改修等に対する支援、空き家の有効活用による住宅の確保、定住を促進するた

めの支援等を図ることにより、水源の里への定住対策を促進すること。

(2)都市住民との交流会の開催、農林業体験事業の実施、水源の里の広報等を図ることにより、都市との交流を推進すること。

(3)水源の里の資源を生かした特産物の開発、農産物の販売及び新規就農者への支援を図ることにより、地域産業の開発と育成を推進すること。

(4)水洗化、水道、通信、道路、防災、除雪、保健・医療等の生活基盤の整備を促進し、地域の暮らしの向上を図ること。

(市の責務)

第4条　市は、前条各号に掲げる事項につき、必要な施策を総合的に講じるとともに、水源の里が実施する事業に関し必要な助言、指導その他の援助を行うものとする。

(市の補助)

第5条　市は、特に必要があると認めるときは、予算の範囲内において、事業に要する経費の一部を補助することができる。

(山菜等の資源の保全)

第6条　水源の里における山林等の所有権その他の財産権を有する者（以下「山林所有者等」という。）及び山林所有者等の許可を得た者以外は、山菜等の野生植物を採取してはならない。

２　市は、普及啓発等のほか、山菜等の資源の保全について必要があると認めるときは、前項の違反者に対してその行為の中止命令等、適切な措置を講じるものとする。
３　山林所有者等は、山菜等資源保護のため、適切な管理に努めなければならない。

（協議会の設置）

第７条　水源の里の施策に取り組もうとする自治会は、水源の里相互の連絡調整及び意見交換を行う組織として、水源の里連絡協議会を設置するものとする。

（基金の設置及び目的）

第８条　水源の里に関する事業の円滑な運営に資するため、綾部市水源の里基金（以下「基金」という。）を設置する。

（積立て）

第９条　基金として積み立てる額は、一般会計歳入歳出予算に定める額とする。

（管　理）

第10条　基金に属する現金は、金融機関への預金その他最も確実かつ有利な方法により保管しなければならない。
２　基金に属する現金は、必要に応じ、最も確実かつ有利な有価証券に代えることができる。

（運用益金の処理）
第11条　基金の運用から生じる収益は、一般会計歳入歳出予算に計上して、この基金に繰り入れるものとする。
（処　分）
第12条　基金は、水源の里の施策の推進に必要な事業の財源に充てる場合に限り、これを処分することができる。
（繰替運用）
第13条　市長は、財政上必要があると認めるときは、確実な繰戻しの方法、期間及び利率を定めて、基金に属する現金を歳計現金に繰り替えて運用することができる。
（委　任）
第14条　この条例に定めるもののほか、必要な事項は別に定める。

附　則

1　この条例は、平成19年4月1日から施行する。
2　この条例は、平成24年3月31日限り、その効力を失う。

全国シンポジウム

綾部市「水源の里」条例制定を踏まえ、２００７年10月18日～19日の２日間、第１回「全国水源の里シンポジウム」（実行委主催）が企画された。過疎・高齢化で限界集落を抱えている全国29道府県51市町村から約８５０人が綾部市に集まり、シンポへの関心の高さが示された。

実行委員長の四方八洲男市長はあいさつで「水源の里条例」制定の経緯を振り返り「上流と下流の人びとが手を結び助け合っていくことが大切だ」と訴えた。私の基調講演の後、現地報告として水源の里協議会の西田愛子さんが、とちもちなどの特産物づくりの取り組みを紹介。「いま考えよう水源の里―おみやげは元気―」のパネル討論では、農業経済学者の嘉田良平さんの司会で、元宮崎県諸塚村長の甲斐重勝さん、舞鶴市の専業農家の泉清毅さん、上越市議会議員の矢野学さん、綾部市企画部長の上原直人さんの４人が地域再生について報告した。最後に「地域住民、市町村、都道府県、国がそれぞれの立場で役割を果たし集落再生に向けた取り組みを行っていく」とする大会アピールが採択された。

このシンポジウムは２つの点で大きな意味を持っている。

第１は、「限界集落」に悩む自治体が、共通の認識で話し合い、情報の共有化によって連帯意識が生まれたことである。甲斐重勝元諸塚村長は「諸塚村の半数以上が限界集落。山村住民としてふるさとの山を守り育てることの大切さをシンポで確認でき、元気をもらった」と話す（京都新聞2007年10月20日付）。第2は、全国水源の里連絡協議会設立の準備委員会がシンポの期間中に開かれ、全国的な活動の組織化が準備されたことである。この成果は「全国水源の里シンポジウム」の社会的意義を全国に知らせるものになった。

「160」自治体参加

全国水源の里連絡協議会は27市町村長が発起人となり全国の自治体に参加を呼び掛け、2007年11月30日、東京都千代田区の都道府県会館で開かれた。参加は北海道から鹿児島まで146市町村。会長に四方・綾部市長を選出。水源の里の維持・再生に向けて水源の里の持つ意義、水源の里の存続への施策、国への要望、水源の里全国協議会の当面する取り組みなどが提案・討議され、総会アピールで設立総会を閉じた。

総会アピール

全国には過疎・高齢化が進行し、コミュニティの維持など、地域活動が困難な状況に直面している水源の里（いわゆる限界集落）が多数存在し、平成19年度国土交通省調査によると、そのうち消滅の恐れがある集落は2641集落あるとされ、今後も全国各地に拡大し続けることが予想されている。

一日も早くその対策を講ずることが、現在の緊急の課題であり、水源の里の住民、市町村、都道府県及び国は、それぞれの役割を担う中で、この課題に取り組む必要がある。

本日の設立総会を契機として、今日まで水源の里を維持してきたことに誇りを持ち、全国の水源の里の活性化に向け、次の取り組みを推進することとする。

1　我々は、水源の里の活性化を図るため、住民と市町村の強力なパートナーシップにより地域の将来像及びその活性化策を考え、地域の条件に応じて適正な集落再生に向けた取り組みを行う。

2　我々は「上流は下流を思い、下流は上流に感謝する」の理念に基づく流域連携の必要性を全国にアピールするとともに、流域間や会員相互の情報交換、交流・連携を通じ、水源の里の活性化に向けた取り組みを行う。

3　国は、過疎地域自立促進特別措置法（過疎法）の見直しのため、試行として水源の里の活性化に取り組む市町村に対しモデル事業を実施することや、そのための財政措置として、水源の里再生交付金制度の創設をすることを求める。

4　定住対策の推進、農林業など地域の資源を活かした産業の創出、情報・通信の基盤整備、有害鳥獣対策など水源の里の地域課題を、住民、市町村、都道府県及び国は、それぞれの役割の中でその解決を図る。

5　我々は、以上の事項の実現を目指し、当面、毎年1回の総会及びシンポジウムの開催、アンケート調査等の実施による課題の把握と施策の取りまとめ、情報紙の発行などの事業を重点的に実施する。

以上を総会アピールとする。

平成19年11月30日
全国水源の里連絡協議会

綾部市の「水源の里条例」が「全国水源の里連絡協議会」誕生へと結びついた。今後、全国水源の里連絡協議会の政策提起が国政を動かすものになるためには、国民総意の下支えが不可欠であり、山村の将来を展望する重要な鍵になる。

全国水源の里連絡協議会の参加自治体は２００８年９月29日現在で「１６０」に達した。この数字が地方自治体の持つ限界集落への危機感と再生の熱意、双方の高まりを如実に示すものと断言できよう。

廃屋だらけの集落の中に人がぽつんと住んでいるような限界集落と比べ、綾部の水源の里は一見のどかにも見える。しかし、市内の中心部と水源の里の格差は大きい。その格差を都市部の人びとが支えていくことは全国的な課題なのだ。

全国水源の里連絡協議会発足に象徴される「限界集落」再生のうねりの予感はある。全国山村振興連盟のまとめによると２００９年度山村振興関連予算概算要求に「水源の里保全緊急整備事業（林野庁）」が盛り込まれた。予算額は80万円。予算の大小ではない。国の予算に「水源の里保全」の文字が入った意義は極めて大きい。草の根の政策提起によって国が動きだしているのだ。

Chapter 6

第6章

自治体間格差の現状と分析（全国47都道府県の全市町村の「限界」予測）

「限界集落」問題を考えるとき、自治体間格差の現状を踏まえ、近未来の「限界」度を予測することは極めて重要な意味を持つ。第6章では、都道府県と全国市町村自治体の各レベルの自治体間格差の動向を分析する。その際、高度経済成長が本格的に展開する1960年から2000年までの40年間の人口増加期の現状分析の上に、2000年を基点に2030年までの30年間の人口減少期の将来予測を行い、格差拡大により危機的状況が予測される小規模自治体問題を考察する。

都道府県の動向

表—10は、人口増加期の47都道府県の格差分析を示した。分析の基点、1960年時点の日本の総人口は9430万人である。この人口が40年間に3260万人増加して2000年には1億2690万人となり、この間の人口増加率は34・6%に達している。

人口動向を都道府県別に見ると、人口規模200万人が人口増減の分岐点になっている。40年間に200万人以上の都道府県はすべて人口が増加している。人口増の中心は指摘するまでもなく、東京を核とする首都圏と大阪を核とする近畿圏に代表される大都市圏で、東京の高齢化率は15・8%、大阪14・9%、埼玉は12・8%にとどまる。これに対し、200万人未満の27県のうち100万人以上～200万人未満の20県では増加県が12、減少県が8で、増加が減少を上回っている。100万人未満の7県では山梨、福井、鳥取の3県が増加、佐賀、徳島、高知、島根の4県が減少し、島根、高知を先頭に高齢化率が20％台を示す。

表―11は、２０００年を基点に２０３０年までの人口減少期の30年間の47都道府県の格差予測分析を示した。

30年間の人口の推移を見ると、２０００年時点の１億２６９０万人が２０３０年には大きく減少して１億１７６０万人となっている。この間の人口減少率は７・３％。このような人口減少状況は47都道府県の動向に端的に示される。30年間に人口が増加するのは４都県にすぎず、43道府県が人口減となる。この中でも特に２００万人以上～４００万人未満の規模の府県の減少が目立ち30年間に11から７へと大きく減少している。

他方、20県を数える１００万人以上～２００万人未満の規模では、２００万人以上～４００万人未満規模から移動してきた県と、この規模から人口減で１００万人未満へ下降した県とが同数で全体の数は変わっていない。１００万人未満県は７から11へと４県増加している。11県はすべて人口が減少している。人口減少率が20％を超えている３県では高齢化率も高く、秋田の36・２％を筆頭に長崎と山口が34・３％と同率で続いている。

１９６０年から２０００年までの人口増加期では大都市圏の人口急増の対極に位置する農業県の人口減少と高齢化の進行が顕著に現れている。２０００年から２０３０年までの人口減少期は、人口減の影響が都道府県の動向にはっきり現れ、47都道府県の９割近くが人口減となる。特に、人口増加期に１００万人未満の農業県では県人口の減少と高齢化が急速に進行し小規模県化が進んでいる。その

表―10　都道府県間格差分析表（1960～2000年）

人口増減率		人口規模（2000年） 800万人以上	400万人以上 800万人未満	200万人以上 400万人未満	100万人以上 200万人未満	100万人未満	都道府県数
増加	80%以上	神奈川県(13.8%)	埼玉県(12.8%) 千葉県(14.1%)		奈良県(16.6%)		4
増加	60%以上～80%未満		愛知県(14.5%)				1
増加	40%以上～60%未満	大阪府(14.9%)	兵庫県(16.9%)	茨城県(16.6%)	滋賀県(16.1%) 沖縄県(13.8%)		5
増加	20%以上～40%未満	東京都(15.8%)	福岡県(17.4%)	宮城県(17.3%) 京都府(17.4%) 静岡県(17.7%) 群馬県(18.1%) 岐阜県(18.2%) 栃木県(18.2%) 広島県(18.5%)	石川県(18.6%) 三重県(18.9%)		11
増加	0%以上～20%未満		北海道(18.2%)	福島県(20.3%) 新潟県(21.3%) 長野県(21.4%)	青森県(19.5%) 岡山県(20.2%) 宮崎県(20.7%) 富山県(20.8%) 香川県(20.9%) 和歌山県(21.2%) 熊本県(21.3%)	山梨県(19.5%) 福井県(20.4%) 鳥取県(22.0%)	14
減少	0%以上～10%未満				愛媛県(21.4%) 岩手県(21.5%) 大分県(21.8%) 山口県(22.2%) 鹿児島県(22.6%) 山形県(23.0%)	佐賀県(20.4%) 徳島県(21.9%) 高知県(23.6%)	9
減少	10%以上～20%未満				秋田県(23.5%) 長崎県(20,8%)	島根県(24.8%)	3
減少	20%以上～30%未満						0
都道府県数		3(1)	6(4)	11(9)	20(21)	7(12)	47
平均高齢化率		15.0%	15.5%	18.5%	20.3%	21.7%	17.3%

注1）資料は1960年と2000年の国勢調査による。1960年の人口は9430万人、2000年の人口は1億2690万人であり、34.6%の増加である。
2）人口増減率は1960年から2000年までの40年間のものである。
3）都道府県数の人口増加率のカッコ内は1960年時点のものである。
4）平均高齢化率は各都道府県の加重平均による高齢化率である。

表－11　都道府県間格差分析表（2000～2030年）

人口増減率		人口規模（2030年） 800万人以上	400万人以上 800万人未満	200万人以上 400万人未満	100万人以上 200万人未満	100万人未満	都道府県数
増加	80%以上						
増加	60%以上～80%未満						
増加	40%以上～60%未満						
増加	20%以上～40%未満						
増加	0％以上～20%未満	東京都(26.0%) 神奈川県(27.0%)			滋賀県(25.1%) 沖縄県(25.2%)		4
減少	0％以上～10%未満		愛知県(27.1%) 福岡県(28.1%) 兵庫県(28.3%) 埼玉県(28.9%) 千葉県(30.4%)	宮城県(28.4%) 京都府(29.1%) 茨城県(30.9%) 長野県(30.6%)	栃木県(29.9%) 群馬県(30.8%) 奈良県(31.0%)	山梨県(30.7%)	13
減少	10%以上～20%未満		大阪府(28.2%) 北海道(33.6%)	広島県(30.8%) 静岡県(31.7%) 新潟県(32.1%)	岡山県(30.2%) 三重県(31.0%) 岐阜県(31.0%) 石川県(31.0%) 福島県(31.1%) 鹿児島県(31.5%) 熊本県(31.7%) 岩手県(32.3%) 山形県(32.7%) 青森県(33.2%) 愛媛県(33.2%) 宮崎県(33.2%) 大分県(33.9%)	福井県(31.2%) 佐賀県(31.2%) 鳥取県(31.3%) 富山県(32.4%) 香川県(31.8%) 徳島県(32.5%) 高知県(33.7%) 島根県(33.0%) 和歌山県(33.4%)	27
減少	20%以上～30%未満				長崎県(34.3%) 山口県(34.3%)	秋田県(36.2%)	3
都道府県数		2 (3)	7 (6)	7 (11)	20 (20)	11 (7)	47
平均高齢化率		26.4%	29.0%	30.6%	31.1%	32.6%	29.6%

注１）資料は2000年は国勢調査、2030年は国立社会保障・人口問題研究所が平成15年12月に推計した将来予測値による。2000年の人口は1億2690万人、2030年の人口の予測値は1億1760万人であり、7.3%の減少である。
２）人口増減率は2000年から2030年までの30年間のものである。
３）都道府県数の人口増加率のカッコ内は2000年時点のものである。
４）平均高齢化率は各都道府県の加重平均による高齢化率である。

都道府県の人口動向

都道府県名	人　口		増減率	人　口		増減率
	1960年	2000年		2000年	2030年	
北　海　道	5, 039, 206	5, 683, 062	12. 8%	5, 683, 062	4, 768, 227	－16. 1%
青　森　県	1, 426, 606	1, 475, 728	3. 4%	1, 475, 728	1, 265, 193	－14. 3%
岩　手　県	1, 437, 100	1, 407, 590	－2. 1%	1, 407, 590	1, 23, 2208	－12. 5%
宮　城　県	1, 743, 195	2, 365, 320	35. 7%	2, 365, 320	2, 317, 404	－2. 0%
秋　田　県	1, 335, 580	1, 185, 956	－11. 2%	1, 185, 956	913, 908	－22. 9%
山　形　県	1, 320, 664	1, 244, 147	－5. 8%	1, 244, 147	1, 031, 696	－17. 1%
福　島　県	2, 051, 137	2, 126, 935	3. 7%	2, 126, 935	1, 855, 702	－12. 8%
茨　城　県	2, 046, 963	2, 985, 676	45. 9%	2, 985, 676	2, 774, 339	－7. 1%
栃　木　県	1, 513, 052	2, 004, 817	32. 5%	2, 004, 817	1, 879, 557	－6. 2%
群　馬　県	1, 579, 048	2, 024, 852	28. 2%	2, 024, 852	1, 834, 296	－9. 4%
埼　玉　県	2, 430, 871	6, 938, 006	185. 4%	6, 938, 006	6, 916, 669	－0. 3%
千　葉　県	2, 306, 071	5, 926, 285	157. 0%	5, 926, 285	5, 764, 267	－2. 7%
東　京　都	9, 677, 139	12, 061, 277	24. 6%	12, 061, 277	1, 2147, 272	0. 7%
神奈川県	3, 443, 176	8, 489, 974	146. 6%	8, 489, 974	8, 624, 398	1. 6%
新　潟　県	2, 442, 037	2, 475, 733	1. 4%	2, 475, 733	2, 111, 430	－14. 7%
富　山　県	1, 032, 614	1, 120, 851	8. 5%	1, 120, 851	949, 736	－15. 3%
石　川　県	973, 418	1, 180, 977	21. 3%	1, 180, 977	1, 010, 086	－14. 5%
福　井　県	752, 696	828, 944	10. 1%	828, 944	728, 034	－12. 2%
山　梨　県	782, 062	888, 172	13. 6%	888, 172	806, 153	－9. 2%
長　野　県	1, 981, 433	2, 215, 168	11. 8%	2, 215, 168	2, 005, 561	－9. 5%
岐　阜　県	1, 638, 399	2, 107, 700	28. 6%	2, 107, 700	1, 831, 495	－13. 1%
静　岡　県	2, 756, 271	3, 767, 393	36. 7%	3, 767, 393	3, 330, 398	－11. 6%
愛　知　県	4, 206, 313	7, 043, 300	67. 4%	7, 043, 300	6, 834, 079	－3. 0%
三　重　県	1, 485, 054	1, 857, 339	25. 1%	1, 857, 339	1, 668, 617	－10. 2%

都道府県の人口動向

都道府県名	人口		増減率	人口		増減率
	1960年	2000年		2000年	2030年	
滋賀県	842,695	1,342,832	59.3%	1,342,832	1,529,785	13.9%
京都府	1,993,403	2,644,391	32.7%	2,644,391	2,443,114	−7.6%
大阪府	5,504,746	8,805,081	60.0%	8,805,081	7,661,157	−13.0%
兵庫県	3,908,127	5,550,574	42.0%	5,550,574	5,324,611	−4.1%
奈良県	781,058	1,442,795	84.7%	1,442,795	1,324,751	−8.2%
和歌山県	1,002,191	1,069,912	6.8%	1,069,912	878,302	−17.9%
鳥取県	599,135	613,289	2.4%	613,289	546,522	−10.9%
島根県	888,886	761,503	−14.3%	761,503	630,175	−17.2%
岡山県	1,668,814	1,950,828	16.9%	1,950,828	1,741,525	−10.7%
広島県	2,184,043	2,878,915	31.8%	2,878,915	2,510,299	−12.8%
山口県	1,602,207	1,527,964	−4.6%	1,527,964	1,206,527	−21.0%
徳島県	847,274	824,108	−2.7%	824,108	687,378	−16.6%
香川県	918,867	1,022,890	11.3%	1,022,890	871,093	−14.8%
愛媛県	1,500,687	1,493,092	−0.5%	1,493,092	1,246,044	−16.5%
高知県	854,595	813,949	−4.8%	813,949	706,095	−13.3%
福岡県	4,006,679	5,015,699	25.2%	5,015,699	4,985,211	−0.6%
佐賀県	942,874	876,654	−7.0%	876,654	751,432	−14.3%
長崎県	1,760,421	1,516,523	−13.9%	1,516,523	1,198,259	−21.0%
熊本県	1,856,192	1,859,344	0.2%	1,859,344	1,671,086	−10.1%
大分県	1,239,655	1,221,140	−1.5%	1,221,140	1,018,393	−16.6%
宮崎県	1,134,590	1,170,007	3.1%	1,170,007	1,013,164	−13.4%
鹿児島県	1,963,104	1,786,194	−9.0%	1,786,194	1,602,570	−10.3%
沖縄県	883,122	1,318,220	49.3%	1,318,220	1,428,426	8.4%

上、人口減によって100万人以上200万人未満の規模の県が100万人未満へ移行し、この規模に滞留固定化する傾向が示されている。この小規模県が「地方」の格差問題の貯水池になっている。

全国市町村自治体（総数）の動向

都道府県単位の格差動向に続き、全国の3227市町村自治体を分析対象に1960年〜2000年までの人口増加期と2000年〜2030年までの人口減少期の自治体間格差分析の動向を見る。

表─12は人口増加期の全国市町村自治体3227の格差分析を表示した。

人口増加期は1万人以上〜3万人未満の自治体が変動の分岐点だ。この人口規模の自治体数は1960年時点で1371を数え、全自治体に占める割合が最も高く42・5％になっている。40年後の2000年には413減り、958自治体（全自治体に占める割合は29・7％）となって1万人以上〜3万人未満の規模の自治体が最も変動の激しい状況に置かれ、人口増加で3万人以上5万人未満の規模へ移動する自治体と人口が減少して5000人以上〜1万人未満規模へ下降するものとに分かれている。

3万人以上5万人未満規模では40年間に36自治体の減少を見ているが、この減少は1万人以上〜3万人未満規模から移動してくるものより、5万人以上10万人未満規模へ上るものが上回った結果である。5万人以上の自治体では、増加自治体が圧倒的多数を占め大都市圏への人口集中が如実に示されている。

１万人未満の自治体の動向は、５０００人以上～１万人未満規模の自治体が９８８から８３４と１５４減となった。これは、人口を減少させた自治体が３０００人以上～５０００人未満規模へと下降したためである。この下降を受け３０００人以上～５０００人未満規模では１９０自治体の増となった。３０００人未満規模の自治体ではさらに２４４増となり、40年間の自治体増加数は３０００人未満規模が最も多くなっている。

このように１万人以上～３万人未満規模が分岐点となり、１万人未満の自治体が人口を減少させ下降化して次々と玉突き。３０００人未満規模が終着駅で、滞留固定化されている。これが、小規模山村自治体の行きつくところである。

次に、表―13で２０００年を基点に２０３０年までの人口減少期の３２２１の全国市町村自治体の人口将来予測値による格差分析を見る。

人口減少期では、２０００年時点の日本の総人口１億２６９０万人が30年間に１億１７６０万人になると予測され７・３％の減少となる。自治体数で見ると３２２１自治体のうち人口増自治体が４２０、全体の13・０％となっている。これは大都市圏への人口集中が鈍化している現れである。これに対し、人口減少自治体は２８０１を数え、全自治体に占める割合は87・０％で９割近くの自治体が人口減となる。

人口規模別で目立つのは、３０００人以上～５０００人未満規模と３０００人未満の自治体数の増

表―12　全国市町村の自治体間格差分析表（1960～2000年）

人口増減率		人口規模（2000年）100万人以上	50万人以上100万人未満	30万人以上50万人未満	10万人以上30万人未満	5万人以上10万人未満	3万人以上5万人未満	1万人以上3万人未満	5千人以上1万人未満	3千人以上5千人未満	3千人未満	市町村数 実数	市町村数 構成比
増加	80%以上	6 (13.7%)	5 (13.1%)	22 (13.3%)	81 (13.2%)	100 (13.4%)	77 (12.9%)	100 (14.6%)	4 (13.9%)			395	12.2%
増加	50%以上80%未満		6 (16.1%)	8 (16.4%)	22 (15.8%)	23 (15.8%)	20 (16.9%)	68 (16.5%)	13 (16.4%)	2 (18.3%)	1 (14.6%)	163	5.1%
増加	20%以上50%未満	2 (16.1%)		10 (17.1%)	32 (17.5%)	46 (18.1%)	28 (18.2%)	128 (18.6%)	27 (19.9%)	4 (18.3%)	3 (20.3%)	280	8.7%
増加	0%以上20%未満	2 (18.0%)		3 (18.2%)	21 (20.1%)	30 (20.3%)	50 (19.8%)	147 (20.7%)	59 (20.7%)	6 (20.1%)	3 (20.7%)	321	9.9%
減少	0%以上10%未満	1 (16.4%)			4 (21.1%)	13 (22.0%)	38 (22.2%)	89 (22.6%)	66 (22.9%)	11 (23.2%)	3 (21.5%)	225	7.0%
減少	10%以上20%未満	1 (17.1%)				8 (23.9%)	33 (23.3%)	147 (23.7%)	124 (24.3%)	20 (24.9%)	4 (27.9%)	337	10.4%
減少	20%以上30%未満				2 (22.6%)	3 (21.5%)	10 (25.1%)	131 (25.3%)	154 (26.1%)	40 (27.2%)	17 (26.7%)	357	11.1%
減少	30%以上40%未満				1 (25.2%)		4 (26.4%)	98 (27.3%)	182 (28.4%)	66 (28.6%)	28 (29.2%)	379	11.7%
減少	40%以上50%未満					1 (23.8%)	1 (26.4%)	38 (28.7%)	135 (29.6%)	113 (31.4%)	74 (30.7%)	362	11.2%
減少	50%以上60%未満							7 (27.8%)	51 (32.0%)	77 (33.7%)	72 (34.5%)	207	6.4%
減少	60%以上70%未満						1 (25.1%)	2 (27.8%)	16 (31.4%)	41 (34.5%)	88 (35.6%)	148	4.6%
減少	70%以上80%未満							2 (31.8%)	1 (30.1%)	6 (33.4%)	31 (37.8%)	40	1.2%
減少	80%以上							1 (33.6%)	2 (32.9%)		10 (38.1%)	13	0.4%
市町村数	実数	12 (6)	11 (5)	43 (15)	163 (93)	224 (165)	262 (298)	958 (1371)	834 (988)	386 (196)	334 (90)	3227	100.0%
市町村数	高齢化率	15.6%	14.6%	15.1%	15.6%	16.5%	18.5%	21.5%	26.1%	30.3%	32.6%	17.3%	
市町村数	構成比	0.4% (0.2%)	0.3% (0.2%)	1.3% (0.5%)	5.1% (2.9%)	6.9% (5.1%)	8.1% (9.2%)	29.7% (42.5%)	25.8% (30.6%)	12.0% (6.1%)	10.4% (2.8%)	100.0%	

注1）資料は1960年と2000年の国勢調査による。1960年の人口は9430万人、2000年の人口は1億2690万人であり、34.6%の増加である。ただし、大潟村、三宅村、小笠原村を除く。
2）人口増減率は1960年から2000年までの40年間のものである。
3）自治体増減数のカッコ内は加重平均による高齢化率を示したものである。
4）市町村数の実数・構成比欄のカッコ内は1960年時点のものである。

表－13　全国市町村の自治体間格差分析表（2000～2030年）

人口増減率		人口規模（2030年）										市町村数	
		100万人以上	50万人以上100万人未満	30万人以上50万人未満	10万人以上30万人未満	５万人以上10万人未満	３万人以上５万人未満	１万人以上３万人未満	５千人以上１万人未満	３千人以上５千人未満	３千人未満	実数	構成比
増加	80%以上					1 (21.8%)						1	0.0%
	50%以上80%未満				3 (20.1%)	2 (19.8%)	2 (21.6%)					7	0.2%
	20%以上50%未満		2 (25.3%)		11 (23.9%)	28 (24.5%)	14 (25.3%)	23 (24.9%)	2 (26.8%)	1 (24.7%)	1 (21.0%)	82	2.5%
	０%以上20%未満	6 (26.2%)	3 (28.2%)	9 (27.3%)	46 (26.2%)	46 (27.7%)	59 (27.3%)	129 (28.6%)	26 (28.6%)	6 (29.4%)		330	10.2%
減少	０%以上10%未満	4 (26.4%)	4 (27.5%)	16 (28.8%)	48 (29.2%)	64 (30.0%)	52 (30.2%)	138 (31.0%)	58 (31.3%)	9 (30.8%)	7 (30.3%)	400	12.4%
	10%以上20%未満	2 (27.3%)	2 (31.6%)	7 (29.3%)	32 (31.3%)	44 (31.5%)	64 (33.0%)	214 (33.6%)	156 (34.1%)	43 (34.4%)	22 (34.6%)	586	18.2%
	20%以上30%未満			5 (30.7%)	10 (33.2%)	22 (33.9%)	37 (35.8%)	163 (36.7%)	223 (31.6%)	112 (37.8%)	60 (36.5%)	632	19.6%
	30%以上40%未満				3 (34.9%)	1 (36.0%)	6 (37.9%)	80 (39.6%)	169 (40.8%)	209 (41.0%)	175 (41.2%)	643	20.1%
	40%以上50%未満					1 (39.3%)		15 (42.4%)	39 (45.2%)	92 (44.5%)	235 (45.5%)	382	11.9%
	50%以上60%未満								10 (49.4%)	8 (51.9%)	109 (51.0%)	127	3.9%
	60%以上70%未満										26 (57.2%)	26	0.8%
	70%以上80%未満										5 (68.0%)	5	0.2%
	80%以上												0.0%
市町村数	実数	12 (13)	11 (11)	37 (41)	153 (163)	209 (222)	234 (263)	762 (956)	683 (832)	480 (386)	640 (334)	3221	100.0%
	高齢化率	26.4%	28.1%	28.1%	28.6%	29.4%	30.9%	33.3%	37.1%	40.0%	43.6%	29.6%	
	構成比	0.4% (0.4%)	0.3% (0.3%)	1.1% (1.3%)	4.8% (5.1%)	6.5% (6.9%)	7.3% (8.2%)	23.6% (29.7%)	21.2% (25.8%)	14.9% (12.0%)	19.9% (10.4%)	100.0%	

注１）資料は2000年は国勢調査、2030年は国立社会保障・人口問題研究所が平成15年12月に推計した将来予測値による。ただし、大潟村、三宅村、小笠原村を除く。なお、茨城県の牛堀町と潮来町が合併して潮来市に、埼玉県の浦和市と大宮市と与野市が合併してさいたま市に、東京都田無市と保谷市が合併して西東京市になったことおよび、岩手県の三陸町が大船渡市に、新潟県の黒埼町が新潟市に吸収されたことにより、市町村数全体を3227から3221として計算している。

２）2000年の人口は1億2690万人、2030年の人口の予測値は1億1760万人であり、7.3%の減少である。

３）人口増加率は2000年から2030年までの30年間のものである。

４）市町村数の実数・構成比率のカッコ内は2000年時点のものである。ただし、人口予測値を計算するまでに合併した市町村があるため、1960年から2000年の格差分析表の数値と異なっている場合がある。

５）自治体増減数のカッコ内は加重平均による高齢化率を示したものである。

加である。2000年の5000人未満の小規模自治体数は720で総自治体の22・4％となっていたが、2030年には小規模自治体数は1120に増え、総自治体に占める割合も34・8％にもなる。中でも3000人未満の自治体は2000年に334だが2030年には640と倍近くの増加が見込まれている。しかし、こうした数字は平成の大合併前の旧市町村単位で見ることにより明らかになるもので、合併後の市町村名で見ると実態が見えなくなってくる。この点に留意する必要がある。

人口増加期でも小規模自治体の滞留固定化を指摘したが、人口減少期では滞留固定化が一層強まり、小規模自治体に「格差」が凝縮されてくる。小規模自治体に見る人口減少率と高齢化率の高さの相関が「格差」の現実を如実に示している。

特に、人口、戸数が激減し高齢化が急速に進行し、自治体の総人口に占める65歳以上の高齢者が半数を超える限界自治体が2030年には全国で144になると予測される。

5000人未満の小規模自治体の多くは、表—13に示されるように2030年には高齢化率が50％を超える状態にあり、限界自治体化が予測される。限界自治体化しつつある小規模自治体の多くは山林が大半を占め、林野率が高い地域である。限界自治体化が進めば、田畑の耕作放棄地の増大、山林の放置林化で「山」の荒廃が進み国土保全上、大きな問題になってくる。格差分析で析出された小規模自治体への国の対策が急務となっている。

※　以上の「都道府県の動向」と「全国市町村自治体（総数）の動向」は拙稿「現代山村の現状分析と地域再生の課題」『村落社会研究ジャーナル』第28号所収、農文協2008年3月刊2～6ページから引用。

各都道府県内の自治体間格差分析

各都道府県内の自治体間格差分析表では、人口増加期で示された各自治体の人口増減、人口規模、高齢化などの状況が人口減少期にどう推移するのかが予測され、全自治体の人口増減率、人口規模、高齢化率の位置が表示されている。人口減少期の分析では、平成の大合併前の2000年を基点にしているため、合併で消滅した自治体名で、2030年までの30年間の動向を見る。

人口増加期と人口減少期の各都道府県内の自治体間格差分析表は、前段で見た「全国市町村の自治体間格差分析」と比較すれば、各自治体の位置が全国的な動向とのかかわりで把握できる。また全国のすべての市町村自治体の70年にわたる動向がわかり、各都道府県、市町村自治体の行政展開に役立つものとなっている。

都道府県別自治体間格差分析表の見方～高知県から

高知県を例に自治体間格差分析表の見方を説明する。

高知県は四国で最も広い県で総面積は７１０７ヘクタール、このうち林野率は83・５％で、耕地率はわずか３・９％。自治体の７割が山間地域にある山国日本の代表である。

人口増加期の県内53自治体の格差分析

県人口は１９６０年の85万４５９５人が２０００年には81万３９４９人。４・８％の減少となった。53自治体のうち、人口増加自治体は県都高知市と高知市圏４自治体である。これは県都高知市への人口一極集中を示す。高知県内の人口減少自治体は実に49を数え全自治体の92・５％を占めている。

人口規模別自治体数の増減状況を見る。５万人以上は高知市のみで変わらず、３万人以上～５万人未満規模では７から３へと４自治体減り、これと同数の自治体が１万人以上～３万人未満規模へ下降し、１万人以上～３万人未満規模では同数の自治体が減ったので、この規模の数12は変わっていない。最も大きな変動があったのは５０００人以上～１万人未満で１９６０年に24あった自治体が２０００年には８自治体となった。この規模の７割近くが３０００人以上～５０００人未満規模へ下降したため、3000人以上~5000人未満規模は6から17自治体へと大きく増加している。また、3000人未満規模は3から12へと大きく増加した。

人口増加期の高知県では、県都高知市圏内への一極集中で、山間地域の自治体が人口を激減させ小規模化。5000人未満の小規模自治体は29を数え全自治体の54・7%を占めている。また、こうした小規模自治体では高齢化が急速に進み、人口減少率50%以上の5000人未満の小規模自治体の多くは高齢化率が35%超で、40%を超える自治体が5を数える。

人口激減によって自治体が小規模化し高齢化率が高くなる高知県の小規模山村自治体の滞留化は、全国市町村自治体の人口減少期に見る小規模自治体の滞留固定化の動きを先取りしたかたちになっている。

2000年~2030年の人口減少期の分析

2000年の県人口は81万3949人であるが2030年には70万6095人に減少し、13・3%の減少となる。この10万8000人近くの人口減が各自治体の動向にどう現れているのか。

人口規模別自治体数の増減状況を見ると、増加は高知市とそのベッドタウン化している野市町の2自治体のみ。減少自治体は51に上り全自治体の96・2%を占めている。人口規模別では5000人以上~1万人未満規模と3000人以上~5000人未満規模の減少が目につく。人口減少に伴う自治

高知県 (1960～2000年)

(単位：人、%)

人口増減率		人口規模 (2000年)						市町村数
		5万人以上	3万人以上～5万人未満	1万人以上～3万人未満	5千人以上～1万人未満	3千人以上～5千人未満	3千人未満	
増加	80%以上			野市町(19.5%)				1
	50%以上～80%未満	高知市(18.2%)						1
	20%以上～50%未満							0
	0%以上～20%未満		南国市(21.4%)	伊野町(21.9%)				2
減少	0%以上～10%未満		土佐市(24.4%)	土佐山田町(25.3%) 春野町(24.5%)				3
	10%以上～20%未満		中村市(23.5%)	須崎市(25.2%) 宿毛市(23.9%) 佐川町(27.7%)	香我美町(26.4%) 日高村(27.4%)			6
	20%以上～30%未満			安芸市(25.7%) 大方町(30.3%)		芸西村(29.5%) 夜須町(29.8%)	吉川村(24.3%)	5
	30%以上～40%未満			室戸市(27.6%) 土佐清水市(31.0%)	中土佐町(30.5%) 越知町(34.4%)	田野町(30.7%) 赤岡町(28.8%) 佐賀町(27.4%)		7
	40%以上～50%未満			窪川町(31.8%)	香北町(37.4%) 土佐町(35.2%) 大月町(32.6%)	奈半利町(32.7%) 安田町(30.9%) 本山町(34.2%) 葉山村(32.4%) 大正町(29.7%) 十和村(32.3%)	鏡村 (30.1%) 土佐山村(32.0%) 三原村(33.6%)	13
	50%以上～60%未満					東洋町(32.4%) 吾川村(40.9%) 梼原町(32.5%) 西土佐村(33.8%)	大野見村(38.2%) 東津野村(34.8%) 仁淀村(38.4%)	7
	60%以上～70%未満				大豊町(44.5%)	吾北村(39.2%)	馬路村(28.6%) 本川村(40.3%) 池川町(45.8%)	5
	70%以上～80%未満					物部村(43.8%)	北川村(36.6%)	2
	80%以上						大川村(41.8%)	1
市町村数		1 (1)	3 (7)	12 (12)	8 (24)	17 (6)	12 (3)	53

高 知 県　(2000～2030年)

(単位：人、%)

人口増減率		人口規模（2030年）						市町村数
		5万人以上	3万人以上～5万人未満	1万人以上～3万人未満	5千人以上～1万人未満	3千人以上～5千人未満	3千人未満	
増加	80%以上							0
	50%以上～80%未満							0
	20%以上～50%未満							0
	0%以上～20%未満	高知市(29.4%)		野市町(28.5%)				2
減少	0%以上～10%未満		南国市(29.2%) 中村市(35.2%)	春野町(34.0%)				3
	10%以上～20%未満			土佐市(34.1%) 土佐山田町(34.6%)	香我美町(35.6%)		吉川村(31.5%)	4
	20%以上～30%未満			須崎市(38.9%) 宿毛市(38.1%) 伊野町(37.8%) 佐川町(41.0%)		芸西村(43.1%) 夜須町(41.7%) 梼原町(38.3%) 日高村(40.1%)	赤岡町(37.6%) 土佐山村(34.8%)	10
	30%以上～40%未満			安芸市(37.9%) 土佐清水市(46.8%)	窪川町(43.8%) 大方町(45.4%)	香北町(46.9%) 土佐町(47.7%) 中土佐町(42.6%) 越知町(47.1%)	馬路村(38.4%) 本山町(44.6%) 鏡村　(40.0%) 東津野村(36.5%) 葉山村(41.7%) 大正町(40.5%) 三原村(44.2%)	15
	40%以上～50%未満					大月町(51.3%)	東洋町(49.7%) 奈半利町(48.2%) 田野町(41.5%) 安田町(38.0%) 北川村(41.4%) 大川村(44.7%) 吾北村(50.2%) 大野見村(41.7%) 仁淀村(42.6%) 佐賀町(48.1%) 十和村(51.8%) 西土佐村(44.9%)	13
	50%以上～60%未満				室戸市(49.2%)		物部村(50.6%) 大豊町(54.2%) 本川村(45.6%) 池川町(54.2%) 吾川村(57.1%)	6
	60%以上～70%未満							0
	70%以上～80%未満							0
	80%以上							0
市町村数		1(1)	2(3)	10(12)	4(8)	9(17)	27(12)	53

体の小規模化で5000人〜1万人未満規模では8自治体から4自治体へと半減し、3000人以上〜5000人未満規模では17自治体から9自治体へと大きく減少している。これらの規模の自治体が3000人未満の自治体へ下降し、3000人未満の自治体数が12から27へと大きく増加する。

人口減少期の格差予測分析で高知県は、53自治体のうち5000人未満の小規模自治体が2030年には36自治体となり全体の7割を占める。このうち3000人未満の自治体が27自治体で、高知県では2030年にはこの小規模自治体が半数を占める時代に入る。

人口減少期の格差分析で人口減少率が40％以上で人口規模が3000人未満の自治体17のうち、16自治体が高齢化率40％を超える。中でも高齢化率50％を超える自治体が大豊町、池川町など6自治体を数える。この17自治体は限界自治体とその予備軍であり、2030年には限界自治体とその予備軍が自治体の3割に達する状況が予測されている。

46都道府県別自治体間格差分析表

市町村自治体間格差分析表の注意点

①資料は１９６０年と２０００年は国勢調査、２０３０年は国立社会保障・人口問題研究所が２００３年に推計した将来予測値による。

②人口増減率はそれぞれ１９６０年から２０００年までの40年間と２０００年から２０３０年までの30年間のものである。

③市町村のカッコ内はそれぞれ２０００年と２０３０年の高齢化率である。

④市町村数のカッコ内はそれぞれ１９６０年時点と２０００年時点のものである。ただし、２０００年から２０３０年の格差分析表の数値は人口予測値を計算するまでに合併した市町村があるため、１９６０年から２０００年と異なっている場合がある。

⑤分析表は人口減少自治体に焦点を当てているため、大規模自治体を５万人以上として一括した。

46都道府県別自治体間格差分析表

北海道 (1960～2000年)

(単位：人、%)

人口増減率		人口規模 (2000年) 5万人以上	3万人以上～5万人未満	1万人以上～3万人未満	5千人以上～1万人未満	3千人以上～5千人未満	3千人未満	市町村数
増加	80%以上	札幌市(14.4%) 苫小牧市(14.8%) 江別市(15.2%) 千歳市(11.7%) 登別市(20.3%) 恵庭市(14.3%) 北広島市(15.1%) 石狩市(14.7%)		釧路町(12.0%)				9
	50%以上～80%未満	旭川市(18.3%) 帯広市(15.3%) 北見市(16.6%)	音更町(18.1%)	七飯町(21.0%) 白老町(23.1%) 中標津町(14.2%)				7
	20%以上～50%未満	釧路市(16.7%) 岩見沢市(19.5%)	伊達市(22.6%) 上磯町(17.0%)	幕別町(18.5%)				5
	0%以上～20%未満	函館市(19.9%)	滝川市(20.0%)	当別町(17.0%) 大野町(18.0%) 静内町(18.7%)	南幌町(16.3%) 東神楽町(18.6%)			7
減少	0%以上～10%未満		網走市(16.9%)	美幌町(19.8%) 遠軽町(22.0%) 芽室町(18.8%)	羅臼町(15.5%)	鹿部町(18.3%)		6
	10%以上～20%未満		稚内市(17.3%)	倶知安町(16.8%) 余市町(23.9%)	標津町(18.0%)	中札内村(19.1%)		5
	20%以上～30%未満	小樽市(23.4%) 室蘭市(21.4%)	根室市(18.0%)	留萌市(18.6%) 紋別市(20.3%) 名寄市(19.9%) 富良野市(21.3%) 森町 (23.6%) 八雲町(19.1%) 江差町(21.8%) 上富良野町(18.6%) 斜里町(20.4%) 門別町(20.6%) 浦河町(19.6%) 別海町(17.7%)	東川町(23.2%) 虻田町(23.7%) 早来町(21.4%) 鵡川町(22.6%) 士幌町(22.5%) 広尾町(20.6%) 弟子屈町(22.6%)	新篠津村(22.9%)		23
	30%以上～40%未満			砂川市(23.6%) 深川市(26.0%) 岩内町(22.1%) 長沼町(22.4%) 栗山町(24.5%) 清水町(24.1%) 厚岸町(20.7%)	知内町(23.1%) 砂原町(21.2%) 鷹栖町(23.3%) 枝幸町(21.1%) 女満別町(22.7%) 端野町(22.5%) 様似町(24.0%) えりも町(21.2%) 大樹町(23.4%) 浜中町(20.8%)	浜頓別町(20.1%)	洞爺村(31.5%) 鶴居村(24.3%)	20
	40%以上～50%未満			士別市(24.2%) 松前町(26.7%) 美瑛町(26.5%) 本別町(24.0%) 白糠町(22.5%)	福島町(25.8%) 木古内町(28.2%) 南茅部町(24.8%) 長万部町(27.9%) 乙部町(24.7%) 北檜山町(27.7%) 今金町(25.5%) 共和町(22.2%)	戸井町(25.7%) 黒松内町(28.4%) ニセコ町(23.7%) 雨竜町(27.2%) 比布町(28.3%) 興部町(21.8%) 壮瞥町(30.8%) 追分町(26.8%)	留寿都村(19.7%) 赤井川村(20.6%) 東藻琴村(23.4%) 大滝村(38.8%) 忠類村(25.2%)	46

北海道 (1960～2000年)

（単位：人、％）

人口増減率		人口規模（2000年）						市町村数
		5万人以上	3万人以上～5万人未満	1万人以上～3万人未満	5千人以上～1万人未満	3千人以上～5千人未満	3千人未満	
減少	40％以上～50％未満				由仁町(25.5％) 月形町(24.7％) 新十津川町(25.2％) 当麻町(27.7％) 中富良野町(24.4％) 豊富町(22.4％) 小清水町(24.6％) 訓子府町(23.7％) 常呂町(23.2％) 上湧別町(27.6％) 雄武町(23.2％) 豊浦町(29.9％) 厚真町(26.1％) 新冠町(21.9％) 上士幌町(24.2％) 鹿追町(20.0％) 新得町(24.0％) 池田町(26.2％) 標茶町(21.6％)	更別村(21.8％)		46
減少	50％以上～60％未満				上ノ国町(24.1％) 厚沢部町(28.0％) 蘭越町(27.5％) 風連町(28.8％) 美深町(25.7％) 増毛町(32.7％) 津別町(28.0％) 清里町(24.7％) 留辺蘂町(27.2％) 佐呂間町(26.8％) 湧別町(24.6％) 平取町(23.0％) 三石町(27.8％) 足寄町(26.4％) 浦幌町(24.9％)	恵山町(26.6％) 奥尻町(24.1％) 寿都町(29.8％) 京極町(25.1％) 古平町(27.7％) 仁木町(28.0％) 北村　(26.0％) 妹背牛町(27.6％) 秩父別町(29.5％) 愛別町(27.5％) 和寒町(30.4％) 剣淵町(27.9％) 苫前町(28.4％) 遠別町(25.7％) 天塩町(22.7％) 礼文町(26.5％)	厚田村(27.2％) 椴法華村(25.6％) 瀬棚町(25.9％) 島牧村(29.8％) 真狩村(24.7％) 喜茂別町(25.7％)	37
減少	60％以上～70％未満		美唄市(25.1％)	芦別市(28.5％)	奈井江町(26.3％) 上川町(25.9％) 羽幌町(26.8％) 阿寒町(21.0％)	熊石町(31.6％) 積丹町(33.7％) 南富良野町(24.1％) 小平町(27.0％) 利尻町(28.7％) 利尻富士町(30.6％) 置戸町(28.3％) 穂別町(26.1％) 豊頃町(26.6％) 陸別町(28.6％) 音別町(22.1％)	大成町(33.8％) 神恵内村(38.0％) 浦臼町(30.3％) 北竜町(28.9％) 占冠村(15.4％) 音威子府村(20.6％) 中川町(25.0％) 初山別村(29.0％) 幌延町(21.4％) 猿払村(20.5％) 中頓別町(25.1％) 歌登町(24.7％) 生田原町(29.6％) 西興部村(29.4％) 日高町(23.7％)	32
減少	70％以上～80％未満			赤平市(29.9％) 三笠市(34.1％)	栗沢町(30.1％)	沼田町(28.2％) 下川町(29.8％) 滝上町(30.5％)	浜益村(38.3％) 泊村　(35.6％) 朝日町(32.2％) 丸瀬布町(34.4％) 白滝村(23.8％)	11
減少	80％以上			夕張市(33.6％)	歌志内市(32.6％) 上砂川町(33.2％)		幌加内町(29.3％)	4
市町村数		16（16）	8（13）	41（101）	70（68）	43（13）	34（1）	212

北海道 (2000～2030年)

(単位：人、%)

人口増減率		人口規模 (2030年)						市町村数
		5万人以上	3万人以上～5万人未満	1万人以上～3万人未満	5千人以上～1万人未満	3千人以上～5千人未満	3千人未満	
増加	80%以上							0
増加	50%以上～80%未満							0
増加	20%以上～50%未満	北広島市(32.3%)						1
増加	0%以上～20%未満	札幌市(31.4%) 江別市(31.4%) 千歳市(26.2%) 恵庭市(29.4%)	上磯町(27.4%)	大野町(27.8%) 南幌町(33.6%) 中標津町(29.6%)	東神楽町(32.5%)			9
減少	0%以上～10%未満	北見市(33.2%) 苫小牧市(31.7%) 石狩市(34.4%)	音更町(32.2%)	当別町(32.6%) 長沼町(34,3%) 芽室町(31.7%) 幕別町(33.2%)	鷹栖町(30.8%)			9
減少	10%以上～20%未満	旭川市(35.2%) 帯広市(31.5%)		富良野市(30.9%) 七飯町(34.9%) 上富良野町(28.2%) 釧路町(32.4%)	東川町(32.4%)	女満別町(32.5%) 端野町(33.1%) 鹿追町(32.4%)	更別村(32.7%)	11
減少	20%以上～30%未満	小樽市(36.2%) 岩見沢市(36.2%)	網走市(30.3%)	伊達市(40.7%) 森町　(36.4%) 八雲町(31.6%) 美幌町(37.4%) 静内町(39.1%)	美瑛町(36.3%) 虻田町(40.4%)	新篠津村(36.7%) 鹿部町(34.7%) 中富良野町(33.0%) 常呂町(34.4%) 早来町(36.2%) 士幌町(38.0%) 中札内村(31.4%)	厚田村(43.0%) 瀬棚町(29.1%) 留寿都村(30.5%) 京極町(31.5%) 赤井川村(29.6%) 占冠村(25.7%) 東藻琴村(37.1%) 鶴居村(37.5%)	25
減少	30%以上～40%未満	函館市(36.4%) 釧路市(36.3%)	滝川市(40.6%) 登別市(40.6%)	稚内市(35.7%) 紋別市(38.5%) 士別市(38.4%) 名寄市(31.4%) 余市町(36.3%) 遠軽町(38.8%) 白老町(43.2%) 浦河町(31.5%) 別海町(34.3%)	江差町(37.8%) 倶知安町(36.2%) 栗山町(38.3%) 新十津川町(38.8%) 斜里町(37.6%) 門別町(33.7%) 新得町(34.9%) 清水町(37.1%) 池田町(41.1%) 厚岸町(38.7%) 標茶町(38.1%) 弟子屈町(41.7%)	砂原町(34.6%) 上ノ国町(36.9%) 厚沢部町(39.0%) 乙部町(36.2%) 今金町(38.6%) 蘭越町(39.3%) ニセコ町(33.1%) 共和町(32.4%) 栗沢町(41.2%) 由仁町(38.0%) 月形町(41.0%) 当麻町(38.1%) 枝幸町(37.8%) 清里町(35.5%) 小清水町(39.5%) 湧別町(37.3%) 興部町(33.9%) 雄武町(36.4%) 豊浦町(41.4%) 平取町(34.6%) 新冠町(32.8%) えりも町(34.3%) 上士幌町(37.8%) 大樹町(39.8%) 阿寒町(41.2%)	黒松内町(33.7%) 真狩村(34.1%) 喜茂別町(39.1%) 北村　(41.2%) 比布町(38.8%) 南富良野町(31.8%) 苫前町(27.8%) 猿払村(35.7%) 洞爺村(46.1%) 大滝村(50.7%) 壮瞥町(49.3%) 追分町(35.5%) 忠類村(36.7%)	63

北海道　(2000〜2030年)

（単位：人、％）

人口増減率		人口規模（2030年）						市町村数
		5万人以上	3万人以上~5万人未満	1万人以上~3万人未満	5千人以上~1万人未満	3千人以上~5千人未満	3千人未満	
減少	40%以上～50%未満	室蘭市(39.3%)		留萌市(35.6%) 美唄市(39.6%) 芦別市(42.6%) 根室市(34.7%) 砂川市(41.1%) 深川市(42.6%)	岩内町(36.7%) 広尾町(40.8%) 本別町(41.6%) 白糠町(41.0%)	福島町(44.6%) 知内町(41.6%) 木古内町(41.9%) 南茅部町(41.6%) 長万部町(38.3%) 北檜山町(40.0%) 奈井江町(41.7%) 上川町(41.4%) 風連町(42.8%) 美深町(35.8%) 増毛町(44.3%) 羽幌町(43.7%) 豊富町(36.6%) 津別町(44.6%) 訓子府町(39.3%) 佐呂間町(43.8%) 上湧別町(40.3%) 厚真町(38.5%) 鵡川町(37.4%) 三石町(38.1%) 様似町(37.9%) 足寄町(44.0%) 浜中町(37.6%) 標津町(36.2%) 羅臼町(35.1%)	戸井町(38.0%) 大成町(50.0%) 島牧村(38.7%) 寿都町(41.7%) 泊村　(38.6%) 古平町(41.5%) 仁木町(40.7%) 浦臼町(41.9%) 妹背牛町(42.3%) 秩父別町(43.7%) 雨竜町(38.6%) 北竜町(43.5%) 沼田町(41.0%) 幌加内町(38.5%) 愛別町(38.1%) 和寒町(42.5%) 剣淵町(44.0%) 下川町(39.2%) 小平町(39.7%) 初山別村(38.5%) 遠別町(39.3%) 天塩町(33.1%) 幌延町(41.1%) 浜頓別町(39.6%) 歌登町(41.2%) 置戸町(40.8%) 西興部村(41.0%) 穂別町(33.8%) 日高町(35.5%) 豊頃町(43.8%) 音別町(42.9%)	67
	50%以上～60%未満				夕張市(46.9%) 赤平市(46.7%) 三笠市(45.6%)	松前町(52.5%) 留辺蘂町(46.5%) 浦幌町(47.1%)	歌志内市(45.6%) 浜益村(52.1%) 恵山町(46.7%) 椴法華村(45.2%) 熊石町(49.0%) 奥尻町(50.5%) 上砂川町(44.2%) 朝日町(45.1%) 音威子府村(38.4%) 中川町(42.0%) 中頓別町(41.7%) 利尻町(46.5%) 生田原町(44.0%) 丸瀬布町(46.0%) 白滝村(41.2%) 滝上町(41.8%) 陸別町(42.2%)	23
	60%以上～70%未満						神恵内村(48.0%) 積丹町(47.4%) 礼文町(43.6%) 利尻富士町(55.1%)	4
	70%以上～80%未満							0
	80%以上							0
市町村数		15 (16)	5 (8)	31 (41)	24 (70)	63 (43)	74 (34)	212

青森県 (1960〜2000年)

(単位：人、%)

人口増減率		人口規模(2000年) 5万人以上	3万人以上~5万人未満	1万人以上~3万人未満	5千人以上~1万人未満	3千人以上~5千人未満	3千人未満	市町村数
増加	80%以上							0
	50%以上~ 80%未満			下田町(14.9%) 階上町(15.0%)				2
	20%以上~ 50%未満	青森市(17.0%) 八戸市(15.8%) 十和田市(17.4%)	むつ市(16.3%)		福地村(19.8%)			5
	0%以上~ 20%未満	弘前市(19.3%)	五所川原市(19.5%) 三沢市(15.8%)	百石町(18.1%)				4
減少	0%以上~ 10%未満		黒石市(20.2%)	野辺地町(20.8%) 六戸町(22.2%)				3
	10%以上~ 20%未満			岩木町(23.9%) 尾上町(21.8%) 浪岡町(21.6%) 平賀町(21.8%) 六ケ所村(16.7%) 五戸町(23.4%)	柏村 (21.2%) 常盤村(23.5%) 上北町(21.5%) 大間町(20.1%)			10
	20%以上~ 30%未満			平内町(23.1%) 藤崎町(22.4%) 板柳町(22.8%) 鶴田町(23.7%) 七戸町(23.6%) 東北町(23.3%) 三戸町(25.8%)	森田村(23.9%) 車力村(22.3%) 田舎館村(23.1%) 横浜町(23.3%) 南部町(26.8%)	小泊村(22.3%) 倉石村(27.0%)		14
	30%以上~ 40%未満			鰺ケ沢町(27.4%) 木造町(25.7%) 大鰐町(25.9%) 金木町(26.5%) 中里町(24.4%)	深浦町(27.1%) 稲垣村(25.0%) 大畑町(25.1%) 東通村(22.4%) 田子町(27.0%) 名川町(26.6%) 南郷村(26.0%)	蓬田村(27.2%) 相馬村(24.1%) 碇ケ関村(28.9%)		15
	40%以上~ 50%未満				十和田湖町(25.8%) 天間林村(23.6%) 川内町(27.4%)	蟹田町(27.8%) 今別町(32.3%) 佐井村(28.2%) 新郷村(32.2%)	岩崎村(33.6%) 市浦村(27.6%) 風間浦村(25.6%) 脇野沢村(26.7%)	11
	50%以上~ 60%未満						平舘村(31.4%) 三厩村(32.3%)	2
	60%以上~ 70%未満						西目屋村(33.1%)	1
	70%以上~ 80%未満							0
	80%以上							0
市町村数		4 (3)	4 (5)	23 (31)	20 (25)	9 (3)	7 (0)	67

青森県　(2000～2030年)

(単位：人、%)

人口増減率		人口規模（2030年）						市町村数
		5万人以上	3万人以上～5万人未満	1万人以上～3万人未満	5千人以上～1万人未満	3千人以上～5千人未満	3千人未満	
増加	80%以上							0
	50%以上～80%未満							0
	20%以上～50%未満			下田町(27.7%)				1
	0%以上～20%未満		三沢市(26.1%)	階上町(29.1%)	柏村　(25.8%)			3
減少	0%以上～10%未満	青森市(30.2%) 十和田市(35.5%)	むつ市(31.9%)	百石町(32.3%)	福地村(34.4%)			5
	10%以上～20%未満	弘前市(31.8%) 八戸市(32.7%)	黒石市(30.4%) 五所川原市(32.9%)	浪岡町(32.1%) 板柳町(33.4%) 鶴田町(33.8%) 野辺地町(38.1%) 六ケ所村(32.7%) 五戸町(38.6%)	岩木町(36.3%) 藤崎町(33.0%) 尾上町(32.5%) 常盤村(34.1%) 六戸町(37.9%) 南郷村(41.4%)	森田村(31.9%) 相馬村(34.6%)	倉石村(36.7%)	19
	20%以上～30%未満			木造町(38.8%) 平賀町(33.1%)	田舎館村(35.9%) 七戸町(39.2%) 上北町(39.1%) 東北町(40.3%) 天間林村(42.6%) 大間町(32.0%) 東通村(35.7%)	車力村(38.8%) 横浜町(34.7%)		11
	30%以上～40%未満				平内町(42.7%) 鰺ケ沢町(41.2%) 深浦町(44.6%) 大鰐町(40.9%) 金木町(43.2%) 中里町(43.4%) 大畑町(43.5%) 三戸町(41.9%) 名川町(41.8%)	稲垣村(40.6%) 十和田湖町(40.2%) 田子町(42.9%) 南部町(40.5%)	風間浦村(38.8%) 佐井村(43.2%) 脇野沢村(42.8%) 新郷村(48.6%)	17
	40%以上～50%未満					川内町(43.3%)	蟹田町(49.3%) 蓬田村(44.8%) 平舘村(42.7%) 岩崎村(51.8%) 西目屋村(44.7%) 碇ケ関村(40.7%) 市浦村(46.8%) 小泊村(36.7%)	9
	50%以上～60%未満							0
	60%以上～70%未満						今別町(66.1%) 三厩村(57.3%)	2
	70%以上～80%未満							0
	80%以上							0
市町村数		4 (4)	4 (4)	11 (23)	24 (20)	9 (9)	15 (7)	67

岩手県 (1960～2000年)

(単位：人、%)

人口増減率		人口規模 (2000年)						市町村数
		5万人以上	3万人以上～5万人未満	1万人以上～3万人未満	5千人以上～1万人未満	3千人以上～5千人未満	3千人未満	
増加	80%以上	滝沢村(11.0%)		矢巾町(15.4%)				2
増加	50%以上～80%未満	盛岡市(15.6%)						1
増加	20%以上～50%未満	水沢市(20.5%) 北上市(18.4%)						2
増加	0%以上～20%未満	花巻市(20.4%) 一関市(21.0%)	大船渡市(22.4%) 紫波町(19.9%)					4
減少	0%以上～10%未満	宮古市(21.6%)	久慈市(19.4%)	雫石町(22.3%) 西根町(22.0%) 石鳥谷町(25.0%) 金ケ崎町(22.1%)				6
減少	10%以上～20%未満			陸前高田市(26.6%) 二戸市(22.9%) 玉山村(23.4%) 前沢町(26.4%) 胆沢町(24.6%) 大槌町(24.2%) 山田町(23.7%) 種市町(22.7%)	平泉町(25.7%) 野田村(22.9%)			10
減少	20%以上～30%未満		江刺市(27.4%)	遠野市(26.9%) 岩手町(24.4%) 花泉町(27.6%) 千厩町(26.5%)	衣川村(25.7%) 東山町(26.7%) 大野村(22.5%) 九戸村(27.5%)	普代村(23.4%)		10
減少	30%以上～40%未満			東和町(29.7%) 大東町(31.1%) 藤沢町(30.1%) 軽米町(26.1%) 一戸町(27.3%)	大迫町(29.8%) 室根村(30.0%)	沢内村(32.2%) 川崎村(29.3%) 田野畑村(26.8%)		10
減少	40%以上～50%未満		釜石市(26.4%)		葛巻町(29.6%) 住田町(33.0%) 宮守村(30.9%) 浄法寺町(28.6%) 安代町(32.6%)	田老町(24.9%)		7
減少	50%以上～60%未満			岩泉町(29.2%)		新里村(30.7%) 山形村(28.9%)		3
減少	60%以上～70%未満				松尾村(26.5%)	湯田町(35.3%) 川井村(35.5%)		3
減少	70%以上～80%未満							0
減少	80%以上							0
市町村数		7 (6)	5 (7)	23 (30)	14 (14)	9 (1)	0 (0)	58

注：資料は1960年と2000年の国勢調査による。ただし、三陸町を除く。

岩手県　(2000～2030年)

（単位：人、%）

人口増減率		人口規模（2030年）						市町村数
		5万人以上	3万人以上～5万人未満	1万人以上～3万人未満	5千人以上～1万人未満	3千人以上～5千人未満	3千人未満	
増加	80%以上							0
増加	50%以上～80%未満		矢巾町(22.5%)					1
増加	20%以上～50%未満	滝沢村(25.1%)						1
増加	0%以上～20%未満	北上市(25.9%)	紫波町(30.1%)	金ケ崎町(30.3%)				3
減少	0%以上～10%未満	盛岡市(28.3%) 水沢市(31.0%) 花巻市(30.2%)	大船渡市(37.6%)	雫石町(32.9%)				5
減少	10%以上～20%未満	一関市(30.7%)		江刺市(34.5%) 二戸市(30.8%) 西根町(35.0%) 石鳥谷町(34.3%) 前沢町(38.8%)	松尾村(39.5%)			7
減少	20%以上～30%未満		宮古市(36.3%)	久慈市(33.2%) 遠野市(38.6%) 陸前高田市(41.8%) 玉山村(38.2%) 胆沢町(36.6%) 花泉町(38.8%) 種市町(39.1%)	東和町(37.8%) 平泉町(38.3%) 千厩町(37.9%) 東山町(38.1%)	衣川村(38.4%) 野田村(38.6%) 大野村(36.4%)		15
減少	30%以上～40%未満			岩手町(40.9%) 大東町(42.3%) 大槌町(40.2%) 山田町(37.6%) 一戸町(43.0%)	藤沢町(41.2%) 軽米町(39.9%)	大迫町(41.2%) 室根村(41.2%) 川崎村(40.2%) 住田町(44.8%) 宮守村(41.3%) 田野畑村(42.7%) 九戸村(43.6%) 浄法寺町(45.7%) 安代町(44.9%)	沢内村(42.1%) 普代村(42.4%)	18
減少	40%以上～50%未満			釜石市(42.1%)	岩泉町(48.2%)	葛巻町(48.3%)	湯田町(47.4%) 田老町(47.8%) 新里村(46.3%) 川井村(49.8%) 山形村(46.8%)	8
減少	50%以上～60%未満							0
減少	60%以上～70%未満							0
減少	70%以上～80%未満							0
減少	80%以上							0
市町村数		6 (7)	4 (5)	20 (23)	8 (14)	13 (9)	7 (0)	58

注：資料は2000年は国勢調査、2030年は国立社会保障・人口問題研究所が平成15年12月に推計した将来予測値による。ただし、三陸町は大船渡市に合併したので除く。

宮 城 県 (1960～2000年)

（単位：人、%）

人口増減率		人口規模（2000年）5万人以上	3万人以上～5万人未満	1万人以上～3万人未満	5千人以上～1万人未満	3千人以上～5千人未満	3千人未満	市町村数
増加	80%以上	仙台市(13.2%) 名取市(14.6%) 多賀城市(12.4%)	富谷町(9.2%)	利府町(11.7%)				5
増加	50%以上～80%未満		岩沼市(15.8%) 柴田町(16.0%) 矢本町(16.2%)	七ヶ浜町(15.1%)				4
増加	20%以上～50%未満	石巻市(17.8%) 古川市(16.7%)	亘理町(18.4%)	大河原町(17.5%) 大和町(17.9%)				5
増加	0%以上～20%未満	塩竈市(19.3%) 気仙沼市(21.4%)		山元町(23.9%) 松島町(21.8%) 鹿島台町(22.3%) 小牛田町(22.2%)				6
減少	0%以上～10%未満		白石市(23.2%) 角田市(22.7%)	迫町 (21.4%) 鳴瀬町(22.1%)	大衡村(20.2%) 三本木町(20.4%)			6
減少	10%以上～20%未満			蔵王町(23.8%) 村田町(22.4%) 川崎町(24.0%) 中新田町(23.1%) 涌谷町(23.1%) 築館町(24.4%) 河南町(24.7%)	色麻町(23.3%) 松山町(23.0%) 歌津町(23.6%)	高清水町(23.4%)		11
減少	20%以上～30%未満			田尻町(25.1%) 若柳町(28.8%) 中田町(26.0%) 米山町(25.6%) 志津川町(24.2%) 本吉町(25.0%)	大郷町(24.6%) 南郷町(26.2%) 瀬峰町(24.0%) 志波姫町(26.4%) 豊里町(24.7%) 石越町(26.1%) 南方町(23.6%) 桃生町(24.8%) 唐桑町(25.5%)			15
減少	30%以上～40%未満			丸森町(28.9%) 岩出山町(28.1%) 栗駒町(29.5%) 河北町(26.4%) 女川町(24.7%)	小野田町(27.4%) 宮崎町(28.3%) 鳴子町(29.3%) 一迫町(30.1%) 金成町(27.4%) 登米町(29.4%) 東和町(30.2%)	津山町(28.6%)		13
減少	40%以上～50%未満					北上町(26.1%)		1
減少	50%以上～60%未満				雄勝町(31.6%)		花山村(36.1%)	2
減少	60%以上～70%未満				牡鹿町(33.4%)		七ヶ宿町(36.6%)	2
減少	70%以上～80%未満					鶯沢町(31.2%)		1
減少	80%以上							0
市町村数		7 (5)	7 (3)	28 (45)	23 (16)	4 (2)	2 (0)	71

宮城県 (2000～2030年)

（単位：人、%）

人口増減率		人口規模 (2030年)						市町村数
		5万人以上	3万人以上~5万人未満	1万人以上~3万人未満	5千人以上~1万人未満	3千人以上~5千人未満	3千人未満	
増加	80%以上	富谷町(21.8%)						1
	50%以上～80%未満							0
	20%以上～50%未満	古川市(23.5%) 名取市(26.1%)	利府町(27.1%)					3
	0%以上～20%未満	仙台市(24.9%)	岩沼市(27.7%) 亘理町(32.2%)	大和町(25.5%)				4
減少	0%以上～10%未満	多賀城市(26.4%)	柴田町(29.9%)	大河原町(29.7%) 七ヶ浜町(30.5%) 矢本町(30.3%)	大衡村(29.8%)			6
	10%以上～20%未満	石巻市(28.9%)		角田市(35.6%) 村田町(32.4%) 迫町　(26.7%)	川崎町(36.4%) 大郷町(34.2%) 松山町(34.9%) 三本木町(32.1%)			8
	20%以上～30%未満		塩竈市(35.7%) 気仙沼市(39.2%) 白石市(36.9%)	蔵王町(34.8%) 山元町(40.2%) 松島町(36.8%) 中新田町(36.2%) 鹿島台町(33.5%) 小牛田町(35.2%) 築館町(36.5%) 若柳町(38.5%) 中田町(35.6%) 河南町(38.5%) 志津川町(36.1%)	色麻町(34.6%) 田尻町(35.3%) 南郷町(37.7%) 志波姫町(37.6%) 南方町(32.2%) 鳴瀬町(35.3%)	高清水町(38.3%) 瀬峰町(32.5%) 石越町(35.7%) 歌津町(41.9%)		24
	30%以上～40%未満			丸森町(40.6%) 涌谷町(40.2%)	岩出山町(43.8%) 栗駒町(41.8%) 一迫町(43.5%) 金成町(39.3%) 東和町(43.7%) 米山町(36.8%) 河北町(41.7%) 桃生町(41.0%) 本吉町(40.0%) 唐桑町(46.3%)	小野田町(42.4%) 宮崎町(46.4%) 登米町(40.0%) 豊里町(39.3%)	七ヶ宿町(37.3%)	17
	40%以上～50%未満				鳴子町(46.9%) 女川町(41.6%)		鶯沢町(37.6%) 花山村(47.9%) 北上町(42.1%) 津山町(42.7%)	6
	50%以上～60%未満						雄勝町(54.1%) 牡鹿町(48.2%)	2
	60%以上～70%未満							0
	70%以上～80%未満							0
	80%以上							0
市町村数		6 (7)	7 (7)	20 (28)	23 (23)	8 (4)	7 (2)	71

秋田県 (1960～2000年)

(単位：人、%)

人口増減率		人口規模 (2000年)						市町村数
		5万人以上	3万人以上～5万人未満	1万人以上～3万人未満	5千人以上～1万人未満	3千人以上～5千人未満	3千人未満	
増加	80%以上			天王町(16.3%)				1
	50%以上～80%未満	秋田市(17.5%)						1
	20%以上～50%未満							0
	0%以上～20%未満		本荘市(20.3%)		西目町(22.6%)			2
減少	0%以上～10%未満	大館市(24.2%)	大曲市(23.2%)		八郎潟町(23.9%)			3
	10%以上～20%未満	能代市(24.1%)	横手市(24.5%) 湯沢市(24.8%)	鷹巣町(26.1%) 仁賀保町(21.1%) 象潟町(24.3%) 角館町(25.9%) 十文字町(25.3%)	昭和町(24.4%) 飯田川町(23.6%) 井川町(26.0%) 神岡町(25.4%) 仙北町(24.9%)			13
	20%以上～30%未満			河辺町(27.4%) 中仙町(27.7%) 田沢湖町(25.9%) 平鹿町(27.1%) 稲川町(27.3%) 羽後町(27.4%)	山本町(27.5%) 八竜町(24.5%) 雄和町(26.0%) 金浦町(25.3%) 岩城町(27.3%) 六郷町(27.1%) 太田町(26.4%) 千畑町(25.6%) 仙南村(27.1%) 大森町(30.5%) 大雄村(26.0%)			17
	30%以上～40%未満		男鹿市(26.5%) 鹿角市(26.7%)	比内町(27.2%) 二ッ井町(31.0%) 五城目町(28.4%) 西仙北町(28.5%) 雄物川町(27.4%)	田代町(27.9%) 合川町(29.4%) 若美町(25.1%) 矢島町(28.6%) 由利町(26.7%) 大内町(26.9%) 協和町(29.9%) 西木村(31.1%) 増田町(28.6%)	峰浜村(27.0%) 南外村(29.3%) 山内村(28.8%)		19
	40%以上～50%未満				森吉町(31.0%) 琴丘町(28.7%) 鳥海町(28.9%) 雄勝町(31.4%)	八森町(30.3%) 藤里町(31.3%) 東由利町(31.6%) 東成瀬村(29.5%) 皆瀬村(27.8%)		9
	50%以上～60%未満				小坂町(29.0%)	上小阿仁村(35.5%)		2
	60%以上～70%未満					阿仁町(37.6%)		1
	70%以上～80%未満							0
	80%以上							0
市町村数		3 (4)	6 (5)	17 (36)	32 (23)	10 (0)	0 (0)	68

注：資料は1960年と2000年の国勢調査による。ただし、大潟村を除く。

秋田県　(2000～2030年)

(単位：人、%)

人口増減率		人口規模（2030年）						市町村数
		5万人以上	3万人以上~5万人未満	1万人以上~3万人未満	5千人以上~1万人未満	3千人以上~5千人未満	3千人未満	
増加	80%以上							0
	50%以上～80%未満							0
	20%以上～50%未満							0
	0%以上～20%未満			天王町(32.5%)				1
減少	0%以上～10%未満	秋田市(30.5%)	本荘市(29.8%)					2
	10%以上～20%未満					飯田川町(33.3%)		1
	20%以上～30%未満	大館市(36.5%)	能代市(35.0%) 横手市(37.6%)	大曲市(35.9%) 十文字町(37.9%)	昭和町(40.4%) 河辺町(41.5%) 仁賀保町(37.6%) 西目町(39.6%) 大内町(40.5%) 中仙町(37.5%) 仙北町(36.3%)	井川町(41.2%) 岩城町(43.3%)		14
	30%以上～40%未満			湯沢市(35.7%) 鹿角市(40.8%) 鷹巣町(40.9%) 平鹿町(40.6%) 羽後町(41.7%)	比内町(41.1%) 雄和町(42.9%) 象潟町(42.3%) 西仙北町(41.3%) 角館町(37.2%) 田沢湖町(43.2%) 協和町(44.4%) 太田町(38.7%) 千畑町(39.7%) 仙南村(40.5%) 増田町(41.9%) 雄物川町(41.8%) 大森町(42.2%) 稲川町(43.0%)	田代町(42.7%) 八竜町(41.2%) 峰浜村(43.8%) 八郎潟町(42.6%) 若美町(42.5%) 金浦町(41.2%) 由利町(40.8%) 神岡町(39.4%) 六郷町(39.7%) 南外村(43.4%) 西木村(47.8%) 山内村(43.3%) 大雄村(40.9%)	東由利町(43.5%) 東成瀬村(42.1%) 皆瀬村(42.4%)	35
	40%以上～50%未満			男鹿市(45.6%)	二ツ井町(47.9%) 山本町(46.3%) 五城目町(44.6%) 雄勝町(45.4%)	小坂町(39.9%) 森吉町(47.1%) 合川町(52.3%) 琴丘町(46.7%) 矢島町(46.9%) 鳥海町(47.2%)	上小阿仁村(46.9%) 八森町(46.1%) 藤里町(44.4%)	14
	50%以上～60%未満						阿仁町(53.3%)	1
	60%以上～70%未満							0
	70%以上～80%未満							0
	80%以上							0
市町村数		2 (3)	3 (6)	9 (17)	25 (32)	22 (11)	7 (0)	68

注：資料は2000年は国勢調査、2030年は国立社会保障・人口問題研究所が平成15年12月に推計した将来予測値による。ただし、大潟村を除く。

山 形 県 (1960~2000年)

(単位：人、%)

人口増減率		人口規模 (2000年)						市町村数
		5万人以上	3万人以上~5万人未満	1万人以上~3万人未満	5千人以上~1万人未満	3千人以上~5千人未満	3千人未満	
増加	80%以上							0
	50%以上~80%未満							0
	20%以上~50%未満	山形市(19.5%) 天童市(19.0%)						2
	0%以上~20%未満	鶴岡市(22.3%) 酒田市(22.1%)	寒河江市(22.5%) 東根市(20.8%)					4
減少	0%以上~10%未満	米沢市(21.0%)	新庄市(21.5%) 上山市(25.5%)	山辺町(24.6%) 中山町(23.4%)				5
	10%以上~20%未満		長井市(24.4%) 南陽市(24.3%)	河北町(25.4%) 高畠町(23.3%) 余目町(23.8%)	櫛引町(24.8%)			6
	20%以上~30%未満			村山市(27.7%) 藤島町(25.5%) 遊佐町(26.7%)	金山町(25.1%) 羽黒町(26.4%) 三川町(25.9%)			6
	30%以上~40%未満			尾花沢市(27.9%) 大江町(28.9%) 最上町(26.6%) 真室川町(26.9%) 川西町(26.7%) 白鷹町(27.6%)	大石田町(26.6%) 舟形町(27.6%) 鮭川村(26.6%) 戸沢村(27.0%) 立川町(28.3%) 八幡町(27.5%) 松山町(28.3%) 平田町(27.1%)			14
	40%以上~50%未満			小国町(27.6%) 温海町(29.7%)	西川町(32.0%) 朝日町(30.8%) 飯豊町(28.5%) 朝日村(28.7%)	大蔵村(27.0%)		7
	50%以上~60%未満							0
	60%以上~70%未満							0
	70%以上~80%未満							0
	80%以上							0
市町村数		5 (4)	6 (10)	16 (27)	16 (3)	1 (0)	0 (0)	44

山形県　(2000～2030年)

(単位：人、%)

人口増減率		人　口　規　模　(2030年)						市町村数
		5万人以上	3万人以上～5万人未満	1万人以上～3万人未満	5千人以上～1万人未満	3千人以上～5千人未満	3千人未満	
増加	80%以上							0
	50%以上～80%未満							0
	20%以上～50%未満							0
	0%以上～20%未満	天童市(27.7%)						1
減少	0%以上～10%未満	山形市(30.7%)	東根市(28.7%)	中山町(33.0%)				3
	10%以上～20%未満	米沢市(29.4%) 鶴岡市(32.9%) 酒田市(30.4%)	寒河江市(32.5%)	山辺町(39.1%) 河北町(34.4%) 高畠町(31.9%)				7
	20%以上～30%未満		新庄市(31.0%)	上山市(36.6%) 村山市(37.9%) 長井市(33.3%) 南陽市(34.1%) 白鷹町(36.3%) 余目町(35.2%)	大江町(37.8%) 藤島町(34.6%) 櫛引町(36.2%) 三川町(34.3%)			11
	30%以上～40%未満			尾花沢市(40.6%) 川西町(37.0%) 遊佐町(40.5%)	朝日町(39.4%) 大石田町(39.1%) 最上町(42.3%) 小国町(37.3%) 飯豊町(35.4%) 羽黒町(37.3%)	金山町(39.1%) 鮭川村(40.8%) 戸沢村(42.5%) 朝日村(39.9%) 八幡町(39.3%) 松山町(41.2%) 平田町(40.4%)	大蔵村(42.2%)	17
	40%以上～50%未満				真室川町(40.9%) 温海町(41.9%)	西川町(43.2%) 舟形町(44.4%) 立川町(41.1%)		5
	50%以上～60%未満							0
	60%以上～70%未満							0
	70%以上～80%未満							0
	80%以上							0
市町村数		5 (5)	3 (6)	13 (16)	12 (16)	10 (1)	1 (0)	44

福島県 (1960～2000年)

(単位：人、%)

人口増減率		人口規模 (2000年)						市町村数
		5万人以上	3万人以上~5万人未満	1万人以上~3万人未満	5千人以上~1万人未満	3千人以上~5千人未満	3千人未満	
増加	80%以上							0
	50%以上～80%未満	郡山市(15.6%)		西郷村(15.5%)				2
	20%以上～50%未満	福島市(18.1%) 須賀川市(17.4%)		伊達町(21.9%) 本宮町(18.6%) 鏡石町(17.0%) 富岡町(18.0%) 大熊町(18.9%)				7
	0%以上～20%未満	会津若松市(19.6%) いわき市(19.6%)	白河市(17.6%) 原町市(20.3%) 二本松市(19.8%)	保原町(19.8%) 矢吹町(19.1%)	泉崎村(20.6%) 中島村(19.2%)			9
減少	0%以上～10%未満		相馬市(21.9%)	安達町(21.3%)	大玉村(21.5%) 岩瀬村(20.7%) 北会津村(26.3%) 広野町(20.6%) 双葉町(22.1%)			7
	10%以上～20%未満		喜多方市(25.7%)	桑折町(24.5%) 国見町(24.0%) 梁川町(23.5%) 塩川町(24.7%) 棚倉町(21.3%) 石川町(22.4%) 三春町(21.4%) 船引町(23.2%) 浪江町(21.7%)	白沢村(21.7%) 河東町(23.6%) 表郷村(22.9%) 東村 (21.4%) 玉川村(19.7%) 浅川町(21.2%) 滝根町(23.6%) 楢葉町(21.8%) 新地町(23.2%)	大信村(21.9%)		20
	20%以上～30%未満			会津坂下町(26.4%) 会津高田町(28.8%) 塙町 (25.8%) 小野町(23.7%) 鹿島町(24.9%) 小高町(24.5%)	飯野町(25.9%) 長沼町(23.3%) 天栄村(24.4%) 会津本郷町(24.5%) 平田村(20.5%) 大越町(24.0%)		檜枝岐村(23.4%)	13
	30%以上～40%未満			霊山町(26.2%) 川俣町(25.9%) 田島町(25.9%) 猪苗代町(26.1%)	岩代町(26.5%) 東和町(28.2%) 矢祭町(28.3%) 古殿町(27.5%) 常葉町(23.4%) 飯舘村(25.2%)	月舘町(28.3%) 北塩原村(25.4%) 湯川村(27.2%) 新鶴村(27.8%) 都路村(28.6%)		15
	40%以上～50%未満				下郷町(31.8%)	南郷村(34.1%) 熱塩加納村(30.4%) 山都町(34.4%) 磐梯町(28.1%) 柳津町(32.3%) 鮫川村(27.0%) 川内村(30.0%)	舘岩村(31.7%) 伊南村(37.9%) 高郷村(31.4%) 葛尾村(29.4%)	12
	50%以上～60%未満				只見町(34.9%) 西会津町(35.9%)		三島町(38.0%) 昭和村(46.1%)	4
	60%以上～70%未満					金山町(45.3%)		1
	70%以上～80%未満							0
	80%以上							0
市町村数		5 (5)	5 (5)	28 (38)	31 (31)	14 (5)	7 (1)	90

福島県 (2000～2030年)

(単位：人、%)

人口増減率		人口規模（2030年）						市町村数
		5万人以上	3万人以上~5万人未満	1万人以上~3万人未満	5千人以上~1万人未満	3千人以上~5千人未満	3千人未満	
増加	80%以上							0
	50%以上～80%未満							0
	20%以上～50%未満							0
	0%以上～20%未満	郡山市(27.0%)	白河市(26.8%)	本宮町(30.0%) 西郷村(29.4%)				4
減少	0%以上～10%未満	福島市(29.0%) 須賀川市(30.5%)		鏡石町(28.2%) 富岡町(29.8%)	大玉村(32.3%) 白沢村(29.4%) 広野町(29.1%)	中島村(29.7%)		8
	10%以上～20%未満	会津若松市(30.8%) いわき市(29.7%)	喜多方市(34.0%) 相馬市(32.4%) 二本松市(31.1%)	保原町(34.5%) 矢吹町(33.4%) 棚倉町(30.9%) 三春町(34.4%)	伊達町(33.9%) 安達町(32.0%) 長沼町(36.2%) 岩瀬村(35.7%) 塩川町(31.2%) 会津本郷町(32.5%) 表郷村(34.6%) 東村　(32.1%) 泉崎村(33.6%) 玉川村(30.6%) 楢葉町(31.5%) 大熊町(32.8%) 新地町(33.6%)	大信村(33.3%)	北塩原村(33.1%) 湯川村(34.2%)	25
	20%以上～30%未満		原町市(36.9%)	桑折町(38.5%) 梁川町(36.7%) 猪苗代町(34.2%) 会津坂下町(37.7%) 船引町(34.2%) 浪江町(36.9%)	天栄村(36.3%) 田島町(37.5%) 北会津村(39.1%) 河東町(34.7%) 塙町　(36.0%) 平田村(35.0%) 浅川町(34.1%) 小野町(35.2%) 双葉町(33.6%) 小高町(36.9%)	飯野町(38.8%) 滝根町(35.6%)	檜枝岐村(35.2%)	20
	30%以上～40%未満			川俣町(42.3%) 会津高田町(43.3%) 石川町(34.2%)	国見町(40.1%) 霊山町(41.8%) 岩代町(40.1%) 東和町(39.1%) 下郷町(41.6%) 鹿島町(37.6%)	矢祭町(41.5%) 大越町(35.5%) 常葉町(37.2%) 飯舘村(41.5%)	南郷村(45.6%) 熱塩加納村(38.4%) 磐梯町(40.6%) 新鶴村(43.4%) 鮫川村(38.2%) 都路村(37.9%) 葛尾村(38.8%)	20
	40%以上～50%未満					只見町(49.6%) 西会津町(48.4%) 古殿町(42.5%)	月舘町(46.5%) 舘岩村(49.6%) 伊南村(52.1%) 山都町(46.9%) 高郷村(45.5%) 柳津町(47.0%) 三島町(50.0%) 川内村(44.2%)	11
	50%以上～60%未満						金山町(62.0%) 昭和村(61.3%)	2
	60%以上～70%未満							0
	70%以上～80%未満							0
	80%以上							0
市町村数		5 (5)	5 (5)	17 (28)	32 (31)	11 (14)	20 (7)	90

茨城県 (1960~2000年)

(単位：人、%)

人口増減率		人口規模(2000年) 5万人以上	3万人以上~5万人未満	1万人以上~3万人未満	5千人以上~1万人未満	3千人以上~5千人未満	3千人未満	市町村数
増加	80%以上	土浦市(15.2%) 龍ケ崎市(12.6%) 取手市(13.0%) 牛久市(12.2%) つくば市(12.5%) ひたちなか市(13.4%) 鹿嶋市(14.0%) 守谷市(10.4%)	友部町(15.1%) 東海村(13.6%) 神栖町(10.5%) 阿見町(14.1%) 総和町(12.2%) 三和町(13.0%) 藤代町(14.0%)	美浦村(15.4%) 茎崎町(14.1%) 千代田町(13.1%) 伊奈町(15.8%) 利根町(15.3%)				20
増加	50%以上~80%未満	水戸市(16.0%) 石岡市(17.3%)	那珂町(18.1%) 波崎町(15.2%)	美野里町(16.2%) 江戸崎町(16.9%)	玉里村(17.5%)			7
増加	20%以上~50%未満	古河市(17.0%) 下館市(16.8%) 結城市(17.4%)	下妻市(17.6%) 岩井市(17.0%)	小川町(17.4%) 岩間町(19.9%) 十王町(17.2%) 潮来町(16.2%) 谷和原村(16.7%) 協和町(20.3%) 石下町(16.8%) 境町 (17.5%)	瓜連町(21.4%)			14
増加	0%以上~20%未満	日立市(16.5%)	水海道市(19.5%) 常陸太田市(20.8%) 高萩市(18.6%) 茨城町(20.0%)	内原町(19.1%) 常北町(21.0%) 大宮町(20.9%) 大洋村(25.0%) 新利根町(20.4%) 霞ヶ浦町(22.6%) 関城町(19.8%) 明野町(19.8%) 五霞町(16.3%) 猿島町(19.2%)	新治村(21.2%) 千代川村(19.5%)			17
減少	0%以上~10%未満		笠間市(21.3%) 八郷町(22.9%)	岩瀬町(21.2%) 旭村 (20.2%) 鉾田町(21.0%) 玉造町(22.6%) 東町 (24.9%) 真壁町(21.7%) 八千代町(19.8%)	大和村(21.5%)			10
減少	10%以上~20%未満	北茨城市(20.0%)		大洗町(21.0%) 麻生町(23.6%) 北浦町(24.3%) 河内町(21.6%)	桂村 (25.0%) 牛堀町(22.0%) 桜川村(24.8%)			8
減少	20%以上~30%未満			金砂郷町(27.1%)				1
減少	30%以上~40%未満				山方町(29.7%)	御前山村(29.3%)	七会村(26.7%)	3
減少	40%以上~50%未満			大子町(30.9%)	水府村(33.7%)	美和村(31.3%) 緒川村(31.5%) 里美村(31.3%)		5
減少	50%以上~60%未満							0
減少	60%以上~70%未満							0
減少	70%以上~80%未満							0
減少	80%以上							0
市町村数		15 (7)	17 (14)	38 (46)	10 (17)	4 (1)	1 (0)	85

茨城県　(2000～2030年)

（単位：人、%）

人口増減率		人口規模（2030年） 5万人以上	3万人以上～5万人未満	1万人以上～3万人未満	5千人以上～1万人未満	3千人以上～5千人未満	3千人未満	市町村数
増加	80%以上							0
増加	50%以上～80%未満							0
増加	20%以上～50%未満	牛久市(29.5%) つくば市(21.1%)						2
増加	0%以上～20%未満	龍ケ崎市(28.2%) ひたちなか市(27.5%) 神栖町(25.4%) 守谷市(28.8%)	友部町(27.6%) 東海村(28.6%) 阿見町(28.5%)	美野里町(30.9%) 常北町(32.5%) 江戸崎町(31.2%) 美浦村(27.9%) 谷和原村(29.9%)				12
減少	0%以上～10%未満	水戸市(29.4%) 土浦市(29.8%) 取手市(33.0%) 鹿嶋市(34.4%)	下妻市(28.8%) 水海道市(32.3%) 常陸太田市(34.6%) 那珂町(32.8%) 総和町(29.9%)	小川町(29.3%) 岩間町(33.2%) 大宮町(33.3%) 金砂郷町(35.2%) 旭村　(29.7%) 茎崎町(37.0%) 千代田町(29.7%) 石下町(28.4%)	桂村　(34.1%) 玉里村(33.2%) 千代川村(30.4%)			20
減少	10%以上～20%未満	下館市(32.2%)	古河市(29.5%) 石岡市(33.3%) 結城市(33.8%) 岩井市(31.9%) 茨城町(34.9%) 波崎町(29.8%) 三和町(31.9%)	笠間市(34.1%) 内原町(35.2%) 大洗町(33.5%) 岩瀬町(33.8%) 十王町(31.7%) 鉾田町(33.7%) 潮来市(32.9%) 玉造町(35.1%) 八郷町(36.7%) 伊奈町(34.1%) 関城町(33.2%) 明野町(33.1%) 八千代町(32.0%) 猿島町(31.3%) 境町　(32.2%) 藤代町(36.3%)	瓜連町(38.0%) 大洋村(41,4%) 北浦町(34.2%) 新利根町(33.0%) 河内町(34.6%) 新治村(33.9%) 五霞町(33.1%)			31
減少	20%以上～30%未満	日立市(34.4%)	北茨城市(35.5%)	高萩市(36.3%) 麻生町(35.6%) 霞ヶ浦町(38.0%) 真壁町(36.2%) 協和町(35.4%) 利根町(39.9%)	東町　(39.0%) 大和村(36.3%)		七会村(33.5%)	11
減少	30%以上～40%未満				山方町(42.6%)	御前山村(40.6%) 緒川村(37.7%) 水府村(43.7%) 桜川村(40.0%)	美和村(42.2%) 里美村(49.4%)	7
減少	40%以上～50%未満			大子町(47.1%)				1
減少	50%以上～60%未満							0
減少	60%以上～70%未満							0
減少	70%以上～80%未満							0
減少	80%以上							0
市町村数		12 (15)	16 (18)	36 (37)	13 (9)	4 (4)	3 (1)	84

注：資料は2000年は国勢調査、2030年は国立社会保障・人口問題研究所が平成15年12月に推計した将来予測値による。ただし、牛堀町と潮来町が合併し、潮来市となっている。

栃木県 (1960～2000年)

(単位：人、%)

人口増減率		人口規模 (2000年)						市町村数
		5万人以上	3万人以上～5万人未満	1万人以上～3万人未満	5千人以上～1万人未満	3千人以上～5千人未満	3千人未満	
増加	80%以上	宇都宮市(14.5%) 小山市(14.1%) 黒磯市(14.2%)	河内町(12.9%) 西那須野町(13.4%)	南河内町(12.3%) 野木町(13.9%)				7
	50%以上～80%未満	真岡市(14.8%)	壬生町(15.8%)	上三川町(14.0%) 石橋町(16.0%) 国分寺町(15.7%) 大平町(14.8%)				6
	20%以上～50%未満	佐野市(17.8%) 鹿沼市(18.2%) 今市市(18.8%) 大田原市(15.9%)	矢板市(18.0%)	益子町(18.4%) 氏家町(16.3%) 高根沢町(17.0%)				8
	0%以上～20%未満	足利市(19.0%) 栃木市(19.6%)		市貝町(19.8%) 岩舟町(18.8%) 都賀町(18.8%)				5
減少	0%以上～10%未満			芳賀町(21.3%) 藤岡町(22.1%) 藤原町(20.9%) 南那須町(21.8%) 田沼町(21.3%)	上河内町(20.1%) 西方町(22.7%)			7
	10%以上～20%未満			二宮町(21.7%) 塩谷町(22.7%) 喜連川町(22.6%) 那須町(21.9%)	小川町(23.3%)			5
	20%以上～30%未満			粟野町(24.2%) 烏山町(24.9%) 黒羽町(22.4%)	湯津上村(25.6%) 塩原町(23.5%)			5
	30%以上～40%未満			茂木町(27.4%) 馬頭町(26.3%) 葛生町(26.7%)				3
	40%以上～50%未満			日光市(25.5%)			栗山村(27.8%)	2
	50%以上～60%未満							0
	60%以上～70%未満							0
	70%以上～80%未満					足尾町(39.7%)		1
	80%以上							0
市町村数		10 (6)	4 (6)	28 (30)	5 (6)	1 (1)	1 (0)	49

栃木県　(2000〜2030年)

(単位：人、%)

人口増減率		人口規模(2030年) 5万人以上	3万人以上~5万人未満	1万人以上~3万人未満	5千人以上~1万人未満	3千人以上~5千人未満	3千人未満	市町村数
増加	80%以上							0
増加	50%以上~80%未満							0
増加	20%以上~50%未満	西那須野町(25.2%)		南河内町(24.1%)				2
増加	0%以上~20%未満	小山市(26.6%) 大田原市(26.7%) 黒磯市(29.7%)	上三川町(25.8%) 河内町(28.5%) 氏家町(27.9%) 高根沢町(26.0%)	石橋町(28.0%) 国分寺町(26.8%)				9
減少	0%以上~10%未満	宇都宮市(27.3%) 真岡市(30.0%)	壬生町(30.4%)	益子町(33.6%) 南那須町(35.2%)	上河内町(33.1%)			6
減少	10%以上~20%未満	栃木市(32.6%) 佐野市(31.1%) 鹿沼市(31.6%) 今市市(32.7%)	矢板市(31.0%)	二宮町(33.3%) 市貝町(33.8%) 芳賀町(33.4%) 野木町(33.8%) 大平町(31.9%) 塩谷町(34.4%) 那須町(34.5%)	西方町(36.0%) 喜連川町(32.8%)			14
減少	20%以上~30%未満	足利市(32.1%)		茂木町(38.4%) 藤岡町(35.1%) 岩舟町(34.7%) 都賀町(34.4%) 黒羽町(34.7%) 田沼町(36.5%)	小川町(37.2%) 塩原町(36.9%)	湯津上村(38.0%)		10
減少	30%以上~40%未満			日光市(39.7%) 烏山町(40.1%)	粟野町(38.8%) 藤原町(38.0%) 馬頭町(39.3%) 葛生町(42.4%)			6
減少	40%以上~50%未満						栗山村(46.3%)	1
減少	50%以上~60%未満						足尾町(53.7%)	1
減少	60%以上~70%未満							0
減少	70%以上~80%未満							0
減少	80%以上							0
市町村数		11 (10)	6 (4)	20 (28)	9 (5)	1 (1)	2 (1)	49

群馬県 (1960～2000年)

（単位：人、％）

人口増減率		人口規模（2000年）						市町村数
		5万人以上	3万人以上～5万人未満	1万人以上～3万人未満	5千人以上～1万人未満	3千人以上～5千人未満	3千人未満	
増加	80％以上		群馬町(14.7％) 玉村町(11.1％) 大泉町(11.1％)	赤堀町(14.0％) 東村〈佐波郡〉(13.5％) 藪塚本町(14.5％) 笠懸町(13.4％) 邑楽町(15.0％)				8
増加	50％以上～80％未満	高崎市(16.8％) 太田市(14.2％) 藤岡市(17.2％)		富士見村(16.8％) 大胡町(17.1％) 新里村(16.3％) 箕郷町(17.0％) 榛東村(14.9％) 吉岡町(16.0％) 新田町(15.8％)				10
増加	20％以上～50％未満	前橋市(17.7％) 伊勢崎市(16.3％) 館林市(16.7％)	渋川市(18.8％)	吉井町(18.9％) 大間々町(20.1％) 明和町(18.1％)				7
増加	0％以上～20％未満		沼田市(20.8％) 富岡市(20.6％) 安中市(19.7％) 境町 (19.6％)	北橘村(20.0％) 粕川村(19.2％) 榛名町(21.8％) 子持村(20.7％) 新町 (19.4％) 千代田町(18.8％)				10
減少	0％以上～10％未満	桐生市(21.4％)		甘楽町(20.7％) 月夜野町(24.5％) 尾島町(20.6％)	宮城村(21.6％) 草津町(22.6％)	伊香保町(20.3％) 高山村(24.5％) 白沢村(20.2％)		9
減少	10％以上～20％未満			赤城村(23.5％) 中之条町(26.3％) 板倉町(20.6％)	妙義町(25.0％) 長野原町(22.9％)	川場村(33.8％)		6
減少	20％以上～30％未満			松井田町(26.4％) 吾妻町(26.0％) 嬬恋村(22.0％)	新治村(26.2％) 昭和村(23.3％)		小野上村(27.6％) 東村〈吾妻郡〉(28.6％)	7
減少	30％以上～40％未満				鬼石町(25.9％) 片品村(23.7％) 水上町(24.8％)	倉渕村(29.0％)		4
減少	40％以上～50％未満			下仁田町(30.8％)	利根村(27.8％)		黒保根村(32.5％) 上野村(28.5％) 六合村(29.0％)	5
減少	50％以上～60％未満					東村〈勢多郡〉(31.8％)		1
減少	60％以上～70％未満					南牧村(44.9％)	万場町(40.5％) 中里村(43.3％)	3
減少	70％以上～80％未満							0
減少	80％以上							0
市町村数		7 (6)	8 (5)	31 (29)	10 (22)	7 (7)	7 (1)	70

群馬県　(2000～2030年)

(単位：人、%)

人口増減率		人口規模 (2030年)						市町村数
		5万人以上	3万人以上~5万人未満	1万人以上~3万人未満	5千人以上~1万人未満	3千人以上~5千人未満	3千人未満	
増加	80%以上							0
	50%以上～80%未満							0
	20%以上～50%未満			大胡町(26.2%) 赤堀町(23.0%) 東村〈佐波郡〉(22.0%)				3
	0%以上～20%未満	伊勢崎市(25.4%)	群馬町(29.4%) 玉村町(26.2%) 新田町(27.3%)	富士見村(30.2%) 粕川村(28.9%) 新里村(28.8%) 箕郷町(31.6%) 榛東村(28.9%) 吉岡町(28.7%) 藪塚本町(25.1%) 笠懸町(25.2%)				12
減少	0%以上～10%未満	高崎市(29.9%) 太田市(27.0%) 館林市(28.3%)	大泉町(27.3%)	吉井町(33.5%) 境町　(30.5%) 板倉町(31.6%) 明和町(31.8%)	北橘村(35.8%) 宮城村(32.2%)			10
	10%以上～20%未満	前橋市(33.1%) 藤岡市(33.9%)	富岡市(36.3%) 安中市(33.7%)	榛名町(33.2%) 新町　(31.5%) 甘楽町(33.7%) 尾島町(31.1%) 邑楽町(32.5%)	嬬恋村(34.6%) 千代田町(32.6%)	高山村(29.8%) 白沢村(36.8%)		13
	20%以上～30%未満	桐生市(33.5%)	沼田市(32.1%) 渋川市(33.3%)	吾妻町(39.5%) 大間々町(35.3%)	赤城村(38.5%) 子持村(37.3%) 長野原町(34.5%) 月夜野町(36.5%) 昭和村(35.1%)	妙義町(42.5%)	伊香保町(39.1%)	12
	30%以上～40%未満			松井田町(41.0%) 中之条町(39.1%)		倉渕村(41.1%) 鬼石町(40.7%) 草津町(39.8%) 利根村(39.1%) 片品村(39.6%) 新治村(38.8%)	黒保根村(42.8%) 小野上村(41.0%) 東村〈吾妻郡〉(38.9%) 六合村(38.3%) 川場村(42.9%)	13
	40%以上～50%未満				下仁田町(44.8%)	水上町(41.9%)	東村〈勢多郡〉(49.2%)	3
	50%以上～60%未満						万場町(59.3%)	1
	60%以上～70%未満						中里村(62.1%) 南牧村(61.0%)	2
	70%以上～80%未満						上野村(62.1%)	1
	80%以上							0
市町村数		7 (7)	8 (8)	24 (31)	10 (10)	10 (7)	11 (7)	70

埼 玉 県 (1960～2000年)

(単位：人、%)

人口増減率		人口規模 (2000年)						市町村数
		5万人以上	3万人以上~5万人未満	1万人以上~3万人未満	5千人以上~1万人未満	3千人以上~5千人未満	3千人未満	
増加	80%以上	川越市(12.8%) 川口市(12.1%) 浦和市(12.0%) 大宮市(13.5%) 所沢市(12.4%) 飯能市(15.7%) 東松山市(13.0%) 岩槻市(13.5%) 春日部市(11.0%) 狭山市(12.5%) 鴻巣市(12.4%) 上尾市(11.8%) 与野市(13.2%) 草加市(10.8%) 越谷市(10.8%) 戸田市(9.4%) 入間市(11.9%) 鳩ケ谷市(15.7%) 朝霞市(10.5%) 志木市(11.7%) 和光市(9.9%) 新座市(11.6%) 桶川市(13.2%) 久喜市(12.5%) 北本市(11.8%) 八潮市(10.4%) 富士見市(11.2%) 上福岡市(14.9%) 三郷市(9.5%) 蓮田市(13.6%) 坂戸市(11.2%) 幸手市(13.1%) 鶴ヶ島市(9.3%) 日高市(13.4%) 吉川市(9.9%)	伊奈町(10.4%) 大井町(9.7%) 三芳町(12.5%) 毛呂山町(13.5%) 上里町(13.9%) 宮代町(12.8%) 白岡町(12.6%) 鷲宮町(10.4%) 杉戸町(12.4%) 庄和町(14.1%)	吹上町(13.4%) 嵐山町(15.6%) 鳩山町(15.8%) 栗橋町(14.6%) 松伏町(11.7%)				50
	50%以上~80%未満	熊谷市(14.9%) 行田市(15.8%) 加須市(14.7%) 本庄市(16.9%) 深谷市(15.0%)	小川町(17.1%)	滑川町(15.6%) 江南町(14.7%) 花園町(15.8%) 北川辺町(14.3%)				10
	20%以上~50%未満	羽生市(17.2%) 蕨市　(15.0%)	寄居町(17.3%)	越生町(18.0%) 川島町(15.7%) 吉見町(15.1%) 神川町(17.0%) 妻沼町(16.4%) 岡部町(17.3%) 川本町(17.2%) 騎西町(16.0%) 大利根町(17.8%) 菖蒲町(16.0%)	玉川村(17.3%) 横瀬町(19.1%)	南河原村(17.8%)		16
	0%以上~20%未満			美里町(20.0%) 児玉町(18.3%)	都幾川村(19.0%) 長瀞町(21.6%) 荒川村(23.6%) 大里村(17.2%) 川里村(19.9%)			7

埼 玉 県 **(1960〜2000年)**

（単位：人、%）

人口増減率		人口規模（2000年）						市町村数
		5万人以上	3万人以上~5万人未満	1万人以上~3万人未満	5千人以上~1万人未満	3千人以上~5千人未満	3千人未満	
減少	0%以上~10%未満	秩父市(20.9%)						1
	10%以上~20%未満			皆野町(23.6%) 小鹿野町(23.1%)			名栗村(29.1%)	3
	20%以上~30%未満				吉田町(25.9%)	東秩父村(26.4%)	神泉村(26.6%)	3
	30%以上~40%未満					両神村(27.1%)		1
	40%以上~50%未満							0
	50%以上~60%未満							0
	60%以上~70%未満							0
	70%以上~80%未満						大滝村(36.8%)	1
	80%以上							0
市町村数		43 (10)	12 (15)	23 (39)	8 (20)	3 (7)	3 (1)	92

埼玉県 (2000～2030年)

(単位：人、%)

人口増減率		人口規模(2030年) 5万人以上	3万人以上～5万人未満	1万人以上～3万人未満	5千人以上～1万人未満	3千人以上～5千人未満	3千人未満	市町村数
増加	80%以上							0
増加	50%以上～80%未満							0
増加	20%以上～50%未満	朝霞市(22.2%) 和光市(19.5%) 大井町(24.6%)						3
増加	0%以上～20%未満	本庄市(28.6%) 上尾市(28.9%) 越谷市(27.7%) 戸田市(21.7%) 志木市(27.9%) 新座市(29.4%) 富士見市(26.3%) 吉川市(27.0%) さいたま市(24.8%)	伊奈町(28.0%) 三芳町(33.1%) 上里町(27.0%)	神川町(28.4%) 松伏町(28.1%)				14
減少	0%以上～10%未満	川越市(30.3%) 川口市(27.0%) 行田市(31.4%) 所沢市(32.6%) 加須市(30.3%) 東松山市(31.1%) 岩槻市(30.3%) 春日部市(29.5%) 狭山市(34.7%) 羽生市(30.7%) 鴻巣市(31.1%) 深谷市(28.8%) 草加市(27.9%) 蕨市 (27.2%) 入間市(33.5%) 桶川市(31.5%) 北本市(31.1%) 三郷市(29.5%) 蓮田市(30.5%) 鶴ヶ島市(31.1%)	宮代町(31.6%) 白岡町(31.1%) 鷲宮町(34.1%)	吹上町(31.6%) 吉見町(31.7%) 児玉町(29.7%) 江南町(30.7%) 岡部町(31.1%) 花園町(28.9%) 騎西町(32.6%) 北川辺町(32.5%) 大利根町(32.7%) 菖蒲町(33.5%) 栗橋町(32.8%)	大里村(28.8%)			35
減少	10%以上～20%未満	熊谷市(29.0%) 久喜市(34.6%) 八潮市(28.1%) 坂戸市(32.6%) 飯能市(36.6%)	上福岡市(29.2%) 幸手市(35.0%) 日高市(36.1%) 毛呂山町(33.8%) 寄居町(33.1%) 杉戸町(32.9%) 庄和町(34.0%)	越生町(36.5%) 滑川町(33.2%) 嵐山町(34.0%) 川島町(33.1%) 鳩山町(40.9%) 美里町(32.9%) 妻沼町(33.5%) 川本町(30.7%)	長瀞町(34.9%) 川里村(34.5%)	玉川村(39.5%) 南河原村(34.0%)		24
減少	20%以上～30%未満		秩父市(33.2%) 鳩ケ谷市(32.0%)	小川町(39.0%)	都幾川村(38.7%) 横瀬町(35.3%) 皆野町(35.5%)	荒川村(37.3%)	名栗村(41.8%) 神泉村(36.8%)	9
減少	30%以上～40%未満				小鹿野町(38.8%)	吉田町(37.3%)	両神村(36.4%) 東秩父村(38.8%)	4
減少	40%以上～50%未満						大滝村(43.1%)	1

埼玉県　**(2000～2030年)**

（単位：人、%）

人口増減率		人口規模（2030年）						市町村数
		5万人以上	3万人以上~5万人未満	1万人以上~3万人未満	5千人以上~1万人未満	3千人以上~5千人未満	3千人未満	
減少	50%以上～60%未満							0
	60%以上～70%未満							0
	70%以上～80%未満							0
	80%以上							0
市町村数		37（41）	15（12）	22（23）	7（8）	4（3）	5（3）	90

注：資料は2000年は国勢調査、2030年は国立社会保障・人口問題研究所が平成15年12月に推計した将来予測値による。ただし、浦和市と大宮市と与野市が合併し、さいたま市となっている。

千葉県 (1960～2000年)

(単位：人、%)

人口増減率		人口規模(2000年)						市町村数
		5万人以上	3万人以上～5万人未満	1万人以上～3万人未満	5千人以上～1万人未満	3千人以上～5千人未満	3千人未満	
増加	80%以上	千葉市(12.6%) 市川市(11.5%) 船橋市(12.6%) 木更津市(15.5%) 松戸市(12.2%) 野田市(14.4%) 茂原市(16.6%) 成田市(12.3%) 佐倉市(12.7%) 東金市(15.5%) 習志野市(12.1%) 柏市 (12.4%) 市原市(13.0%) 流山市(13.1%) 八千代市(12.6%) 我孫子市(13.8%) 鎌ケ谷市(12.4%) 君津市(16.4%) 浦安市(7.6%) 四街道市(12.7%) 袖ヶ浦市(13.5%) 八街市(12.2%) 印西市(10.4%) 富里町(11.3%) 白井町(10.3%)	関宿町(12.4%) 沼南町(11.8%) 大網白里町(16.9%)	酒々井町(12.7%) 栄町 (14.1%) 山武町(15.3%)				31
	50%以上～80%未満				本埜村(14.7%)			1
	20%以上～50%未満		旭市 (19.0%)	印旛村(18.2%) 成東町(20.1%) 長生村(19.6%)				4
	0%以上～20%未満	富津市(21.6%)		大栄町(20.8%) 小見川町(19.7%) 東庄町(20.9%) 海上町(18.6%) 光町 (23.7%) 野栄町(21.6%) 九十九里町(21.9%) 松尾町(21.9%) 横芝町(21.8%) 一宮町(23.7%) 白子町(22.3%) 岬町 (26.2%)	下総町(21.0%) 神崎町(20.1%) 睦沢町(23.1%)			16
減少	0%以上～10%未満		佐原市(21.6%) 八日市場市(23.1%)		長柄町(24.7%)	蓮沼村(23.9%)		4
	10%以上～20%未満	銚子市(22.5%) 館山市(25.5%)		鴨川市(26.9%) 山田町(24.9%) 多古町(24.6%) 飯岡町(21.5%) 大原町(25.7%)	栗源町(24.3%) 芝山町(23.1%) 御宿町(31.8%)	三芳村(28.7%)		11
	20%以上～30%未満			勝浦市(25.8%) 長南町(27.2%) 大多喜町(28.6%) 千倉町(29.5%)	千潟町(25.5%) 夷隅町(28.1%) 富浦町(27.7%) 富山町(30.9%) 白浜町(31.4%)			9

千 葉 県　**(1960～2000年)**

（単位：人、%）

人口増減率		人口規模（2000年）						市町村数
		5万人以上	3万人以上～5万人未満	1万人以上～3万人未満	5千人以上～1万人未満	3千人以上～5千人未満	3千人未満	
減少	30%以上～40%未満			鋸南町(29.9%)	丸山町(31.3%) 和田町(32.7%) 天津小湊町(28.8%)			4
	40%以上～50%未満							0
	50%以上～60%未満							0
	60%以上～70%未満							0
	70%以上～80%未満							0
	80%以上							0
市町村数		28 (11)	6 (11)	28 (37)	16 (21)	2 (0)	0 (0)	80

千葉県 (2000～2030年)

(単位：人、%)

人口増減率		人口規模 (2030年)						市町村数
		5万人以上	3万人以上～5万人未満	1万人以上～3万人未満	5千人以上～1万人未満	3千人以上～5千人未満	3千人未満	
増加	80%以上							0
	50%以上～80%未満							0
	20%以上～50%未満	東金市(28.4%) 八千代市(27.2%) 浦安市(23.5%) 八街市(28.7%) 大網白里町(33.1%)		印旛村(27.1%)				6
	0%以上～20%未満	千葉市(29.6%) 成田市(24.7%) 佐倉市(29.8%) 四街道市(30.6%) 印西市(29.9%) 白井町(33.0%) 富里町(31.1%)	沼南町(32.9%)	酒々井町(30.7%) 成東町(32.9%) 山武町(32.4%) 長生村(35.2%)	本埜村(26.6%)			13
減少	0%以上～10%未満	市川市(26.9%) 船橋市(28.0%) 松戸市(29.3%) 野田市(32.4%) 茂原市(34.5%) 習志野市(27.7%) 柏市 (30.6%) 流山市(30.9%) 我孫子市(33.2%) 鎌ケ谷市(32.0%) 袖ヶ浦市(31.9%)	旭市 (31.2%)	栄町 (33.0%) 九十九里町(33.2%) 一宮町(36.0%) 白子町(37.7%)	神崎町(31.0%)	蓮沼村(34.4%)		18
	10%以上～20%未満	木更津市(33.3%) 市原市(33.4%)		関宿町(36.7%) 大栄町(34.6%) 光町 (33.4%) 松尾町(35.5%) 横芝町(36.3%)	下総町(36.3%) 野栄町(33.4%) 芝山町(36.2%) 睦沢町(38.4%)			11
	20%以上～30%未満	君津市(35.3%)	館山市(40.9%) 佐原市(34.9%) 富津市(39.5%)	八日市場市(33.5%) 小見川町(34.9%) 多古町(36.4%) 東庄町(35.2%) 大原町(40.4%) 岬町 (41.7%)	山田町(35.6%) 干潟町(34.4%) 海上町(33.8%) 飯岡町(36.4%) 長柄町(43.1%) 長南町(42.4%) 夷隅町(42.2%)	栗源町(37.3%) 三芳村(45.3%)		19
	30%以上～40%未満		銚子市(36.4%)	勝浦市(38.5%) 鴨川市(41.5%)	大多喜町(42.0%) 御宿町(44.1%) 鋸南町(46.9%) 千倉町(43.7%)	富浦町(44.0%) 富山町(48.2%) 丸山町(46.1%) 天津小湊町(42.4%)		11
	40%以上～50%未満					白浜町(48.4%) 和田町(51.6%)		2

千葉県　(2000～2030年)

（単位：人、％）

人口増減率		人口規模（2030年） 5万人以上	3万人以上～5万人未満	1万人以上～3万人未満	5千人以上～1万人未満	3千人以上～5千人未満	3千人未満	市町村数
減少	50%以上～60%未満							0
	60%以上～70%未満							0
	70%以上～80%未満							0
	80%以上							0
市町村数		26（28）	6（6）	22（28）	17（16）	9（2）	0（0）	80

東京都 (1960～2000年)

（単位：人、％）

人口増減率		人口規模（2000年）						市町村数
		5万人以上	3万人以上～5万人未満	1万人以上～3万人未満	5千人以上～1万人未満	3千人以上～5千人未満	3千人未満	
増加	80%以上	八王子市(13.9%) 立川市(14.3%) 青梅市(15.5%) 府中市(13.8%) 昭島市(14.8%) 調布市(14.3%) 町田市(14.3%) 小金井市(14.8%) 小平市(14.4%) 日野市(13.9%) 東村山市(16.7%) 国分寺市(14.6%) 国立市(14.4%) 田無市(15.3%) 保谷市(16.5%) 福生市(13.3%) 狛江市(15.4%) 東大和市(13.9%) 清瀬市(17.5%) 東久留米市(14.8%) 武蔵村山市(12.9%) 多摩市(11.1%) 稲城市(11.5%) 羽村市(11.7%) あきる野市(15.8%)	瑞穂町(13.2%)	日の出町(20.1%)				27
	50%以上～80%未満	三鷹市(16.4%)						1
	20%以上～50%未満							0
	0%以上～20%未満	武蔵野市(16.0%)					御蔵島村(17.5%)	2
減少	0%以上～10%未満	特別区部(16.4%)						1
	10%以上～20%未満				八丈町(25.1%)		利島村(23.8%) 神津島村(23.7%)	3
	20%以上～30%未満				大島町(26.0%)	新島村(30.7%)		2
	30%以上～40%未満							0
	40%以上～50%未満				奥多摩町(31.5%)	檜原村(36.5%)	青ケ島村(12.8%)	3
	50%以上～60%未満							0
	60%以上～70%未満							0
	70%以上～80%未満							0
	80%以上							0
市町村数		28 (10)	1 (8)	1 (13)	3 (3)	2 (1)	4 (4)	39

注：資料は1960年と2000年の国勢調査による。ただし、三宅村と小笠原村を除く。

東京都　(2000〜2030年)　　（単位：人、％）

人口増減率		人口規模（2030年）						市町村数
		5万人以上	3万人以上〜5万人未満	1万人以上〜3万人未満	5千人以上〜1万人未満	3千人以上〜5千人未満	3千人未満	
増加	80%以上							0
	50%以上〜80%未満							0
	20%以上〜50%未満	八王子市(26.1%) 国立市(23.5%)						2
	0%以上〜20%未満	立川市(25.5%) 武蔵野市(24.1%) 三鷹市(26.8%) 府中市(23.6%) 調布市(24.4%) 町田市(28.6%) 小金井市(24.3%) 小平市(24.1%) 日野市(25.6%) 東村山市(29.7%) 国分寺市(24.2%) 西東京市(26.6%) 多摩市(27.1%) 稲城市(26,5%)						14
減少	0%以上〜10%未満	特別区部(25.6%) 青梅市(32.8%) 昭島市(28.2%) 福生市(28.9%) 狛江市(25.2%) 東大和市(27.7%) 清瀬市(32.4%) 東久留米市(30.0%) 羽村市(29.9%) あきる野市(33.2%)	瑞穂町(29.7%)					11
	10%以上〜20%未満	武蔵村山市(27.9%)					御蔵島村(33.4%)	2
	20%以上〜30%未満			日の出町(40.9%)	八丈町(41.4%)		利島村(39.1%) 新島村(41.9%)	4
	30%以上〜40%未満				大島町(44.3%)		神津島村(43.7%)	2
	40%以上〜50%未満					奥多摩町(43.0%)	檜原村(47.5%) 青ケ島村(25.2%)	3
	50%以上〜60%未満							0
	60%以上〜70%未満							0
	70%以上〜80%未満							0
	80%以上							0
市町村数		27（27）	1（1）	1（1）	2（3）	1（2）	6（4）	38

注：資料は2000年は国勢調査、2030年は国立社会保障・人口問題研究所が平成15年12月に推計した将来予測値による。ただし、三宅村と小笠原村を除く。また、田無市と保谷市が合併し、西東京市となっている。

神奈川県　(1960～2000年)

(単位：人、%)

人口増減率		人口規模 (2000年) 5万人以上	3万人以上～5万人未満	1万人以上～3万人未満	5千人以上～1万人未満	3千人以上～5千人未満	3千人未満	市町村数
増加	80%以上	横浜市(13.9%) 川崎市(12.4%) 平塚市(14.0%) 藤沢市(13.6%) 茅ヶ崎市(14.8%) 相模原市(11.1%) 秦野市(12.4%) 厚木市(10.4%) 大和市(11.6%) 伊勢原市(12.0%) 海老名市(10.7%) 座間市(10.9%) 綾瀬市(10.8%)	南足柄市(16.0%) 葉山町(20.5%) 寒川町(11.3%) 二宮町(17.7%) 愛川町(11.4%) 津久井町(13.7%)	大井町(13.3%) 開成町(15.9%) 城山町(11.6%)				22
	50%以上～80%未満	鎌倉市(21.2%) 小田原市(16.7%)		中井町(14.7%)				3
	20%以上～50%未満	横須賀市(17.4%) 逗子市(22.0%) 三浦市(19.2%)	大磯町(19.1%)	松田町(18.1%) 湯河原町(22.5%) 相模湖町(16.1%) 藤野町(20.0%)		清川村(16.7%)		9
	0%以上～20%未満							0
減少	0%以上～10%未満				真鶴町(22.8%)			1
	10%以上～20%未満			山北町(21.4%)				1
	20%以上～30%未満			箱根町(19.9%)				1
	30%以上～40%未満							0
	40%以上～50%未満							0
	50%以上～60%未満							0
	60%以上～70%未満							0
	70%以上～80%未満							0
	80%以上							0
市町村数		18 (10)	7 (4)	10 (14)	1 (7)	1 (1)	0 (1)	37

神奈川県　**(2000〜2030年)**

(単位：人、％)

人口増減率		人口規模 (2030年)						市町村数
		5万人以上	3万人以上~5万人未満	1万人以上~3万人未満	5千人以上~1万人未満	3千人以上~5千人未満	3千人未満	
増加	80%以上							0
	50%以上～80%未満							0
	20%以上～50%未満	相模原市(24.6%)						1
	0%以上～20%未満	横浜市(27.0%) 川崎市(23.2%) 厚木市(26.0%) 大和市(25.7%) 海老名市(27.6%) 座間市(25.2%)		大井町(27.7%) 城山町(29.9%)				8
減少	0%以上～10%未満	藤沢市(27.7%) 茅ヶ崎市(29.9%) 秦野市(30.9%) 伊勢原市(27.7%) 綾瀬市(28.1%)	寒川町(29.6%) 愛川町(29.2%)	葉山町(32.9%) 開成町(30.7%)				9
	10%以上～20%未満	横須賀市(31.7%) 平塚市(31.9%) 鎌倉市(33.9%) 小田原市(29.6%)	逗子市(34.5%) 南足柄市(32.9%)	大磯町(34.6%) 二宮町(34.5%) 松田町(34.5%) 津久井町(35.8%)	中井町(33.5%)		清川村(36.1%)	12
	20%以上～30%未満		三浦市(36.5%)		山北町(38.9%) 相模湖町(39.7%) 藤野町(44.3%)			4
	30%以上～40%未満			箱根町(37.7%) 湯河原町(38.1%)	真鶴町(39.1%)			3
	40%以上～50%未満							0
	50%以上～60%未満							0
	60%以上～70%未満							0
	70%以上～80%未満							0
	80%以上							0
市町村数		16 (18)	5 (7)	10 (10)	5 (1)	0 (1)	1 (0)	37

山梨県 (1960～2000年)

（単位：人、%）

人口増減率		人口規模（2000年） 5万人以上	3万人以上～5万人未満	1万人以上～3万人未満	5千人以上～1万人未満	3千人以上～5千人未満	3千人未満	市町村数
増加	80%以上		竜王町(11.2%)	石和町(15.4%) 敷島町(15.0%) 玉穂町(10.9%) 昭和町(12.2%) 田富町(12.0%) 双葉町(13.9%)				7
	50%以上～80%未満			若草町(15.8%)	八田村(14.6%) 忍野村(11.8%) 山中湖村(16.0%)			4
	20%以上～50%未満	甲府市(19.4%) 富士吉田市(16.9%)	都留市(17.8%)	白根町(18.0%) 甲西町(17.9%) 河口湖町(15.9%)	春日居町(21.7%)	西桂町(17.6%)	鳴沢村(19.0%)	9
	0%以上～20%未満		山梨市(20.8%) 韮崎市(18.9%)	御坂町(20.7%) 櫛形町(20.0%) 上野原町(19.5%)	八代町(21.4%) 小淵沢町(23.1%)		勝山村(16.1%)	8
減少	0%以上～10%未満			一宮町(23.2%) 増穂町(22.8%)	長坂町(25.9%)	大泉村(25.3%)	足和田村(22.3%)	5
	10%以上～20%未満		大月市(22.2%)	塩山市(23.8%)	勝沼町(24.0%) 中道町(22.0%) 高根町(22.6%)	境川村(22.4%) 豊富村(22.8%)		7
	20%以上～30%未満			市川大門町(26.0%)	南部町(27.2%)	三珠町(27.0%) 六郷町(28.2%) 明野村(25.5%) 武川村(26.7%)	上九一色村(28.2%) 秋山村(23.3%)	8
	30%以上～40%未満				須玉町(32.0%)	富沢町(28.5%) 白州町(28.7%)	道志村(25.1%)	4
	40%以上～50%未満				牧丘町(29.7%) 身延町(29.8%)	鰍沢町(28.9%)	大和村(26.6%) 芦安村(20.7%) 小菅村(33.3%)	6
	50%以上～60%未満				下部町(36.5%)	中富町(35.3%)	三富村(31.0%)	3
	60%以上～70%未満						芦川村(48.3%) 丹波山村(41.2%)	2
	70%以上～80%未満							0
	80%以上						早川町(47.2%)	1
市町村数		2 (1)	5 (4)	17 (19)	15 (21)	12 (9)	13 (10)	64

山梨県　(2000～2030年)

（単位：人、%）

人口増減率		人口規模（2030年） 5万人以上	3万人以上～5万人未満	1万人以上～3万人未満	5千人以上～1万人未満	3千人以上～5千人未満	3千人未満	市町村数
増加	80%以上							0
増加	50%以上～80%未満							0
増加	20%以上～50%未満		石和町(26.2%) 竜王町(25.3%)	双葉町(25.3%) 玉穂町(21.8%) 若草町(24.6%) 昭和町(23.5%) 田富町(24.7%)		勝山村(24.7%)		8
増加	0%以上～20%未満			白根町(27.2%) 敷島町(26.3%) 甲西町(28.6%) 河口湖町(28.6%) 櫛形町(27.6%)	春日居町(29.5%) 八田村(25.6%) 八代町(28.2%) 境川村(28.8%) 中道町(29.8%)	豊富村(30.7%)		11
減少	0%以上～10%未満		韮崎市(28.5%) 山梨市(30.9%)	一宮町(32.3%) 御坂町(31.1%)	高根町(34.2%) 小淵沢町(36.9%) 勝沼町(32.7%)	西桂町(28.5%)	鳴沢村(31.1%) 芦安村(25.4%)	10
減少	10%以上～20%未満		都留市(28.2%) 富士吉田市(30.3%)	増穂町(34.5%)	忍野村(32.5%) 長坂町(36.9%)	明野村(34.8%) 大泉村(41.4%) 山中湖村(36.8%)	足和田村(34.3%)	9
減少	20%以上～30%未満	甲府市(32.3%)		上野原町(39.0%) 大月市(36.3%) 塩山市(36.7%)	須玉町(35.9%)	白州町(43.7%) 三珠町(37.5%)	武川村(39.0%) 道志村(37.8%)	9
減少	30%以上～40%未満				市川大門町(40.1%)	牧丘町(40.1%) 南部町(40.7%)	三富村(35.4%) 秋山村(40.7%) 上九一色村(42.5%) 大和村(43.6%) 富沢町(40.9%) 鰍沢町(34.6%)	9
減少	40%以上～50%未満					身延町(42.9%)	小菅村(44.8%) 六郷町(44.3%) 中富町(47.4%)	4
減少	50%以上～60%未満						芦川村(48.2%) 下部町(50.5%) 丹波山村(55.2%)	3
減少	60%以上～70%未満						早川町(48.6%)	1
減少	70%以上～80%未満							0
減少	80%以上							0
市町村数		1 (2)	6 (5)	16 (17)	12 (15)	11 (12)	18 (13)	64

長野県 (1960～2000年)

(単位：人、%)

人口増減率		人口規模（2000年） 5万人以上	3万人以上～5万人未満	1万人以上～3万人未満	5千人以上～1万人未満	3千人以上～5千人未満	3千人未満	市町村数
増加	80%以上			南箕輪村(15.9%) 波田町(18.2%)				2
増加	50%以上～80%未満	塩尻市(18.1%) 茅野市(18.2%)	穂高町(20.2%)	御代田町(17.9%) 三郷村(20.2%)	松川村(21.9%)			6
増加	20%以上～50%未満	長野市(18.5%) 上田市(19.4%) 諏訪市(18.9%) 松本市(18.3%) 伊那市(20.8%) 須坂市(20.3%)	駒ヶ根市(21.1%) 更埴市(20.9%)	箕輪町(18.9%) 豊科町(20.9%) 戸倉町(20.4%) 東部町(20.3%) 軽井沢町(19.6%)	山形村(20.3%) 堀金村(25.2%) 宮田村(20.7%) 白馬村(18.6%)			17
増加	0%以上～20%未満	佐久市(20.9%) 飯田市(23.1%) 岡谷市(20.7%)	中野市(20.2%) 小諸市(20.9%)	坂城町(21.3%) 小布施町(21.6%) 下諏訪町(23.1%) 松川町(23.5%) 梓川村(23.7%) 高森町(23.7%) 豊野町(23.6%)	原村　(23.6%) 牟礼村(22.9%) 高山村(21.3%)	朝日村(22.3%)	日義村(25.4%)	17
減少	0%以上～10%未満			丸子町(25.1%) 臼田町(24.8%) 真田町(23.1%) 池田町(25.4%) 辰野町(23.4%) 富士見町(25.9%) 飯島町(24.8%)	浅科村(24.9%)			8
減少	10%以上～20%未満		大町市(23.3%)	山ノ内町(26.0%)	上山田町(25.9%) 立科町(25.0%) 北御牧村(25.5%) 阿智村(27.3%) 豊丘村(27.2%) 明科町(25.9%) 佐久町(27.5%) 喬木村(27.5%)	南牧村(25.7%) 川上村(22.4%) 下條村(27.3%)		13
減少	20%以上～30%未満			信濃町(27.5%) 望月町(28.3%) 飯山市(26.4%)	木島平村(30.3%) 三水村(25.9%) 豊田村(28.5%) 長門町(29.2%) 中川村(25.4%)	木祖村(29.2%) 青木村(28.5%) 野沢温泉村(28.5%) 八千穂村(26.4%) 武石村(27.7%)	山口村(28.6%) 安曇村(20.6%)	15
減少	30%以上～40%未満				小海町(29.7%) 上松町(29.9%) 四賀村(31.7%) 木曽福島町(25.2%) 阿南町(36.1%)	楢川村(27.8%) 麻績村(34.9%)	南相木村(29.2%) 坂井村(31.2%) 浪合村(31.1%) 平谷村(33.1%) 和田村(31.6%) 本城村(30.5%) 坂北村(30.9%)	14
減少	40%以上～50%未満				高遠町(33.7%) 南木曽町(32.4%)	大桑村(34.4%) 戸隠村(44.8%) 小谷村(27.5%)	奈川村(30.9%) 開田村(32.8%) 泰阜村(35.0%) 清内路村(36.4%) 売木村(36.4%)	10

長野県　**(1960〜2000年)**

（単位：人、%）

人口増減率		人口規模（2000年）						市町村数
		5万人以上	3万人以上~5万人未満	1万人以上~3万人未満	5千人以上~1万人未満	3千人以上~5千人未満	3千人未満	
減少	50%以上〜60%未満				信州新町(36.3%)	小川村(39.4%)	北相木村(37.3%) 八坂村(29.7%) 三岳村(31.9%) 生坂村(34.5%) 長谷村(38.2%) 根羽村(38.6%) 中条村(38.4%) 栄村　(40.7%) 鬼無里村(37.8%)	11
	60%以上〜70%未満						上村　(37.4%) 天龍村(43.6%) 南信濃村(40.3%) 大鹿村(41.8%) 大岡村(43.7%) 美麻村(30.5%) 王滝村(26.5%)	7
	70%以上〜80%未満							0
	80%以上							0
市町村数		11（8）	6（9）	27（29）	30（45）	15（17）	31（12）	120

長野県 (2000～2030年)

(単位：人、%)

人口増減率		人口規模（2030年）						市町村数
		5万人以上	3万人以上～5万人未満	1万人以上～3万人未満	5千人以上～1万人未満	3千人以上～5千人未満	3千人未満	
増加	80%以上							0
	50%以上～80%未満							0
	20%以上～50%未満			堀金村(25.2%)	山形村(28.7%)			2
	0%以上～20%未満	佐久市(27.6%)	穂高町(30.2%)	三郷村(27.4%) 南箕輪村(25.5%) 松川村(29.6%) 御代田町(27.6%) 箕輪町(26.8%) 波田町(28.8%) 梓川村(28.3%) 豊科町(27.8%)	宮田村(28.6%) 朝日村(28.9%)			12
減少	0%以上～10%未満	飯田市(30.8%) 諏訪市(29.5%) 松本市(25.9%) 上田市(27.9%) 茅野市(31.1%) 塩尻市(28.6%)	更埴市(30.7%) 中野市(30.3%) 駒ヶ根市(29.5%) 小諸市(30.1%)	松川町(31.5%) 軽井沢町(32.8%) 高森町(33.0%) 東部町(30.3%)	白馬村(31.6%) 浅科村(30.5%) 原村　(35.0%)		安曇村(29.5%)	18
	10%以上～20%未満	伊那市(30.4%) 長野市(29.8%)	岡谷市(32.0%) 須坂市(32.3%)	小布施町(33.4%) 富士見町(35.4%) 坂城町(30.9%) 真田町(33.5%) 丸子町(34.8%) 戸倉町(32.9%) 大町市(30.7%) 辰野町(33.2%)	立科町(31.8%) 豊丘村(30.6%) 喬木村(30.3%) 豊野町(34.6%) 飯島町(34.8%) 望月町(33.3%) 池田町(36.2%)	北御牧村(33.2%) 南牧村(33.3%) 八千穂村(33.7%) 中川村(35.4%) 長門町(38.9%) 武石村(38.0%) 阿智村(35.2%) 川上村(30.7%) 下條村(31.3%)	日義村(38.9%) 浪合村(33.4%)	30
	20%以上～30%未満			臼田町(36.7%) 下諏訪町(35.2%)	明科町(37.6%) 上山田町(35.2%) 木曽福島町(34.0%) 牟礼村(39.9%) 高山村(37.0%) 佐久町(41.9%)	上松町(33.4%) 青木村(39.1%) 小谷村(35.0%)	楢川村(39.3%) 山口村(41.3%) 王滝村(28.6%) 平谷村(33.8%) 和田村(38.5%) 木祖村(40.0%)	17
	30%以上～40%未満			飯山市(36.6%) 山ノ内町(40.7%)		大桑村(38.9%) 阿南町(43.6%) 南木曽町(40.4%) 小海町(40.2%) 高遠町(40.1%) 豊田村(41.3%) 三水村(40.6%) 四賀村(40.4%)	本城村(43.0%) 開田村(41.3%) 長谷村(37.1%) 美麻村(38.9%) 坂井村(38.2%) 上村　(32.9%) 奈川村(37.4%) 三岳村(36.9%) 八坂村(34.4%) 泰阜村(36.0%) 野沢温泉村(42.9%)	21

長野県　(2000〜2030年)

（単位：人、%）

人口増減率		人口規模（2030年）						市町村数
		5万人以上	3万人以上〜5万人未満	1万人以上〜3万人未満	5千人以上〜1万人未満	3千人以上〜5千人未満	3千人未満	
減少	40%以上〜50%未満				信濃町(44.3%)	信州新町(46.9%) 木島平村(41.3%)	小川村(42.9%) 戸隠村(44.8%) 麻績村(42.6%) 南信濃村(43.4%) 根羽村(48.7%) 北相木村(45.0%) 大鹿村(44.8%) 鬼無里村(41.9%) 中条村(43.6%) 坂北村(45.1%) 清内路村(38.7%) 売木村(43.5%) 生坂村(42.1%)	16
	50%以上〜60%未満						天龍村(50.2%) 南相木村(42.0%) 栄村　(51.7%) 大岡村(43.6%)	4
	60%以上〜70%未満							0
	70%以上〜80%未満							0
	80%以上							0
市町村数		9 (11)	7 (6)	25 (27)	20 (30)	22 (15)	37 (31)	120

新潟県 (1960〜2000年)

(単位：人、%)

人口増減率		人口規模 (2000年)						市町村数
		5万人以上	3万人以上～5万人未満	1万人以上～3万人未満	5千人以上～1万人未満	3千人以上～5千人未満	3千人未満	
増加	80%以上			黒埼町(14.8%)				1
増加	50%以上～80%未満	新潟市(17.0%)	亀田町(17.9%)					2
増加	20%以上～50%未満	長岡市(18.2%)	豊栄市(16.5%)	横越町(18.8%) 吉田町(17.8%) 田上町(19.9%) 大潟町(20.6%)				6
増加	0%以上～20%未満	三条市(19.7%) 柏崎市(22.0%) 新発田市(20.8%) 新津市(21.6%) 上越市(19.4%)	見附市(20.3%) 燕市 (18.2%) 五泉市(21.3%) 白根市(18.1%)	水原町(21.2%) 聖籠町(18.5%) 巻町 (20.4%) 西川町(19.5%) 六日町(21.6%)	弥彦村(19.7%)			15
減少	0%以上～10%未満		村上市(23.5%)	安田町(23.2%) 中条町(22.2%) 小須戸町(21.4%) 岩室村(23.3%) 分水町(21.1%) 栄町 (20.1%) 中之島町(19.9%) 小出町(22.1%) 大和町(22.3%) 荒川町(22.6%)	京ケ瀬村(20.8%) 紫雲寺町(23.5%) 三島町(27.7%) 湯沢町(21.7%) 頸城村(20.0%)			16
減少	10%以上～20%未満		小千谷市(23.6%) 加茂市(22.9%) 十日町市(23.5%)	新井市(23.8%) 村松町(25.4%) 越路町(23.3%) 塩沢町(24.9%) 佐和田町(25.9%)	豊浦町(24.2%) 加治川村(22.8%) 黒川村(25.1%) 潟東村(24.7%) 中之口村(21.4%) 与板町(23.0%) 堀之内町(25.5%) 妙高高原町(25.8%)	味方村(25.2%) 月潟村(22.2%)		18
減少	20%以上～30%未満		糸魚川市(26.5%)	下田村(25.1%) 寺泊町(26.5%) 柿崎町(25.6%) 神林村(26.7%)	笹神村(25.7%) 広神村(25.7%) 中里村(29.4%) 刈羽村(24.9%) 金井町(28.1%)	和島村(25.2%)		11
減少	30%以上～40%未満			栃尾市(27.4%) 両津市(32.6%) 津南町(32.2%) 朝日村(28.3%)	川口町(24.8%) 湯之谷村(21.3%) 西山町(30.2%) 中郷村(26.1%) 妙高村(27.7%) 板倉町(27.8%) 三和村(25.2%) 関川村(30.1%) 畑野町(35.2%) 真野町(34.0%)	清里村(26.5%) 新穂村(33.7%) 小木町(30.7%) 羽茂町(36.0%)		18
減少	40%以上～50%未満			能生町(29.3%) 青海町(26.9%)	津川町(32.7%) 出雲崎町(33.8%) 川西町(27.3%) 小国町(31.6%) 吉川町(28.2%) 山北町(33.7%) 相川町(34.6%)	上川村(31.7%) 三川村(34.8%) 守門村(29.7%) 浦川原村(27.7%) 名立町(30.2%) 赤泊村(35.8%)	粟島浦村(32.7%)	16

新 潟 県 (1960～2000年)

（単位：人、％）

人口増減率		人口規模（2000年）5万人以上	3万人以上～5万人未満	1万人以上～3万人未満	5千人以上～1万人未満	3千人以上～5千人未満	3千人未満	市町村数
減少	50％以上～60％未満						入広瀬村（35.7％）	1
	60％以上～70％未満					安塚町（33.8％） 松代町（37.3％） 松之山町（42.1％）	山古志村（34.6％） 大島村（36.1％） 牧村　（35.9％）	6
	70％以上～80％未満						鹿瀬町（39.6％） 高柳町（43.5％）	2
	80％以上							0
市町村数		7（7）	11（12）	35（49）	36（41）	16（2）	7（1）	112

新潟県 (2000～2030年)

(単位：人、%)

人口増減率		人口規模(2030年) 5万人以上	3万人以上～5万人未満	1万人以上～3万人未満	5千人以上～1万人未満	3千人以上～5千人未満	3千人未満	市町村数
増加	80%以上							0
増加	50%以上～80%未満							0
増加	20%以上～50%未満							0
増加	0%以上～20%未満	新潟市(28.5%)		横越町(28.8%)				2
減少	0%以上～10%未満	長岡市(27.8%) 上越市(28.2%)	白根市(29.9%) 豊栄市(29.3%) 亀田町(31.0%)	聖籠町(27.9%) 吉田町(29.3%) 西川町(31.6%) 佐和田町(28.7%)	京ケ瀬村(32.1%) 頸城村(27.5%)			11
減少	10%以上～20%未満	新発田市(29.0%) 新津市(34.3%)	見附市(33.3%) 燕市　(31.2%) 五泉市(35.0%)	村上市(32.1%) 水原町(31.1%) 分水町(32.1%) 巻町　(32.1%) 田上町(34.0%) 中之島町(32.2%) 越路町(35.7%) 小出町(35.5%) 六日町(34.9%) 大和町(31.0%)	安田町(34.2%) 黒川村(36.7%) 小須戸町(32.4%) 岩室村(35.8%) 弥彦村(31.1%) 潟東村(34.0%) 中之口村(32.6%) 栄町　(31.9%) 三島町(33.9%) 与板町(34.4%) 荒川町(35.2%) 金井町(32.2%)		清里村(31.3%)	28
減少	20%以上～30%未満	三条市(33.5%) 柏崎市(36.8%)	小千谷市(36.4%)	加茂市(35.9%) 糸魚川市(39.2%) 新井市(32.4%) 中条町(35.4%) 村松町(39.3%) 塩沢町(36.9%)	笹神村(34.0%) 豊浦町(34.4%) 加治川村(34.3%) 紫雲寺町(35.5%) 寺泊町(37.3%) 堀之内町(40.8%) 湯之谷村(36.6%) 湯沢町(38.2%) 大潟町(33.6%) 板倉町(35.7%) 関川村(39.0%) 神林村(36.1%)	味方村(38.0%) 月潟村(35.7%) 和島村(38.4%) 中里村(40.5%) 三和村(35.0%) 畑野町(37.5%) 真野町(40.3%)		28
減少	30%以上～40%未満			十日町市(40.6%) 栃尾市(42.1%) 両津市(35.9%)	下田村(38.6%) 広神村(39.8%) 川西町(42.8%) 津南町(43.1%) 柿崎町(37.5%) 能生町(39.7%) 青海町(42.7%) 朝日村(40.6%) 相川町(41.5%)	出雲崎町(41.5%) 川口町(37.2%) 刈羽村(40.5%) 西山町(40.8%) 吉川町(38.7%) 妙高高原町(42.5%) 中郷村(35.9%) 妙高村(39.8%) 新穂村(39.3%)	三川村(42.0%) 浦川原村(37.7%) 名立町(42.0%) 小木町(45.7%) 羽茂町(43.2%) 赤泊村(40.0%)	27
減少	40%以上～50%未満					小国町(44.9%) 山北町(46.2%)	津川町(45.2%) 上川村(45.2%) 山古志村(45.7%) 守門村(50.0%) 入広瀬村(53.5%) 牧村　(41.3%)	8

新潟県 (2000～2030年)

（単位：人、%）

人口増減率		人口規模（2030年）						市町村数
		5万人以上	3万人以上～5万人未満	1万人以上～3万人未満	5千人以上～1万人未満	3千人以上～5千人未満	3千人未満	
減少	50%以上～60%未満						鹿瀬町(49.0%) 安塚町(43.7%) 松代町(51.7%) 松之山町(49.6%) 大島村(44.9%)	5
	60%以上～70%未満						高柳町(58.3%) 栗島浦村(66.5%)	2
	70%以上～80%未満							0
	80%以上							0
市町村数		7 (7)	7 (11)	24 (35)	35 (35)	18 (16)	20 (7)	111

注：資料は2000年は国勢調査、2030年は国立社会保障・人口問題研究所が平成15年12月に推計した将来予測値による。ただし、黒埼町と新潟市が合併し、新潟市となっている。

富山県 (1960～2000年)

(単位：人、%)

人口増減率		人口規模 (2000年) 5万人以上	3万人以上～5万人未満	1万人以上～3万人未満	5千人以上～1万人未満	3千人以上～5千人未満	3千人未満	市町村数
増加	80%以上		小杉町(15.0%)					1
	50%以上～80%未満				大島町(18.1%)		舟橋村(14.8%)	2
	20%以上～50%未満	富山市(18.7%)	婦中町(18.1%)	大沢野町(19.1%)				3
	0%以上～20%未満	高岡市(20.6%)	滑川市(19.9%) 黒部市(20.8%) 砺波市(21.0%)	大門町(20.6%) 福岡町(22.0%)				6
減少	0%以上～10%未満		魚津市(21.5%) 小矢部市(23.5%)	上市町(22.3%) 入善町(23.6%)	庄川町(24.1%)		下村 (19.9%)	6
	10%以上～20%未満	氷見市(24.7%)		立山町(21.5%) 八尾町(23.1%) 井波町(25.7%) 福野町(23.6%) 福光町(25.2%)				6
	20%以上～30%未満		新湊市(21.8%)	大山町(20.1%) 朝日町(27.3%)	城端町(27.4%)		井口村(24.7%)	5
	30%以上～40%未満				宇奈月町(26.3%)		山田村(29.3%)	2
	40%以上～50%未満						細入村(27.7%) 上平村(27.8%)	2
	50%以上～60%未満						平村 (36.1%)	1
	60%以上～70%未満						利賀村(29.9%)	1
	70%以上～80%未満							0
	80%以上							0
市町村数		3 (3)	8 (7)	12 (15)	4 (2)	0 (4)	8 (4)	35

富山県　(2000～2030年)

（単位：人、％）

人口増減率		人口規模（2030年）5万人以上	3万人以上~5万人未満	1万人以上~3万人未満	5千人以上~1万人未満	3千人以上~5千人未満	3千人未満	市町村数
増加	80%以上							0
増加	50%以上～80%未満							0
増加	20%以上～50%未満						舟橋村(21.0%)	1
増加	0%以上～20%未満		滑川市(26.2%) 婦中町(29.3%)					2
減少	0%以上～10%未満		小杉町(29.0%) 砺波市(31.5%)	大山町(27.3%) 大門町(30.8%) 福岡町(33.8%) 立山町(30.2%)	大島町(32.4%)			7
減少	10%以上～20%未満	高岡市(33.3%) 富山市(30.6%)	黒部市(34.6%)	八尾町(32.8%) 上市町(31.9%) 大沢野町(30.4%) 小矢部市(36.6%)	庄川町(35.6%)		下村　(36.2%)	9
減少	20%以上～30%未満		魚津市(36.9%) 氷見市(37.9%)	福野町(36.2%) 福光町(36.9%) 入善町(37.9%) 新湊市(32.0%)	井波町(37.1%)		上平村(36.4%) 井口村(36.8%) 山田村(35.4%)	10
減少	30%以上～40%未満				城端町(41.1%) 朝日町(42.7%)	宇奈月町(38.7%)	利賀村(37.6%)	4
減少	40%以上～50%未満						平村　(41.9%) 細入村(39.9%)	2
減少	50%以上～60%未満							0
減少	60%以上～70%未満							0
減少	70%以上～80%未満							0
減少	80%以上							0
市町村数		2 (3)	7 (8)	12 (12)	5 (4)	1 (0)	8 (8)	35

石 川 県　(1960～2000年)

（単位：人、％）

人口増減率		人口規模（2000年）5万人以上	3万人以上～5万人未満	1万人以上～3万人未満	5千人以上～1万人未満	3千人以上～5千人未満	3千人未満	市町村数
増加	80%以上	松任市(14.3%)	野々市町(10.9%)	内灘町(12.4%)				3
増加	50%以上～80%未満		津幡町(14.6%)	寺井町(17.0%) 辰口町(15.7%) 鶴来町(15.5%)				4
増加	20%以上～50%未満	金沢市(16.0%) 小松市(18.1%) 加賀市(20.5%)		根上町(17.0%) 宇ノ気町(16.5%)				5
増加	0%以上～20%未満			美川町(18.5%) 高松町(21.8%) 七塚町(18.6%)		川北町(18.7%)		4
減少	0%以上～10%未満		七尾市(22.3%)					1
減少	10%以上～20%未満			羽咋市(23.8%) 志賀町(24.7%)	押水町(22.3%) 田鶴浜町(24.0%)			4
減少	20%以上～30%未満			山中町(24.4%)	志雄町(23.9%) 鳥屋町(22.8%) 鹿島町(24.9%) 鹿西町(25.2%)		河内村(21.0%)	6
減少	30%以上～40%未満			輪島市(28.5%) 穴水町(32.4%)	富来町(31.6%) 中島町(29.5%) 内浦町(29.2%)	能登島町(28.4%)		6
減少	40%以上～50%未満			珠洲市(33.2%) 能都町(31.2%)		鳥越村(30.3%) 柳田村(33.9%)	吉野谷村(32.1%)	5
減少	50%以上～60%未満				門前町(42.6%)			1
減少	60%以上～70%未満						尾口村(28.5%) 白峰村(29.8%)	2
減少	70%以上～80%未満							0
減少	80%以上							0
市町村数		4 (4)	3 (2)	16 (18)	10 (12)	4 (2)	4 (3)	41

石川県　(2000～2030年)

(単位：人、%)

人口増減率		人口規模(2030年) 5万人以上	3万人以上～5万人未満	1万人以上～3万人未満	5千人以上～1万人未満	3千人以上～5千人未満	3千人未満	市町村数
増加	80%以上							0
	50%以上～80%未満							0
	20%以上～50%未満				川北町(23.9%)			1
	0%以上～20%未満	松任市(27.8%) 野々市町(25.4%)	津幡町(26.7%)	根上町(24.3%) 寺井町(25.7%) 辰口町(25.6%) 美川町(23.1%) 鶴来町(30.0%) 宇ノ気町(26.9%) 内灘町(27.5%)				10
減少	0%以上～10%未満						河内村(30.2%)	1
	10%以上～20%未満	金沢市(29.5%) 小松市(29.4%)			七塚町(30.3%)			3
	20%以上～30%未満	加賀市(33.4%)			高松町(35.7%) 押水町(35.5%)		鳥越村(35.8%)	4
	30%以上～40%未満		七尾市(39.8%)	羽咋市(40.2%)	山中町(38.6%) 志賀町(41.8%) 鹿島町(39.6%)	志雄町(38.7%) 田鶴浜町(41.8%) 鳥屋町(37.3%) 鹿西町(44.7%)	吉野谷村(42.0%) 尾口村(42.9%) 白峰村(37.4%)	12
	40%以上～50%未満			輪島市(47.9%)	富来町(57.9%)	中島町(46.7%) 内浦町(53.2%)	能登島町(42.5%) 柳田村(50.3%)	6
	50%以上～60%未満				珠洲市(51.3%) 穴水町(51.3%) 能都町(51.1%)	門前町(62.7%)		4
	60%以上～70%未満							0
	70%以上～80%未満							0
	80%以上							0
市町村数		5 (4)	2 (3)	9 (16)	11 (10)	7 (4)	7 (4)	41

福 井 県 （1960～2000年）

（単位：人、％）

人口増減率		人口規模（2000年） 5万人以上	3万人以上～5万人未満	1万人以上～3万人未満	5千人以上～1万人未満	3千人以上～5千人未満	3千人未満	市町村数
増加	80%以上							0
増加	50%以上～80%未満			春江町(17.0%)				1
増加	20%以上～50%未満	鯖江市(18.5%) 福井市(18.6%) 敦賀市(18.6%)	丸岡町(17.6%)	清水町(20.7%)				5
増加	0％以上～20%未満	武生市(19.6%)		芦原町(21.7%) 松岡町(19.1%) 三国町(21.3%) 金津町(21.8%) 坂井町(20.6%) 高浜町(22.1%)	永平寺町(21.3%) 南条町(23.4%) 朝日町(20.4%) 大飯町(20.9%)			11
減少	0％以上～10%未満		小浜市(23.4%)		織田町(25.6%)	宮崎村(21.2%)		3
減少	10%以上～20%未満		大野市(24.2%)	今立町(23.4%) 美浜町(24.2%)	三方町(26.3%) 上中町(25.9%)	上志比村(24.1%)		6
減少	20%以上～30%未満			勝山市(25.6%)				1
減少	30%以上～40%未満				美山町(29.8%) 越前町(26.4%)		河野村(27.3%) 名田庄村(28.6%)	4
減少	40%以上～50%未満				今庄町(28.5%)		越廼村(29.0%)	2
減少	50%以上～60%未満					池田町(34.6%)		1
減少	60%以上～70%未満							0
減少	70%以上～80%未満							0
減少	80%以上						和泉村(30.1%)	1
市町村数		4 (3)	3 (4)	11 (11)	10 (12)	3 (5)	4 (0)	35

福 井 県　(2000～2030年)

（単位：人、％）

人口増減率		人口規模（2030年）						市町村数
		5万人以上	3万人以上～5万人未満	1万人以上～3万人未満	5千人以上～1万人未満	3千人以上～5千人未満	3千人未満	
増加	80%以上							0
増加	50%以上～80%未満							0
増加	20%以上～50%未満							0
増加	0%以上～20%未満	武生市（27.0%）	丸岡町（26.8%）	春江町（25.7%） 坂井町（26.7%） 朝日町（29.3%） 清水町（30.5%） 松岡町（25.8%）				7
減少	0%以上～10%未満	鯖江市（29.7%） 敦賀市（30.9%）			永平寺町（29.8%）	宮崎村（29.6%）		4
減少	10%以上～20%未満			芦原町（32.3%） 高浜町（31.4%） 小浜市（28.5%） 三国町（31.6%） 金津町（31.8%）	上中町（30.4%） 大飯町（32.5%）	南条町（32.4%）		8
減少	20%以上～30%未満	福井市（32.7%）		今立町（33.6%） 勝山市（37.5%）	三方町（36.2%）	織田町（36.2%）	上志比村（36.9%） 名田庄村（37.4%）	7
減少	30%以上～40%未満			大野市（38.2%）	美浜町（38.9%）	美山町（41.4%） 今庄町（40.0%） 越前町（39.2%）	河野村（35.9%） 池田町（39.7%）	7
減少	40%以上～50%未満						越廼村（44.5%） 和泉村（38.9%）	2
減少	50%以上～60%未満							0
減少	60%以上～70%未満							0
減少	70%以上～80%未満							0
減少	80%以上							0
市町村数		4 (4)	1 (3)	13 (11)	5 (10)	6 (3)	6 (4)	35

静岡県 (1960～2000年)

（単位：人、%）

人口増減率		人口規模（2000年）						市町村数
		5万人以上	3万人以上～5万人未満	1万人以上～3万人未満	5千人以上～1万人未満	3千人以上～5千人未満	3千人未満	
増加	80%以上	藤枝市(16.7%) 御殿場市(15.0%) 裾野市(13.1%)	函南町(16.0%) 長泉町(13.7%) 清水町(13.3%)	豊田町(13.0%)				7
増加	50%以上～80%未満	浜松市(15.9%) 富士市(14.8%) 富士宮市(16.1%) 焼津市(17.0%) 三島市(15.7%) 磐田市(16.6%) 浜北市(17.6%) 袋井市(16.0%)	湖西市(15.1%)	吉田町(16.4%) 竜洋町(16.2%) 韮山町(17.7%) 浅羽町(14.4%) 伊豆長岡町(18.8%)				14
増加	20%以上～50%未満	静岡市(17.4%) 清水市(18.1%) 沼津市(17.0%) 掛川市(17.8%) 島田市(19.1%) 伊東市(22.6%)	菊川町(18.5%)	浜岡町(18.0%) 大井川町(16.8%) 大東町(18.8%) 細江町(20.6%) 福田町(19.8%) 富士川町(18.0%) 新居町(17.9%) 小笠町(18.2%) 大仁町(19.6%) 雄踏町(18.5%) 岡部町(20.3%) 舞阪町(18.6%)				19
増加	0%以上～20%未満			下田市(24.7%) 榛原町(20.1%) 修善寺町(23.2%) 東伊豆町(22.6%) 大須賀町(21.4%) 御前崎町(19.8%) 豊岡村(21.5%)				7
減少	0%以上～10%未満			相良町(21.5%) 金谷町(22.8%) 三ケ日町(25.4%)				3
減少	10%以上～20%未満		熱海市(27.1%)	小山町(17.8%) 森町　(24.1%) 引佐町(23.3%) 芝川町(21.4%)	河津町(27.4%) 中伊豆町(23.2%)			7
減少	20%以上～30%未満			天竜市(25.7%) 蒲原町(21.4%) 南伊豆町(32.1%) 由比町(23.3%)	天城湯ケ島町(24.7%)			5
減少	30%以上～40%未満				松崎町(30.0%) 西伊豆町(30.1%) 川根町(28.0%) 中川根町(33.1%)	戸田村(26.7%) 賀茂村(33.9%)		6
減少	40%以上～50%未満				土肥町(31.1%)			1
減少	50%以上～60%未満				春野町(35.5%)	本川根町(35.4%)		2
減少	60%以上～70%未満				佐久間町(39.4%)	水窪町(35.2%)		2
減少	70%以上～80%未満						龍山村(39.4%)	1
減少	80%以上							0
市町村数		17 (15)	6 (3)	36 (47)	10 (9)	4 (0)	1 (0)	74

静岡県　(2000〜2030年)

(単位：人、%)

人口増減率		人口規模（2030年）5万人以上	3万人以上~5万人未満	1万人以上~3万人未満	5千人以上~1万人未満	3千人以上~5千人未満	3千人未満	市町村数
増加	80%以上							0
増加	50%以上~80%未満							0
増加	20%以上~50%未満							0
増加	0%以上~20%未満	浜松市(27.7%) 掛川市(29.3%) 袋井市(28.3%) 裾野市(26.6%)	長泉町(24.3%) 豊田町(28.4%) 清水町(24.8%)	大東町(30.8%) 浅羽町(27.7%)				9
減少	0%以上~10%未満	富士市(28.2%) 三島市(29.5%) 磐田市(31.2%) 浜北市(35.5%)	湖西市(30.6%) 菊川町(32.2%)	吉田町(30.0%) 浜岡町(29.4%) 榛原町(31.5%) 大井川町(31.7%) 細江町(35.9%) 竜洋町(30.7%) 小笠町(33.2%) 大須賀町(31.3%) 舞阪町(29.7%)				15
減少	10%以上~20%未満	沼津市(31.3%) 藤枝市(34.2%) 焼津市(32.7%) 富士宮市(32.9%) 御殿場市(29.7%) 島田市(32.9%)	函南町(32.9%)	相良町(34.2%) 小山町(30.9%) 福田町(33.6%) 韮山町(33.9%) 新居町(32.7%) 引佐町(40.6%) 雄踏町(32.2%)	御前崎町(33.5%) 豊岡村(38.2%)			16
減少	20%以上~30%未満	静岡市(33.3%) 清水市(33.6%) 伊東市(41.3%)		天竜市(44.1%) 金谷町(37.0%) 森町　(39.6%) 富士川町(35.6%) 三ケ日町(39.6%) 伊豆長岡町(34.4%) 大仁町(37.4%) 岡部町(40.0%)	中伊豆町(40.4%)			12
減少	30%以上~40%未満			熱海市(41.4%) 修善寺町(39.6%) 東伊豆町(42.9%)	蒲原町(34.6%) 芝川町(39.0%) 由比町(37.2%) 南伊豆町(43.9%) 河津町(43.9%) 天城湯ケ島町(40.0%) 松崎町(46.6%) 川根町(43.9%)			11
減少	40%以上~50%未満			下田市(45.7%)	西伊豆町(45.7%) 中川根町(48.2%) 土肥町(41.3%)	戸田村(50.2%) 賀茂村(48.1%)		6
減少	50%以上~60%未満				春野町(51.9%)	佐久間町(58.1%) 水窪町(57.0%) 本川根町(49.3%) 龍山村(56.1%)		5
減少	60%以上~70%未満							0
減少	70%以上~80%未満							0
減少	80%以上							0
市町村数		17 (17)	6 (6)	30 (36)	15 (10)	6 (4)	0 (1)	74

愛知県 (1960〜2000年)

(単位：人、%)

人口増減率		人口規模（2000年）						市町村数
		5万人以上	3万人以上~5万人未満	1万人以上~3万人未満	5千人以上~1万人未満	3千人以上~5千人未満	3千人未満	
増加	80%以上	岡崎市(13.3%) 春日井市(12.7%) 刈谷市(11.4%) 豊田市(9.9%) 安城市(11.9%) 犬山市(15.8%) 江南市(14.6%) 小牧市(11.2%) 稲沢市(13.6%) 東海市(12.9%) 大府市(12.4%) 知多市(12.9%) 知立市(11.7%) 尾張旭市(13.1%) 豊明市(13.2%) 日進市(12.3%)	高浜市(14.6%) 岩倉市(12.4%) 東郷町(11.4%) 長久手町(8.5%) 師勝町(11.9%) 西春町(11.6%) 扶桑町(15.3%) 甚目寺町(11.8%) 蟹江町(13.4%) 弥富町(13.6%) 東浦町(13.4%) 武豊町(12.7%) 幸田町(13.1%) 三好町(8.9%)	豊山町(11.8%) 清洲町(13.9%) 大口町(13.7%) 七宝町(13.7%) 美和町(13.4%) 大治町(10.7%) 佐屋町(14.9%) 阿久比町(16.2%) 藤岡町(9.2%)	春日町(10.7%)			40
増加	50%以上~80%未満	豊橋市(15.1%) 瀬戸市(15.6%) 半田市(14.6%) 豊川市(14.7%) 津島市(15.9%)		平和町(17.6%) 佐織町(16.0%) 一宮町(15.7%) 小坂井町(16.1%)	音羽町(16.1%)			10
増加	20%以上~50%未満	名古屋市(15.6%) 一宮市(14.6%) 碧南市(16.1%) 西尾市(15.3%)	木曽川町(14.3%) 田原町(16.1%)	祖父江町(16.9%) 美浜町(16.4%)	十四山村(19.0%)			9
増加	0%以上~20%未満	蒲郡市(18.5%) 尾西市(15.0%)	新城市(20.1%)	西枇杷島町(15.6%) 新川町(16.4%) 一色町(19.6%) 吉良町(18.9%) 幡豆町(20.1%) 御津町(18.9%)	立田村(18.1%) 八開村(22.4%)	飛島村(20.2%)		12
減少	0%以上~10%未満	常滑市(20.0%)			額田町(23.1%)			2
減少	10%以上~20%未満			南知多町(23.0%) 渥美町(22.7%)	下山村(21.4%) 赤羽根町(22.3%)			4
減少	20%以上~30%未満							0
減少	30%以上~40%未満			鳳来町(28.3%)	足助町(28.7%)	小原村(29.2%)		3
減少	40%以上~50%未満					稲武町(32.9%) 作手村(32.3%)		2
減少	50%以上~60%未満				設楽町(36.4%)	旭町 (35.6%) 東栄町(40.3%)	津具村(37.7%)	4
減少	60%以上~70%未満						豊根村(42.1%) 富山村(36.4%)	2
減少	70%以上~80%未満							0
減少	80%以上							0
市町村数		28 (17)	17 (7)	24 (37)	10 (19)	6 (7)	3 (1)	88

愛知県 (2000～2030年)

(単位：人、%)

人口増減率		人口規模(2030年) 5万人以上	3万人以上～5万人未満	1万人以上～3万人未満	5千人以上～1万人未満	3千人以上～5千人未満	3千人未満	市町村数
増加	80%以上							0
増加	50%以上～80%未満	日進市(20.9%) 三好町(17.6%)						2
増加	20%以上～50%未満	刈谷市(22.0%) 東郷町(20.4%) 長久手町(19.0%)		藤岡町(23.7%)				4
増加	0%以上～20%未満	豊橋市(26.7%) 岡崎市(27.4%) 半田市(25.9%) 安城市(23.9%) 小牧市(25.6%) 知立市(22.4%) 尾張旭市(27.1%) 豊明市(27.5%)	高浜市(23.5%) 扶桑町(26.7%) 木曽川町(24.1%) 甚目寺町(23.0%) 大治町(22.6%) 東浦町(26.2%) 武豊町(26.1%)	大口町(24.9%) 一宮町(28.4%)				17
減少	0%以上～10%未満	一宮市(27.0%) 瀬戸市(29.2%) 春日井市(27.4%) 豊川市(27.6%) 津島市(28.7%) 碧南市(27.1%) 豊田市(26.0%) 西尾市(28.2%) 犬山市(30.1%) 江南市(27.8%) 尾西市(27.6%) 稲沢市(26.5%) 東海市(25.5%) 大府市(26.0%) 知多市(28.2%)	岩倉市(27.3%) 師勝町(26.2%) 蟹江町(27.9%) 弥富町(25.1%) 幸田町(28.8%) 田原町(28.3%)	七宝町(27.3%) 美和町(26.7%) 佐屋町(27.2%) 阿久比町(32.3%) 美浜町(27.6%) 小坂井町(30.6%)	春日町(23.9%) 音羽町(31.3%)			29
減少	10%以上～20%未満	名古屋市(28.3%) 蒲郡市(32.7%)	常滑市(31.3%) 新城市(34.1%)	西枇杷島町(30.0%) 豊山町(27.4%) 西春町(27.7%) 清洲町(26.5%) 新川町(29.8%) 祖父江町(32.6%) 平和町(32.6%) 佐織町(29.9%) 吉良町(32.2%) 御津町(31.5%)	立田村(31.3%) 額田町(34.1%)	十四山村(31.7%) 下山村(32.9%)		18
減少	20%以上～30%未満			一色町(34.0%) 渥美町(37.5%)	幡豆町(36.7%)	飛島村(34.7%) 八開村(35.0%) 赤羽根町(35.7%)		6
減少	30%以上～40%未満			南知多町(40.2%)	足助町(41.6%) 鳳来町(45.5%)		小原村(39.3%) 作手村(42.9%)	5
減少	40%以上～50%未満						旭町　(51.3%) 設楽町(49.8%) 富山村(32.1%) 稲武町(49.1%)	4
減少	50%以上～60%未満						東栄町(55.1%) 豊根村(58.0%) 津具村(53.5%)	3
減少	60%以上～70%未満							0
減少	70%以上～80%未満							0
減少	80%以上							0
市町村数		30 (28)	15 (17)	22 (24)	7 (10)	5 (6)	9 (3)	88

岐阜県 (1960～2000年)

（単位：人、%）

人口増減率		人口規模（2000年）5万人以上	3万人以上～5万人未満	1万人以上～3万人未満	5千人以上～1万人未満	3千人以上～5千人未満	3千人未満	市町村数
増加	80%以上	多治見市(14.5%) 各務原市(14.3%) 可児市(12.9%)	穂積町(11.2%)	岐南町(11.8%) 北方町(12.8%) 巣南町(14.0%) 真正町(14.5%)	坂祝町(14.1%)			9
増加	50%以上～80%未満	関市　(15.6%) 羽島市(14.9%) 美濃加茂市(16.3%)		柳津町(13.7%) 神戸町(15.5%) 安八町(14.7%) 大野町(15.8%) 池田町(17.5%) 糸貫町(16.0%) 高富町(15.8%)	川島町(15.1%)			11
増加	20%以上～50%未満	岐阜市(17.6%) 大垣市(16.9%) 高山市(19.6%)		南濃町(16.8%) 垂井町(17.8%) 御嵩町(18.6%)	本巣町(20.9%) 富加町(20.9%) 国府町(24.0%)	墨俣町(20.7%)	宮村　(20.6%)	11
増加	0%以上～20%未満	中津川市(21.0%) 土岐市(20.1%)	瑞浪市(20.2%) 恵那市(20.7%) 養老町(18.4%)	笠松町(17.6%) 海津町(18.0%) 揖斐川町(20.3%) 川辺町(21.5%) 笠原町(17.9%) 萩原町(24.0%) 古川町(23.4%)	平田町(18.7%) 輪之内町(17.9%) 武芸川町(20.8%)	伊自良村(18.7%)		16
減少	0%以上～10%未満			白鳥町(24.2%) 下呂町(24.4%)	関ケ原町(22.4%) 坂下町(27.7%) 福岡町(23.0%)		兼山町(22.6%)	6
減少	10%以上～20%未満			美濃市(23.1%)	大和町(26.1%) 美並村(27.8%) 付知町(25.3%) 明智町(27.0%)	高鷲村(25.9%) 蛭川村(24.1%)		7
減少	20%以上～30%未満			八幡町(28.4%) 八百津町(26.9%)	上石津町(27.2%) 岩村町(27.3%) 山岡町(25.0%)	谷汲村(24.9%) 武儀町(29.5%) 加子母村(29.3%) 丹生川村(24.1%) 久々野町(24.6%)	川上村(29.4%)	11
減少	30%以上～40%未満			白川町(31.5%)	美山町(26.6%) 七宗町(29.5%) 金山町(30.0%)	小坂町(28.5%) 上宝村(25.0%)	洞戸村(29.8%) 和良村(35.3%) 東白川村(32.7%) 清見村(22.8%)	10
減少	40%以上～50%未満						久瀬村(37.4%) 板取村(34.2%) 上之保村(31.2%) 明宝村(30.7%) 上矢作町(36.2%) 馬瀬村(28.6%) 朝日村(29.8%)	7
減少	50%以上～60%未満			神岡町(29.5%)			春日村(38.6%) 串原村(35.3%)	3
減少	60%以上～70%未満						根尾村(33.8%) 荘川村(28.1%) 高根村(29.0%) 河合村(28.8%) 宮川村(31.2%)	5
減少	70%以上～80%未満						坂内村(48.6%) 白川村(21.1%)	2
減少	80%以上						藤橋村(26.5%)	1
市町村数		11 (6)	4 (6)	28 (26)	21 (33)	11 (20)	24 (8)	99

岐阜県　(2000〜2030年)

(単位：人、%)

人口増減率		人口規模（2030年）						市町村数
		5万人以上	3万人以上〜5万人未満	1万人以上〜3万人未満	5千人以上〜1万人未満	3千人以上〜5千人未満	3千人未満	
増加	80%以上							0
	50%以上〜80%未満							0
	20%以上〜50%未満							0
	0%以上〜20%未満	美濃加茂市(29.2%) 可児市(30.6%)	穂積町(23.0%)	川島町(26.1%) 柳津町(20.8%) 大野町(27.8%) 巣南町(24.4%) 真正町(24.1%)				8
減少	0%以上〜10%未満	多治見市(31.2%) 関市　(30.6%) 羽島市(27.8%) 各務原市(28.6%)		岐南町(23.7%) 笠松町(25.7%) 神戸町(28.5%) 安八町(27.5%) 池田町(29.5%) 北方町(25.7%) 糸貫町(27.6%) 古川町(33.7%)	輪之内町(27.4%) 坂祝町(27.1%)			14
	10%以上〜20%未満	大垣市(28.7%) 高山市(31.3%) 土岐市(34.9%)	中津川市(33.4%) 瑞浪市(33.7%)	恵那市(35.3%) 海津町(33.4%) 南濃町(33.0%) 養老町(33.2%) 垂井町(31.8%) 揖斐川町(34.5%) 高富町(33.0%) 白鳥町(33.9%) 御嵩町(37.2%)	平田町(30.3%) 武芸川町(34.6%) 富加町(35.6%) 川辺町(37.2%) 笠原町(29.6%) 福岡町(37.3%) 萩原町(35.5%) 国府町(38.4%)	高鷲村(33.0%) 蛭川村(36.7%) 岩村町(35.1%) 丹生川村(33.6%) 久々野町(34.4%)	伊自良村(33.2%) 清見村(36.8%) 白川村(34.3%) 宮村　(34.6%)	31
	20%以上〜30%未満	岐阜市(29.8%)		美濃市(38.0%)	関ヶ原町(38.0%) 本巣町(34.7%) 大和町(33.6%) 付知町(36.1%)	上石津町(37.8%) 墨俣町(32.8%) 谷汲村(33.6%) 坂下町(38.7%) 山岡町(40.7%) 上宝村(36.6%)	明宝村(37.4%) 川上村(34.2%) 加子母村(37.4%) 馬瀬村(36.9%) 荘川村(35.0%) 朝日村(34.4%)	18
	30%以上〜40%未満			八幡町(45.8%) 下呂町(36.7%)	美山町(39.6%) 八百津町(38.9%) 白川町(43.7%) 金山町(43.3%) 神岡町(44.6%)	美並村(44.5%) 七宗町(46.8%) 明智町(44.1%)	藤橋村(38.0%) 洞戸村(44.7%) 武儀町(42.1%) 上之保村(45.0%) 東白川村(44.9%) 兼山町(44.3%) 小坂町(39.5%) 高根村(37.9%) 河合村(41.4%) 宮川村(36.8%)	20
	40%以上〜50%未満						春日村(41.2%) 久瀬村(40.4%) 根尾村(43.1%) 板取村(44.6%) 和良村(51.4%) 串原村(47.6%) 上矢作町(44.5%)	7
	50%以上〜60%未満						坂内村(45.8%)	1
	60%以上〜70%未満							0
	70%以上〜80%未満							0
	80%以上							0
市町村数		10 (11)	3 (4)	25 (28)	19 (21)	14 (11)	28 (24)	99

三 重 県 (1960～2000年)

(単位：人、%)

人口増減率		人口規模(2000年) 5万人以上	3万人以上～5万人未満	1万人以上～3万人未満	5千人以上～1万人未満	3千人以上～5千人未満	3千人未満	市町村数
増加	80%以上	鈴鹿市(14.3%) 名張市(14.9%)	菰野町(17.6%)	長島町(17.1%) 東員町(13.2%)	木曽岬町(13.5%)			6
	50%以上～80%未満	桑名市(15.5%)		河芸町(18.0%) 小俣町(16.4%)	御薗村(16.8%)	鵜殿村(18.0%)		5
	20%以上～50%未満	津市 (17.5%) 四日市市(15.9%) 松阪市(19.3%)	亀山市(18.3%) 久居市(19.2%)	大安町(17.1%) 川越町(15.6%) 安濃町(18.5%) 一志町(19.1%) 嬉野町(21.2%) 三雲町(17.8%) 明和町(20.1%) 玉城町(18.6%) 青山町(19.0%) 阿児町(20.7%)	員弁町(16.4%) 朝日町(17.3%)			17
	0%以上～20%未満	伊勢市(21.4%) 上野市(22.9%)		多度町(20.0%) 北勢町(20.8%) 楠町 (16.6%) 伊賀町(22.6%)	二見町(18.9%)			7
減少	0%以上～10%未満			白山町(25.5%) 多気町(22.7%)	芸濃町(24.0%) 香良洲町(21.3%) 度会町(22.2%) 阿山町(24.0%) 紀宝町(26.8%)			7
	10%以上～20%未満			鳥羽市(22.5%) 志摩町(24.7%)	関町 (23.8%) 大台町(26.5%) 大山田村(28.3%) 浜島町(24.4%) 磯部町(23.6%)	美里村(25.0%)	島ヶ原村(30.5%)	9
	20%以上～30%未満			紀伊長島町(27.1%) 海山町(30.3%) 御浜町(29.5%)	藤原町(25.8%) 勢和村(26.9%) 大王町(27.7%)			6
	30%以上～40%未満			尾鷲市(26.6%) 熊野市(28.3%) 南勢町(30.1%)	飯南町(30.6%) 大宮町(28.3%)	紀勢町(32.3%)		6
	40%以上～50%未満				南島町(32.5%)		大内山村(33.7%)	2
	50%以上～60%未満				美杉村(38.2%) 飯高町(34.9%)	宮川村(37.4%)		3
	60%以上～70%未満							0
	70%以上～80%未満						紀和町(49.7%)	1
	80%以上							0
市町村数		8 (7)	3 (5)	28 (26)	23 (27)	4 (3)	3 (1)	69

三重県 (2000～2030年)

（単位：人、％）

人口増減率		人口規模（2030年）						市町村数
		5万人以上	3万人以上～5万人未満	1万人以上～3万人未満	5千人以上～1万人未満	3千人以上～5千人未満	3千人未満	
増加	80%以上							0
	50%以上～80%未満							0
	20%以上～50%未満							0
	0%以上～20%未満	桑名市(26.8%) 鈴鹿市(26.3%) 名張市(33.6%)	菰野町(27.6%)	川越町(21.4%) 河芸町(25.1%) 三雲町(27.1%) 玉城町(28.3%) 阿児町(34.2%)				9
減少	0%以上～10%未満	津市　(29.7%) 四日市市(28.5%) 松阪市(29.9%)	久居市(32.3%)	長島町(28.9%) 大安町(27.9%) 東員町(31.5%) 楠町　(25.1%) 安濃町(31.1%) 多気町(31.7%) 明和町(30.6%) 小俣町(29.3%)	御薗村(26.6%)	鵜殿村(31.3%)		14
	10%以上～20%未満	上野市(34.9%)	亀山市(32.2%)	北勢町(31.4%) 一志町(35.1%) 嬉野町(34.9%) 青山町(37.0%)	木曽岬町(34.3%) 員弁町(29.5%) 朝日町(28.2%) 二見町(29.5%) 度会町(35.5%) 伊賀町(34.7%) 阿山町(33.1%) 御浜町(41.0%)			14
	20%以上～30%未満	伊勢市(35.5%)			多度町(32.3%) 関町　(37.1%) 芸濃町(38.4%) 大台町(40.0%) 紀宝町(40.6%)	美里村(40.7%) 香良洲町(33.1%) 勢和村(39.1%) 大山田村(40.0%)		10
	30%以上～40%未満			熊野市(39.6%)	白山町(40.9%) 大王町(46.0%) 磯部町(37.5%)	藤原町(38.4%) 飯南町(43.3%) 大宮町(43.3%) 浜島町(39.7%)	大内山村(40.4%) 鳥ケ原村(48.8%)	10
	40%以上～50%未満			尾鷲市(42.5%) 鳥羽市(40.8%)	南勢町(46.6%) 志摩町(41.7%) 紀伊長島町(41.5%) 海山町(47.7%)	美杉村(50.4%)	宮川村(45.3%) 紀勢町(50.9%)	9
	50%以上～60%未満					南島町(50.6%)	飯高町(50.9%) 紀和町(53.0%)	3
	60%以上～70%未満							0
	70%以上～80%未満							0
	80%以上							0
市町村数		8 (8)	3 (3)	20 (28)	21 (23)	11 (4)	6 (3)	69

滋賀県 (1960~2000年)

(単位：人、%)

人口増減率		人口規模 (2000年)						市町村数
		5万人以上	3万人以上~5万人未満	1万人以上~3万人未満	5千人以上~1万人未満	3千人以上~5千人未満	3千人未満	
増加	80%以上	大津市(14.9%) 草津市(11.3%) 守山市(12.8%) 栗東町(10.5%)	野洲町(12.8%) 甲西町(10.2%)	志賀町(17.0%) 石部町(11.6%) 甲南町(15.9%)				9
増加	50%以上~ 80%未満	近江八幡市(16.1%)	水口町(15.3%)	蒲生町(15.5%) 竜王町(15.7%)				4
増加	20%以上~ 50%未満	彦根市(16.1%) 長浜市(17.1%)	八日市市(15.8%)	中主町(19.1%) 安土町(17.7%) 五個荘町(18.7%) 能登川町(17.0%) 愛知川町(15.3%) 今津町(21.1%)				9
増加	0%以上~ 20%未満			信楽町(21.3%) 日野町(22.1%) 山東町(21.8%) 浅井町(21.5%) 高月町(19.5%) 安曇川町(21.9%) 新旭町(19.8%)	近江町(19.8%) 高島町(23.9%)			9
減少	0%以上~ 10%未満			甲賀町(24.0%)	土山町(21.7%) 愛東町(25.6%) 湖東町(21.9%) 秦荘町(22.2%) 豊郷町(20.5%) 甲良町(19.9%) 虎姫町(20.1%) 湖北町(20.9%) びわ町(23.2%)			10
減少	10%以上~ 20%未満			米原町(22.1%)	多賀町(23.7%) 伊吹町(23.4%) マキノ町(25.2%)	西浅井町(24.4%)		5
減少	20%以上~ 30%未満				永源寺町(24.9%) 木之本町(24.7%)			2
減少	30%以上~ 40%未満					余呉町(28.0%)		1
減少	40%以上~ 50%未満						朽木村(29.5%)	1
減少	50%以上~ 60%未満							0
減少	60%以上~ 70%未満							0
減少	70%以上~ 80%未満							0
減少	80%以上							0
市町村数		7 (2)	4 (3)	20 (19)	16 (24)	2 (2)	1 (0)	50

滋賀県　(2000～2030年)

（単位：人、%）

人口増減率		人口規模（2030年） 5万人以上	3万人以上~5万人未満	1万人以上~3万人未満	5千人以上~1万人未満	3千人以上~5千人未満	3千人未満	市町村数
増加	80%以上							0
増加	50%以上~80%未満	草津市(17.8%)						1
増加	20%以上~50%未満	長浜市(21.0%) 守山市(22.2%) 栗東町(19.3%)	志賀町(28.2%)	石部町(23.9%) 蒲生町(22.8%) 愛知川町(21.1%)				7
増加	0%以上~20%未満	大津市(27.4%) 彦根市(22.2%)	八日市市(26.5%) 野洲町(25.1%) 甲西町(24.2%) 水口町(25.4%)	中主町(26.0%) 甲南町(29.7%) 竜王町(26.4%) 五個荘町(25.1%) 能登川町(28.5%) 山東町(28.4%) 近江町(26.8%) 新旭町(29.0%)				14
減少	0%以上~10%未満	近江八幡市(27.1%)		安土町(29.8%) 日野町(30.6%) 米原町(29.4%) 浅井町(29.0%)	湖東町(29.2%) 高島町(34.6%)			7
減少	10%以上~20%未満			甲賀町(30.8%) 信楽町(31.7%) 今津町(34.6%) 安曇川町(33.8%)	土山町(32.6%) 永源寺町(35.1%) 秦荘町(31.4%) 豊郷町(32.0%) 伊吹町(32.6%) 湖北町(32.1%) びわ町(34.4%) 高月町(31.7%)	虎姫町(31.1%)	朽木村(34.4%)	14
減少	20%以上~30%未満				甲良町(30.5%) 多賀町(34.1%) 木之本町(33.8%)	愛東町(35.1%) 西浅井町(34.3%) マキノ町(37.1%)		6
減少	30%以上~40%未満						余呉町(37.8%)	1
減少	40%以上~50%未満							0
減少	50%以上~60%未満							0
減少	60%以上~70%未満							0
減少	70%以上~80%未満							0
減少	80%以上							0
市町村数		7 (7)	5 (4)	19 (20)	13 (16)	4 (2)	2 (1)	50

京都府 (1960~2000年)

(単位：人、%)

人口増減率		人口規模 (2000年)						市町村数
		5万人以上	3万人以上~5万人未満	1万人以上~3万人未満	5千人以上~1万人未満	3千人以上~5千人未満	3千人未満	
増加	80%以上	宇治市(13.9%) 亀岡市(14.1%) 城陽市(13.8%) 向日市(13.9%) 長岡京市(13.8%) 八幡市(13.0%) 京田辺市(12.9%)	木津町(11.5%)	大山崎町(15.4%) 久御山町(13.7%) 精華町(13.3%)				11
増加	50%以上~80%未満			加茂町(16.6%)				1
増加	20%以上~50%未満				宇治田原町(18.2%)			1
増加	0%以上~20%未満	京都市(17.2%) 福知山市(19.9%)		園部町(19.9%) 大宮町(21.8%)	井手町(18.7%) 山城町(19.6%) 丹波町(24.8%) 岩滝町(23.0%)			8
減少	0%以上~10%未満	舞鶴市(21.3%)		野田川町(24.0%)		南山城村(24.6%)		3
減少	10%以上~20%未満			峰山町(23.6%) 網野町(23.3%)	八木町(25.8%) 弥栄町(27.2%)			4
減少	20%以上~30%未満		綾部市(28.2%)	久美浜町(30.2%)	和束町(24.8%) 日吉町(28.3%) 加悦町(26.1%)			5
減少	30%以上~40%未満			宮津市(28.3%)	京北町(30.5%) 瑞穂町(30.7%) 丹後町(28.7%)	三和町(32.3%)	笠置町(26.6%)	6
減少	40%以上~50%未満				美山町(33.0%) 大江町(35.8%)	和知町(36.8%) 夜久野町(35.1%)		4
減少	50%以上~60%未満					伊根町(37.3%)		1
減少	60%以上~70%未満							0
減少	70%以上~80%未満							0
減少	80%以上							0
市町村数		10 (4)	2 (3)	11 (17)	15 (17)	5 (3)	1 (0)	44

京都府 (2000～2030年)

(単位：人、%)

人口増減率		人口規模 (2030年) 5万人以上	3万人以上～5万人未満	1万人以上～3万人未満	5千人以上～1万人未満	3千人以上～5千人未満	3千人未満	市町村数
増加	80%以上							0
	50%以上～80%未満	木津町(22.8%)						1
	20%以上～50%未満	京田辺市(23.6%)	精華町(25.4%)					2
	0%以上～20%未満	福知山市(25.8%)			宇治田原町(30.8%) 山城町(30.3%)			3
減少	0%以上～10%未満	京都市(28.3%) 宇治市(29.0%) 亀岡市(30.2%)		園部町(27.7%)	井手町(30.0%) 大宮町(29.6%)			6
	10%以上～20%未満	舞鶴市(28.8%) 城陽市(31.2%) 長岡京市(31.9%) 八幡市(34.1%)	向日市(30.0%)	加茂町(36.7%)	岩滝町(31.7%) 野田川町(31.8%)			8
	20%以上～30%未満			綾部市(36.0%) 大山崎町(32.4%) 久御山町(32.7%) 峰山町(34.5%)	八木町(38.0%) 丹波町(34.8%) 加悦町(37.4%) 久美浜町(40.1%)	日吉町(36.9%) 弥栄町(35.6%)		10
	30%以上～40%未満			宮津市(37.9%) 網野町(35.9%)		和束町(44.2%) 京北町(46.1%) 美山町(43.6%) 瑞穂町(38.1%) 三和町(41.1%) 夜久野町(44.5%) 大江町(41.3%) 丹後町(41.0%)	南山城村(48.6%) 和知町(42.8%)	12
	40%以上～50%未満						笠置町(43.8%) 伊根町(46.8%)	2
	50%以上～60%未満							0
	60%以上～70%未満							0
	70%以上～80%未満							0
	80%以上							0
市町村数		10 (10)	2 (2)	8 (11)	10 (15)	10 (5)	4 (1)	44

奈良県 (1960〜2000年)

(単位：人、%)

人口増減率		人口規模 (2000年)						市町村数
		5万人以上	3万人以上〜5万人未満	1万人以上〜3万人未満	5千人以上〜1万人未満	3千人以上〜5千人未満	3千人未満	
増加	80%以上	奈良市(15.6%) 大和郡山市(15.8%) 橿原市(14.2%) 生駒市(13.4%) 香芝市(12.9%)	広陵町(13.3%)	平群町(17.3%) 三郷町(18.1%) 斑鳩町(15.8%) 新庄町(15.8%) 當麻町(16.5%) 上牧町(13.8%) 王寺町(14.7%) 河合町(17.3%)				14
	50%以上〜80%未満	大和高田市(14.5%)	田原本町(17.0%)		安堵町(15.8%) 三宅町(17.4%)			4
	20%以上〜50%未満	天理市(15.8%) 桜井市(18.4%)		榛原町(19.0%) 大淀町(19.1%)	都祁村(21.5%) 川西町(18.4%)			6
	0%以上〜20%未満		五條市(20.7%)					1
減少	0%以上〜10%未満		御所市(22.2%)		明日香村(23.9%)			2
	10%以上〜20%未満				高取町(24.7%)			1
	20%以上〜30%未満				大宇陀町(24.0%)	山添村(31.1%)	月ケ瀬村(31.8%)	3
	30%以上〜40%未満			吉野町(29.0%)	室生村(29.2%)	菟田野町(23.9%)		3
	40%以上〜50%未満				下市町(28.4%)	西吉野村(31.5%)	曽爾村(30.0%)	3
	50%以上〜60%未満						御杖村(34.3%) 黒滝村(37.7%)	2
	60%以上〜70%未満					十津川村(34.4%)	天川村(38.2%) 下北山村(38.4%) 川上村(39.1%) 東吉野村(38.9%)	5
	70%以上〜80%未満						野迫川村(35.4%) 大塔村(34.0%) 上北山村(29.1%)	3
	80%以上							0
市町村数		8 (2)	4 (6)	11 (12)	9 (17)	4 (6)	11 (4)	47

奈良県 (2000～2030年)

(単位：人、%)

人口増減率		人口規模 (2030年) 5万人以上	3万人以上～5万人未満	1万人以上～3万人未満	5千人以上～1万人未満	3千人以上～5千人未満	3千人未満	市町村数
増加	80%以上							0
増加	50%以上～80%未満							0
増加	20%以上～50%未満	香芝市(25.5%)						1
増加	0%以上～20%未満	生駒市(28.8%)	広陵町(28.8%)	當麻町(29.7%)				3
減少	0%以上～10%未満	奈良市(30.6%) 大和高田市(28.9%) 橿原市(28.9%)		新庄町(29.8%) 上牧町(29.8%)				5
減少	10%以上～20%未満	大和郡山市(31.5%) 天理市(27.0%)		平群町(36.5%) 三郷町(31.9%) 斑鳩町(31.3%) 田原本町(33.0%) 王寺町(30.7%) 河合町(33.5%)	安堵町(31.8%)			9
減少	20%以上～30%未満		桜井市(34.8%)	五條市(35.4%) 御所市(35.9%) 大淀町(36.9%)	都祁村(39.3%) 川西町(35.7%) 三宅町(34.3%) 高取町(40.0%)	明日香村(40.5%)		9
減少	30%以上～40%未満			榛原町(43.6%)		山添村(47.7%)	月ケ瀬村(44.8%) 上北山村(34.1%)	4
減少	40%以上～50%未満				大宇陀町(42.9%) 吉野町(46.1%)	室生村(46.2%) 下市町(42.7%)	菟田野町(41.6%) 曽爾村(44.5%) 西吉野村(42.1%) 野迫川村(37.3%) 大塔村(40.1%)	9
減少	50%以上～60%未満						御杖村(49.3%) 黒滝村(45.6%) 十津川村(44.4%) 下北山村(42.0%) 川上村(55.4%) 東吉野村(54.4%)	6
減少	60%以上～70%未満						天川村(55.7%)	1
減少	70%以上～80%未満							0
減少	80%以上							0
市町村数		7 (8)	2 (4)	13 (11)	7 (9)	4 (4)	14 (11)	47

和歌山県 （1960～2000年）

（単位：人、%）

人口増減率		人口規模（2000年）						市町村数
		5万人以上	3万人以上~5万人未満	1万人以上~3万人未満	5千人以上~1万人未満	3千人以上~5千人未満	3千人未満	
増加	80%以上		岩出町(11.5%)	貴志川町(15.1%)				2
増加	50%以上~80%未満	橋本市(16.5%)		上富田町(17.0%)				2
増加	20%以上~50%未満	和歌山市(18.6%)		打田町(20.2%)				2
増加	0%以上~20%未満	田辺市(20.2%)		高野口町(21.3%) 吉備町(20.2%) 白浜町(23.7%)	美浜町(24.5%)			5
減少	0%以上~10%未満		有田市(20.5%)	御坊市(21.9%) 湯浅町(22.4%)	広川町(21.2%) 川辺町(23.8%)			5
減少	10%以上~20%未満		海南市(24.5%) 新宮市(24.2%)	下津町(23.9%) 粉河町(23.3%) かつらぎ町(24.9%)	野上町(28.4%) 桃山町(24.5%) 日高町(24.8%) 由良町(23.6%) 南部川村(24.1%) 南部町(22.9%)	太地町(30.9%)		12
減少	20%以上~30%未満			串本町(29.9%) 那智勝浦町(27.0%)	那賀町(24.8%) 九度山町(27.0%) 金屋町(29.0%) 印南町(26.4%)			6
減少	30%以上~40%未満							0
減少	40%以上~50%未満				高野町(27.9%) すさみ町(34.4%) 古座町(33.0%)	龍神村(33.9%) 大塔村(30.8%) 日置川町(32.7%)	中津村(32.3%)	7
減少	50%以上~60%未満				清水町(38.8%)	美里町(41.1%) 中辺路町(35.1%) 古座川町(42.6%) 本宮町(37.3%)	北山村(40.9%)	6
減少	60%以上~70%未満						花園村(37.3%) 美山村(39.3%) 熊野川町(36.6%)	3
減少	70%以上~80%未満							0
減少	80%以上							0
市町村数		3 (3)	4 (4)	13 (18)	17 (21)	8 (2)	5 (2)	50

和歌山県　**(2000～2030年)**

(単位：人、%)

人口増減率		人　口　規　模 (2030年)						市町村数
		5万人以上	3万人以上~5万人未満	1万人以上~3万人未満	5千人以上~1万人未満	3千人以上~5千人未満	3千人未満	
増加	80%以上							0
	50%以上～80%未満							0
	20%以上～50%未満	岩出町(22.5%)						1
	0%以上～20%未満			打田町(30.1%) 貴志川町(29.9%) 上富田町(28.6%)				3
減少	0%以上～10%未満	田辺市(32.6%)		吉備町(30.3%)	桃山町(33.0%)			3
	10%以上～20%未満		橋本市(35.6%)	御坊市(29.2%) 粉河町(32.1%) 白浜町(35.4%)	美浜町(36.2%) 日高町(35.5%) 川辺町(34.1%) 南部川村(31.2%) 南部町(30.9%)			9
	20%以上～30%未満	和歌山市(33.3%)	海南市(37.4%)	有田市(32.5%) 新宮市(35.0%) 下津町(37.2%) 高野口町(35.8%) 湯浅町(32.3%) 那智勝浦町(40.2%)	那賀町(37.7%) 広川町(35.7%) 金屋町(38.5%) 印南町(36.9%)	日置川町(41.8%) すさみ町(40.3%)	大塔村(33.5%)	15
	30%以上～40%未満			かつらぎ町(38.7%) 串本町(46.8%)	野上町(42.4%) 由良町(34.7%)	龍神村(39.7%) 古座町(49.5%)	中津村(37.1%) 美山村(38.0%) 中辺路町(39.6%) 太地町(39.8%) 熊野川町(39.4%) 本宮町(41.2%)	12
	40%以上～50%未満					九度山町(42.5%) 清水町(40.1%)	美里町(45.6%) 高野町(38.3%) 花園村(45.2%) 古座川町(51.3%)	6
	50%以上～60%未満						北山村(49.6%)	1
	60%以上～70%未満							0
	70%以上～80%未満							0
	80%以上							0
市町村数		3 (3)	2 (4)	15 (13)	12 (17)	6 (8)	12 (5)	50

大 阪 府 (1960～2000年)

（単位：人、%）

人口増減率		人口規模（2000年）						市町村数
		5万人以上	3万人以上~5万人未満	1万人以上~3万人未満	5千人以上~1万人未満	3千人以上~5千人未満	3千人未満	
増加	80%以上	堺市 (14.8%) 豊中市(14.4%) 吹田市(12.9%) 高槻市(14.4%) 枚方市(12.4%) 茨木市(12.4%) 八尾市(14.8%) 富田林市(13.7%) 寝屋川市(12.6%) 河内長野市(15.1%) 松原市(14.5%) 大東市(12.3%) 和泉市(12.7%) 箕面市(13.4%) 柏原市(13.4%) 羽曳野市(15.3%) 門真市(12.4%) 摂津市(11.6%) 高石市(15.4%) 藤井寺市(15.5%) 泉南市(14.4%) 四條畷市(12.1%) 交野市(11.9%) 大阪狭山市(13.4%) 阪南市(13.6%)	島本町(13.3%) 熊取町(12.5%) 美原町(15.2%)	豊能町(14.2%) 太子町(13.9%) 河南町(16.8%)				31
	50%以上~80%未満	岸和田市(15.5%) 池田市(15.0%) 泉大津市(13.8%) 泉佐野市(15.6%) 東大阪市(14.6%)						5
	20%以上~50%未満	貝塚市(15.5%) 守口市(15.3%)		能勢町(19.0%) 忠岡町(16.6%)	千早赤阪村(19.9%)			5
	0%以上~20%未満			岬町 (21.5%)				1
減少	0%以上~10%未満							0
	10%以上~20%未満	大阪市(17.1%)			田尻町(19.0%)			2
	20%以上~30%未満							0
	30%以上~40%未満							0
	40%以上~50%未満							0
	50%以上~60%未満							0
	60%以上~70%未満							0
	70%以上~80%未満							0
	80%以上							0
市町村数		33 (16)	3 (11)	6 (10)	2 (6)	0 (1)	0 (0)	44

大阪府 (2000～2030年)

(単位：人、%)

人口増減率		人口規模 (2030年)						市町村数
		5万人以上	3万人以上~5万人未満	1万人以上~3万人未満	5千人以上~1万人未満	3千人以上~5千人未満	3千人未満	
増加	80%以上							0
増加	50%以上～80%未満							0
増加	20%以上～50%未満	泉大津市(22.1%)		太子町(25.4%)				2
増加	0%以上～20%未満	岸和田市(26.0%) 貝塚市(26.4%) 泉佐野市(22.6%) 富田林市(29.2%) 和泉市(25.2%) 泉南市(25.5%) 交野市(26.7%) 阪南市(28.6%)	熊取町(25.7%)	忠岡町(26.1%) 河南町(29.2%)				11
減少	0%以上～10%未満	河内長野市(33.4%) 羽曳野市(29.1%) 高石市(26.1%) 四條畷市(26.0%) 大阪狭山市(32.0%)		能勢町(34.1%)	田尻町(26.8%)			7
減少	10%以上～20%未満	大阪市(26.5%) 堺市　(30.8%) 吹田市(27.0%) 高槻市(32.2%) 枚方市(30.6%) 茨木市(28.9%) 八尾市(29.7%) 松原市(30.0%) 大東市(26.6%) 箕面市(29.8%) 柏原市(27.8%) 藤井寺市(29.3%) 東大阪市(27.1%)	美原町(33.1%)	島本町(32.8%) 豊能町(37.1%)				16
減少	20%以上～30%未満	豊中市(29.8%) 池田市(30.3%) 寝屋川市(29.9%) 門真市(28.3%) 摂津市(28.3%)			千早赤阪村(41.9%)			6
減少	30%以上～40%未満	守口市(30.5%)		岬町(38.3%)				2
減少	40%以上～50%未満							0
減少	50%以上～60%未満							0
減少	60%以上～70%未満							0
減少	70%以上～80%未満							0
減少	80%以上							0
市町村数		33 (33)	2 (3)	7 (6)	2 (2)	0 (0)	0 (0)	44

兵 庫 県 (1960～2000年)

(単位：人、%)

人口増減率		人口規模 (2000年)						市町村数
		5万人以上	3万人以上~5万人未満	1万人以上~3万人未満	5千人以上~1万人未満	3千人以上~5千人未満	3千人未満	
増加	80%以上	明石市(14.7%) 伊丹市(13.1%) 加古川市(13.6%) 宝塚市(15.3%) 三木市(17.3%) 川西市(16.3%) 三田市(11.7%)	播磨町(13.1%) 太子町(13.1%)	猪名川町(14.9%) 香寺町(15.4%)				11
	50%以上~80%未満	西宮市(14.6%) 高砂市(14.3%)	稲美町(15.1%)	夢前町(16.6%) 揖保川町(16.8%)				5
	20%以上~50%未満	神戸市(16.9%) 姫路市(15.7%) 芦屋市(18.4%) 赤穂市(19.1%)	小野市(17.4%)	滝野町(16.5%) 福崎町(19.6%)	柏原町(18.2%)			8
	0%以上~20%未満	尼崎市(16.3%) 加西市(20.1%)	豊岡市(20.4%) 龍野市(18.2%)	社町 (17.2%) 新宮町(19.9%) 御津町(18.7%) 上郡町(21.6%)	吉川町(23.1%) 安富町(19.9%) 緑町 (20.9%)			11
減少	0%以上~10%未満		相生市(21.6%)	中町 (22.1%) 市川町(22.1%) 山崎町(20.8%) 和田山町(23.3%) 氷上町(24.4%) 三原町(23.7%)	東条町(24.4%)			8
	10%以上~20%未満		洲本市(22.8%) 西脇市(20.3%) 篠山市(24.4%)	香住町(22.7%) 日高町(25.7%) 出石町(24.4%) 八鹿町(27.1%) 春日町(27.3%) 山南町(25.4%) 市島町(25.3%) 津名町(24.6%)	加美町(24.3%) 八千代町(22.6%) 黒田庄町(21.8%) 家島町(15.8%) 神崎町(23.7%) 東浦町(24.8%)			17
	20%以上~30%未満			一宮町〈宍粟郡〉(25.3%) 浜坂町(25.8%) 五色町(27.0%) 西淡町(24.0%) 南淡町(25.7%)	大河内町(26.3%) 佐用町(29.3%) 竹野町(27.9%) 村岡町(31.8%) 養父町(28.8%) 山東町(27.6%) 朝来町(30.1%) 青垣町(27.6%)	南光町(28.3%) 三日月町(29.7%) 波賀町(28.0%) 城崎町(26.2%)		17
	30%以上~40%未満			北淡町(30.0%)	上月町(29.3%) 但東町(32.6%) 温泉町(29.0%) 淡路町(25.9%) 一宮町〈津名郡〉(30.1%)	千種町(28.9%) 関宮町(29.5%)		8
	40%以上~50%未満							0
	50%以上~60%未満				生野町(28.3%)	大屋町(34.8%)		2
	60%以上~70%未満						美方町(37.2%)	1
	70%以上~80%未満							0
	80%以上							0
市町村数		15 (11)	10 (11)	30 (39)	25 (25)	7 (2)	1 (0)	88

兵庫県 (2000～2030年)

（単位：人、％）

人口増減率		人口規模（2030年）						市町村数
		5万人以上	3万人以上～5万人未満	1万人以上～3万人未満	5千人以上～1万人未満	3千人以上～5千人未満	3千人未満	
増加	80%以上							0
増加	50%以上～80%未満							0
増加	20%以上～50%未満	三田市(27.7%)	猪名川町(32.3%)	滝野町(24.0%)				3
増加	0%以上～20%未満	姫路市(24.8%) 加古川市(26.9%) 赤穂市(27.6%) 宝塚市(27.6%) 川西市(29.4%) 小野市(28.5%)	篠山市(32.4%) 太子町(25.8%)	社町　(26.2%) 和田山町(29.3%) 柏原町(28.0%) 氷上町(36.5%)	吉川町(34.4%)			13
減少	0%以上～10%未満	神戸市(28.2%) 明石市(27.0%) 西宮市(26.2%) 伊丹市(25.8%) 三木市(34.4%)	龍野市(28.6%) 西脇市(31.0%) 加西市(29.8%) 稲美町(29.0%) 播磨町(28.0%)	福崎町(30.4%) 揖保川町(31.2%) 出石町(35.3%) 五色町(32.1%)	東条町(36.4%) 家島町(23.7%) 安富町(31.4%) 東浦町(34.5%) 緑町　(28.0%)			19
減少	10%以上～20%未満	芦屋市(33.7%) 高砂市(27.6%)	豊岡市(32.0%)	中町　(35.2%) 夢前町(33.8%) 市川町(34.7%) 香寺町(31.4%) 新宮町(29.8%) 御津町(33.9%) 上郡町(35.9%) 山崎町(31.1%) 日高町(37.3%) 春日町(35.3%) 山南町(34.5%) 津名町(34.6%) 三原町(35.7%)	加美町(34.8%) 八千代町(33.8%) 黒田庄町(36.7%) 神崎町(34.9%) 養父町(35.9%) 市島町(33.5%)			22
減少	20%以上～30%未満	尼崎市(24.8%)	洲本市(35.0%)	相生市(34.9%) 香住町(35.4%) 南淡町(36.6%)	佐用町(42.1%) 一宮町〈宍粟郡〉(39.9%) 浜坂町(40.1%) 温泉町(39.2%) 八鹿町(40.4%) 山東町(37.0%) 朝来町(40.8%) 青垣町(35.9%) 北淡町(39.3%) 一宮町〈津名郡〉(39.7%) 西淡町(35.7%)	大河内町(37.6%) 上月町(39.3%) 竹野町(39.8%) 但東町(41.0%)		20
減少	30%以上～40%未満					南光町(42.5%) 波賀町(42.1%) 城崎町(38.6%) 村岡町(45.4%) 大屋町(42.9%) 関宮町(44.2%) 生野町(41.0%) 淡路町(35.9%)	三日月町(41.3%) 千種町(39.4%) 美方町(44.4%)	11
減少	40%以上～50%未満							0
減少	50%以上～60%未満							0
減少	60%以上～70%未満							0
減少	70%以上～80%未満							0
減少	80%以上							0
市町村数		15 (15)	10 (10)	25 (30)	23 (25)	12 (7)	3 (1)	88

鳥 取 県　(1960～2000年)

（単位：人、%）

人口増減率		人口規模（2000年） 5万人以上	3万人以上～5万人未満	1万人以上～3万人未満	5千人以上～1万人未満	3千人以上～5千人未満	3千人未満	市町村数
増加	80%以上							0
増加	50%以上～80%未満							0
増加	20%以上～50%未満	鳥取市(17.4%) 米子市(19.0%)					日吉津村(21.3%)	3
増加	0%以上～20%未満		境港市(21.0%)		羽合町(22.3%) 北条町(21.8%) 岸本町(22.0%) 淀江町(23.8%)			5
減少	0%以上～10%未満		倉吉市(23.4%)	気高町(23.5%)	国府町(22.6%) 西伯町(26.4%)	福部村(19.3%) 会見町(24.5%)		6
減少	10%以上～20%未満			郡家町(23.0%) 東伯町(26.1%)	大栄町(24.3%)			3
減少	20%以上～30%未満			岩美町(25.8%)	河原町(25.5%) 青谷町(28.0%) 東郷町(26.6%) 三朝町(29.1%) 赤碕町(27.0%) 大山町(27.1%) 名和町(30.5%) 中山町(28.4%)	船岡町(24.9%) 用瀬町(26.9%) 鹿野町(27.8%)		12
減少	30%以上～40%未満				八東町(27.3%) 智頭町(29.1%) 溝口町(31.5%)	泊村　(26.6%) 関金町(27.1%)		5
減少	40%以上～50%未満					若桜町(32.4%) 日野町(33.4%) 江府町(33.0%)	佐治村(32.6%)	4
減少	50%以上～60%未満				日南町(40.2%)			1
減少	60%以上～70%未満							0
減少	70%以上～80%未満							0
減少	80%以上							0
市町村数		2 (3)	2 (1)	4 (11)	19 (19)	10 (4)	2 (1)	39

鳥 取 県　**(2000～2030年)**

（単位：人、％）

人口増減率		人口規模（2030年）						市町村数
		5万人以上	3万人以上～5万人未満	1万人以上～3万人未満	5千人以上～1万人未満	3千人以上～5千人未満	3千人未満	
増加	80%以上							0
	50%以上～80%未満							0
	20%以上～50%未満							0
	0%以上～20%未満	鳥取市(26.7%) 米子市(27.4%)			羽合町(28.9%)	日吉津村(27.1%)		4
減少	0%以上～10%未満				岸本町(34.2%)	会見町(30.9%)		2
	10%以上～20%未満		境港市(30.5%)		国府町(34.1%) 郡家町(36.5%) 北条町(35.5%) 淀江町(34.5%)		福部村(32.9%)	6
	20%以上～30%未満		倉吉市(34.7%)		河原町(38.4%) 気高町(37.7%) 東郷町(36.3%) 大栄町(39.0%) 西伯町(37.4%) 名和町(46.2%)	鹿野町(42.5%)	泊村　(34.1%)	9
	30%以上～40%未満				岩美町(39.6%) 青谷町(40.9%) 三朝町(41.1%) 東伯町(37.4%) 赤碕町(39.7%)	船岡町(38.7%) 八東町(41.8%) 大山町(39.7%) 中山町(42.5%) 溝口町(42.6%)	用瀬町(43.6%) 関金町(38.2%)	12
	40%以上～50%未満				智頭町(46.3%)	日南町(46.9%)	若桜町(45.8%) 佐治村(45.7%) 日野町(44.8%) 江府町(41.7%)	6
	50%以上～60%未満							0
	60%以上～70%未満							0
	70%以上～80%未満							0
	80%以上							0
市町村数		2 (2)	2 (2)	0 (4)	18 (19)	9 (10)	8 (2)	39

島根県 (1960~2000年)

（単位：人、%）

人口増減率		人口規模 (2000年)						市町村数
		5万人以上	3万人以上~5万人未満	1万人以上~3万人未満	5千人以上~1万人未満	3千人以上~5千人未満	3千人未満	
増加	80%以上							0
	50%以上~80%未満							0
	20%以上~50%未満	松江市(18.0%) 出雲市(19.8%)		東出雲町(18.9%)	八雲村(20.5%)			4
	0%以上~20%未満			斐川町(21.2%)	玉湯町(21.5%)			2
減少	0%以上~10%未満		安来市(23.3%)		宍道町(25.5%) 湖陵町(24.7%)			3
	10%以上~20%未満	益田市(24.2%)	浜田市(23.4%)	平田市(24.4%)	鹿島町(24.8%) 加茂町(27.3%)	八東町(27.1%)		6
	20%以上~30%未満		大田市(29.3%)	江津市(27.8%) 大東町(28.2%) 木次町(27.8%) 大社町(27.3%) 西郷町(26.0%)	伯太町(27.8%) 三刀屋町(28.8%)	島根町(30.4%) 多伎町(29.4%)		10
	30%以上~40%未満				美保関町(28.5%) 広瀬町(31.0%) 仁多町(31.3%) 横田町(32.0%) 石見町(33.0%) 金城町(31.4%) 六日市町(36.1%)			7
	40%以上~50%未満				瑞穂町(38.4%) 三隅町(31.0%) 津和野町(33.4%)	掛合町(33.3%) 頓原町(35.3%) 佐田町(32.3%) 仁摩町(35.0%) 西ノ島町(33.6%)	吉田村(33.4%) 柿木村(33.4%) 布施村(37.7%) 五箇村(33.6%) 都万村(35.7%)	13
	50%以上~60%未満					赤来町(33.6%) 温泉津町(41.1%) 川本町(34.9%) 邑智町(38.1%) 桜江町(37.6%) 旭町　(41.0%) 日原町(34.9%)	大和村(41.1%) 海士町(36.1%)	9
	60%以上~70%未満						羽須美村(48.3%) 弥栄村(40.4%) 美都町(34.4%) 知夫村(42.3%)	4
	70%以上~80%未満						匹見町(44.0%)	1
	80%以上							0
市町村数		3 (4)	3 (4)	8 (18)	18 (25)	15 (6)	12 (2)	59

島根県 (2000～2030年)

(単位：人、%)

人口増減率		人口規模 (2030年)						市町村数
		5万人以上	3万人以上~5万人未満	1万人以上~3万人未満	5千人以上~1万人未満	3千人以上~5千人未満	3千人未満	
増加	80%以上							0
	50%以上~80%未満							0
	20%以上~50%未満							0
	0%以上~20%未満	松江市(26.4%) 出雲市(26.5%)		東出雲町(25.4%)				3
減少	0%以上~10%未満			斐川町(29.3%)	八雲村(34.8%)			2
	10%以上~20%未満			平田市(32.7%)	玉湯町(32.9%) 宍道町(35.7%) 加茂町(35.4%) 湖陵町(35.1%)	八東町(34.0%)	都万村(37.1%)	7
	20%以上~30%未満		浜田市(33.6%) 益田市(37.3%)	安来市(34.0%) 大東町(38.6%) 西郷町(39.4%)	広瀬町(37.5%) 木次町(37.0%) 三刀屋町(37.6%)	伯太町(38.8%) 瑞穂町(41.8%)	多伎町(42.3%) 五箇村(41.3%)	12
	30%以上~40%未満			大田市(42.9%) 江津市(35.9%) 大社町(38.6%)	鹿島町(45.3%) 仁多町(39.8%) 三隅町(39.7%)	横田町(43.8%) 仁摩町(41.1%) 石見町(41.8%) 金城町(42.7%) 六日市町(44.8%)	吉田村(43.7%) 頓原町(41.7%) 赤来町(45.4%) 佐田町(42.3%) 川本町(42.4%) 桜江町(39.2%) 旭町　(46.5%) 西ノ島町(52.9%)	19
	40%以上~50%未満					美保関町(50.2%) 津和野町(45.3%)	島根町(49.2%) 掛合町(48.4%) 温泉津町(45.8%) 邑智町(49.4%) 大和村(48.6%) 弥栄村(44.8%) 美都町(42.2%) 日原町(48.1%) 柿木村(49.8%) 布施村(44.4%) 海士町(54.4%)	13
	50%以上~60%未満						羽須美村(60.2%) 匹見町(56.8%)	2
	60%以上~70%未満						知夫村(72.2%)	1
	70%以上~80%未満							0
	80%以上							0
市町村数		2 (3)	2 (3)	9 (8)	11 (18)	10 (15)	25 (12)	59

岡山県 (1960～2000年)

(単位：人、%)

人口増減率		人口規模 (2000年)						市町村数
		5万人以上	3万人以上～5万人未満	1万人以上～3万人未満	5千人以上～1万人未満	3千人以上～5千人未満	3千人未満	
増加	80%以上			山陽町(16.2%)	清音村(18.6%)			2
	50%以上～80%未満	岡山市(16.5%) 倉敷市(16.3%)		長船町(17.4%) 灘崎町(18.1%) 里庄町(20.9%) 真備町(17.2%)		山手村(18.6%)		7
	20%以上～50%未満	総社市(18.7%)		瀬戸町(22.1%) 早島町(17.9%)	熊山町(22.2%)			4
	0%以上～20%未満	津山市(19.4%)		金光町(23.8%) 鴨方町(21.5%)	船穂町(20.0%)			4
減少	0%以上～10%未満	玉野市(21.9%)		和気町(24.3%) 邑久町(25.9%) 久世町(23.7%) 勝央町(24.7%)				5
	10%以上～20%未満	笠岡市(25.8%)	井原市(23.6%)	備前市(22.8%) 鏡野町(29.0%)	吉永町(24.1%) 奈義町(25.7%) 勝北町(27.8%)			7
	20%以上～30%未満			高梁市(26.5%) 御津町(28.3%) 矢掛町(28.9%) 落合町(30.2%) 美作町(27.4%)	赤坂町(25.8%) 日生町(24.1%) 寄島町(27.4%) 中央町(28.9%) 久米町(29.5%)		川上村(29.5%) 八束村(30.1%)	12
	30%以上～40%未満			新見市(29.3%)	建部町(31.5%) 牛窓町(29.3%) 北房町(32.5%) 賀陽町(33.6%) 勝山町(29.5%) 作東町(34.3%) 久米南町(33.1%)	大佐町(30.7%) 英田町(30.8%)	東粟倉村(33.6%) 西粟倉村(32.8%)	12
	40%以上～50%未満				加茂川町(33.6%) 吉井町(32.9%) 美星町(34.6%) 芳井町(33.8%) 成羽町(34.1%) 加茂町(32.0%)	佐伯町(31.7%) 哲多町(29.4%) 哲西町(35.0%) 湯原町(35.9%) 勝田町(34.8%) 大原町(32.7%)	有漢町(36.7%) 美甘村(34.6%) 新庄村(37.2%) 中和村(35.3%) 上齋原村(31.4%) 阿波村(34.2%)	18
	50%以上～60%未満				柵原町(31.8%)	川上町(38.5%) 旭町 (36.3%)	神郷町(33.8%) 富村 (40.8%)	5
	60%以上～70%未満					備中町(44.4%)	奥津町(37.8%)	2
	70%以上～80%未満							0
	80%以上							0
市町村数		6 (5)	1 (5)	21 (28)	25 (28)	12 (3)	13 (9)	78

岡山県 (2000～2030年)

(単位：人、%)

人口増減率		人口規模 (2030年)						市町村数
		5万人以上	3万人以上～5万人未満	1万人以上～3万人未満	5千人以上～1万人未満	3千人以上～5千人未満	3千人未満	
増加	80%以上							0
増加	50%以上～80%未満							0
増加	20%以上～50%未満							0
増加	0%以上～20%未満			山陽町(31.6%) 長船町(25.9%) 早島町(27.1%)	熊山町(30.8%)	山手村(29.5%)		5
減少	0%以上～10%未満	岡山市(25.8%) 倉敷市(28.4%)		瀬戸町(29.9%) 灘崎町(31.4%)	清音村(31.3%) 船穂町(29.9%) 里庄町(35.1%)			7
減少	10%以上～20%未満	津山市(30.8%) 総社市(31.0%)	笠岡市(36.3%)	井原市(35.4%) 和気町(34.6%) 金光町(36.7%) 真備町(35.2%) 鴨方町(36.8%)	久世町(33.7%)	吉永町(32.4%)		10
減少	20%以上～30%未満	玉野市(34.9%)		高梁市(34.8%) 備前市(32.1%) 邑久町(34.8%) 矢掛町(39.4%) 落合町(43.9%)	御津町(38.7%) 勝央町(35.2%) 美作町(39.5%) 中央町(36.1%)	赤坂町(34.8%) 寄島町(38.1%)	佐伯町(38.7%) 神郷町(39.5%) 哲多町(37.3%) 川上村(38.9%) 英田町(32.6%)	17
減少	30%以上～40%未満			新見市(39.1%)	賀陽町(43.5%) 勝山町(41.3%) 鏡野町(37.5%) 勝北町(38.2%) 作東町(41.0%) 久米町(40.6%)	建部町(40.2%) 加茂川町(34.9%) 吉井町(38.7%) 牛窓町(43.0%) 北房町(44.4%) 奈義町(37.6%) 久米南町(41.3%) 柵原町(37.9%)	大佐町(43.0%) 哲西町(44.8%) 美甘村(42.5%) 八束村(40.9%) 上齋原村(40.1%) 勝田町(39.8%) 大原町(42.2%) 東粟倉村(38.6%) 西粟倉村(41.1%) 旭町　(38.5%)	25
減少	40%以上～50%未満				日生町(42.3%)	美星町(44.3%) 芳井町(44.3%) 成羽町(42.6%) 加茂町(45.2%)	有漢町(47.9%) 備中町(47.7%) 湯原町(49.2%) 新庄村(43.0%) 中和村(50.0%) 富村　(44.7%) 阿波村(42.4%)	12
減少	50%以上～60%未満						川上町(53.9%) 奥津町(43.8%)	2
減少	60%以上～70%未満							0
減少	70%以上～80%未満							0
減少	80%以上							0
市町村数		5 (6)	1 (1)	16 (21)	16 (25)	16 (12)	24 (13)	78

広島県 (1960~2000年)

(単位：人、%)

人口増減率		人口規模(2000年) 5万人以上	3万人以上~5万人未満	1万人以上~3万人未満	5千人以上~1万人未満	3千人以上~5千人未満	3千人未満	市町村数
増加	80%以上	広島市(14.2%) 東広島市(12.4%) 廿日市市(14.8%) 府中町(13.7%)	海田町(12.4%)	熊野町(15.5%) 大野町(21.1%) 黒瀬町(14.4%)				8
	50%以上~80%未満	福山市(16.4%)	神辺町(17.9%)					2
	20%以上~50%未満			佐伯町(21.5%) 川尻町(20.7%)				2
	0%以上~20%未満	三原市(22.3%)		本郷町(21.4%) 安浦町(22.3%) 沼隈町(21.7%) 新市町(21.4%)				5
減少	0%以上~10%未満	呉市　(21.4%) 尾道市(23.2%)	府中市(22.4%) 三次市(24.1%) 大竹市(21.8%)	吉田町(23.9%) 向島町(24.6%)		八千代町(32.3%)		8
	10%以上~20%未満		竹原市(25.0%)	坂町　(23.4%) 音戸町(24.1%) 安芸津町(25.9%)	湯来町(25.9%)			5
	20%以上~30%未満			千代田町(27.2%)	能美町(29.5%) 河内町(29.6%) 瀬戸田町(29.1%) 御調町(30.2%)			5
	30%以上~40%未満			因島市(27.9%) 庄原市(28.5%) 江田島町(26.0%)	甲田町(30.0%) 大和町(32.0%) 久井町(32.9%) 甲山町(31.7%) 世羅町(31.1%) 上下町(33.5%)	向原町(31.9%) 三良坂町(27.8%)	福富町(31.4%)	12
	40%以上~50%未満			東城町(36.1%)	大柿町(30.2%) 吉舎町(35.8%)	沖美町(33.6%) 大朝町(31.1%) 豊平町(40.2%) 美土里町(39.0%) 豊栄町(34.9%) 大崎町(33.6%) 世羅西町(38.9%) 三和町〈神石郡〉(37.3%) 甲奴町(39.8%) 三和町〈双三郡〉(38.1%)	君田村(36.2%) 布野村(31.5%)	15
	50%以上~60%未満				倉橋町(34.0%)	加計町(38.9%) 戸河内町(40.0%) 高宮町(40.5%) 東野町(34.8%) 内海町(37.3%) 油木町(40.4%) 西城町(39.4%)	下蒲刈町(34.3%) 蒲刈町(41.6%) 宮島町(30.1%) 筒賀村(38.8%) 芸北町(37.0%) 豊松村(39.8%) 総領町(39.9%) 口和町(37.6%) 高野町(35.1%) 比和町(41.2%)	18
	60%以上~70%未満						吉和村(37.6%) 豊浜町(48.5%) 豊町　(48.8%) 木江町(42.7%) 神石町(46.1%) 作木村(43.6%)	6
	70%以上~80%未満							0
	80%以上							0
市町村数		8 (5)	6 (7)	19 (28)	14 (35)	20 (9)	19 (2)	86

広島県　(2000〜2030年)

（単位：人、%）

人口増減率		人口規模(2030年) 5万人以上	3万人以上~5万人未満	1万人以上~3万人未満	5千人以上~1万人未満	3千人以上~5千人未満	3千人未満	市町村数
増加	80%以上							0
増加	50%以上~80%未満							0
増加	20%以上~50%未満							0
増加	0%以上~20%未満	東広島市(24.2%)						1
減少	0%以上~10%未満	広島市(27.3%) 福山市(29.6%) 廿日市市(33.4%)	府中町(28.1%)	海田町(25.0%) 黒瀬町(29.5%)				6
減少	10%以上~20%未満		三次市(34.4%) 神辺町(32.4%)	熊野町(30.1%) 坂町　(33.0%) 大野町(37.4%) 佐伯町(40.8%)	千代田町(34.2%)		福富町(34.1%)	8
減少	20%以上~30%未満	呉市　(33.0%) 三原市(36.2%) 尾道市(35.1%)		竹原市(39.4%) 府中市(39.1%) 庄原市(37.6%) 大竹市(37.3%) 新市町(38.1%)	湯来町(43.3%) 吉田町(35.3%) 大和町(38.0%) 河内町(36.8%) 本郷町(37.5%) 安芸津町(39.6%) 安浦町(37.8%) 川尻町(36.9%) 御調町(40.3%) 世羅町(38.9%) 沼隈町(36.0%)	大朝町(32.4%) 甲田町(40.1%)	布野村(39.5%) 三良坂町(38.7%)	23
減少	30%以上~40%未満			向島町(39.4%)		能美町(44.9%) 八千代町(51.4%) 久井町(42.8%) 甲山町(42.5%) 上下町(43.3%) 吉舎町(43.2%)	美土里町(42.7%) 向原町(44.8%) 豊栄町(43.5%) 大崎町(40.1%) 総領町(38.7%) 甲奴町(39.8%) 君田村(41.5%) 三和町〈双三郡〉(47.6%) 口和町(47.0%) 高野町(47.9%)	17
減少	40%以上~50%未満			因島市(48.3%)	音戸町(50.5%) 瀬戸田町(49.2%) 東城町(45.8%)	大柿町(43.9%)	吉和村(40.6%) 沖美町(44.9%) 筒賀村(48.9%) 戸河内町(46.5%) 芸北町(47.4%) 豊平町(47.2%) 高宮町(44.6%) 世羅西町(50.2%) 内海町(48.0%) 油木町(49.9%) 豊松村(48.8%) 三和町〈神石郡〉(47.0%) 作木村(47.0%) 西城町(53.6%) 比和町(55.6%)	20
減少	50%以上~60%未満				江田島町(50.3%)	倉橋町(54.8%)	蒲刈町(61.3%) 加計町(53.0%) 東野町(53.0%) 神石町(51.5%)	6
減少	60%以上~70%未満						下蒲刈町(64.5%) 宮島町(55.0%) 木江町(61.1%)	3
減少	70%以上~80%未満						豊浜町(76.3%) 豊町　(71.4%)	2
減少	80%以上							0
市町村数		7 (8)	3 (6)	13 (19)	16 (14)	10 (20)	37 (19)	86

山口県 (1960～2000年)

(単位：人、%)

人口増減率		人口規模(2000年) 5万人以上	3万人以上～5万人未満	1万人以上～3万人未満	5千人以上～1万人未満	3千人以上～5千人未満	3千人未満	市町村数
増加	80%以上							0
増加	50%以上～80%未満			小郡町(16.0%)				1
増加	20%以上～50%未満	山口市(18.0%) 防府市(20.1%)	光市　(19.3%)	玖珂町(23.3%) 熊毛町(20.5%)	由宇町(26.1%)			6
増加	0%以上～20%未満	下関市(21.3%) 宇部市(20.0%) 徳山市(19.3%) 下松市(19.5%) 岩国市(20.2%)	新南陽市(18.3%)	田布施町(22.7%) 平生町(28.9%)	和木町(17.6%) 大和町(23.0%)			10
減少	0%以上～10%未満			豊浦町(24.3%)	阿知須町(24.9%)			2
減少	10%以上～20%未満		萩市　(25.0%) 小野田市(20.6%) 柳井市(26.8%)	周東町(26.5%) 山陽町(23.3%)	菊川町(23.2%)			6
減少	20%以上～30%未満			長門市(25.3%)	秋穂町(26.1%) 三隅町(28.4%)			3
減少	30%以上～40%未満				楠町　(27.3%) 美東町(32.3%) 秋芳町(30.8%)	大島町(29.6%) 日置町(31.4%)		5
減少	40%以上～50%未満			豊北町(33.4%)	大島町(39.9%) 美和町(33.3%) 豊田町(30.8%) 油谷町(34.6%)	久賀町(36.6%) 鹿野町(33.3%)		7
減少	50%以上～60%未満			美祢市(26.7%)	橘町　(42.8%) 徳地町(34.8%) 阿東町(36.4%)	阿武町(38.1%) 田万川町(36.9%) 須佐町(35.2%)	むつみ村(38.9%) 旭村　(37.0%)	9
減少	60%以上～70%未満				東和町(50.6%)	錦町　(40.8%) 上関町(43.5%)	本郷村(43.0%) 川上村(33.2%) 福栄村(37.8%)	6
減少	70%以上～80%未満						美川町(43.3%)	1
減少	80%以上							0
市町村数		7(8)	5(5)	11(22)	18(18)	9(3)	6(0)	56

山口県　(2000～2030年)

(単位：人、%)

人口増減率		人口規模 (2030年)						市町村数
		5万人以上	3万人以上～5万人未満	1万人以上～3万人未満	5千人以上～1万人未満	3千人以上～5千人未満	3千人未満	
増加	80%以上							0
増加	50%以上～80%未満							0
増加	20%以上～50%未満							0
増加	0%以上～20%未満			小郡町(28.7%) 阿知須町(26.4%)				2
減少	0%以上～10%未満	山口市(28.9%)		玖珂町(34.0%)				2
減少	10%以上～20%未満	宇部市(31.4%) 防府市(34.4%)	下松市(32.0%) 小野田市(32.9%) 光市　(33.3%)	田布施町(35.5%) 平生町(41.4%) 熊毛町(35.0%)	菊川町(35.7%)			9
減少	20%以上～30%未満	下関市(35.2%) 徳山市(35.4%) 岩国市(31.4%)		美祢市(35.5%) 新南陽市(34.0%) 周東町(37.1%) 山陽町(34.2%)	和木町(31.0%) 由宇町(44.3%) 大和町(41.4%) 秋穂町(39.5%) 楠町　(34.1%)	美東町(40.8%) 日置町(37.6%)		14
減少	30%以上～40%未満			萩市　(41.3%) 長門市(35.4%) 柳井市(39.9%) 豊浦町(41.9%)		美和町(41.4%) 豊田町(41.0%) 秋芳町(40.2%) 三隅町(41.4%)	大畠町(42.5%) 川上村(41.6%)	10
減少	40%以上～50%未満				豊北町(51.4%)	大島町(42.8%) 橘町　(47.5%) 徳地町(47.5%) 油谷町(48.5%) 阿東町(45.5%)	久賀町(48.8%) 錦町　(47.9%) 鹿野町(47.8%) 田万川町(44.8%) 須佐町(43.8%) 旭村　(44.1%) 福栄村(48.9%)	13
減少	50%以上～60%未満						東和町(46.8%) 本郷村(45.0%) 美川町(57.1%) 上関町(51.8%) 阿武町(52.6%) むつみ村(54.5%)	6
減少	60%以上～70%未満							0
減少	70%以上～80%未満							0
減少	80%以上							0
市町村数		6 (7)	3 (5)	14 (11)	7 (18)	11 (9)	15 (6)	56

徳島県 (1960～2000年)

(単位：人、%)

人口増減率		人口規模 (2000年)						市町村数
		5万人以上	3万人以上～5万人未満	1万人以上～3万人未満	5千人以上～1万人未満	3千人以上～5千人未満	3千人未満	
増加	80%以上		藍住町(12.2%)	松茂町(14.5%) 北島町(15.7%)				3
	50%以上～80%未満							0
	20%以上～50%未満	徳島市(17.9%)		石井町(21.5%) 羽ノ浦町(19.2%)				3
	0%以上～20%未満	鳴門市(21.7%)	小松島市(20.3%)	板野町(20.7%) 上板町(21.6%) 鴨島町(24.3%)				5
減少	0%以上～10%未満	阿南市(22.3%)		那賀川町(21.8%)	川島町(24.8%)			3
	10%以上～20%未満			阿波町(24.5%) 山川町(26.6%) 脇町 (25.3%) 三加茂町(25.8%)	吉野町(22.4%) 土成町(25.4%)			6
	20%以上～30%未満			市場町(25.8%)	美馬町(26.7%) 三野町(28.3%) 三好町(25.6%)	鷲敷町(29.0%)		5
	30%以上～40%未満			池田町(31.2%)	勝浦町(28.1%) 日和佐町(30.2%) 海南町(29.3%)	佐那河内村(31.7%) 宍喰町(30.4%)		6
	40%以上～50%未満				牟岐町(32.3%) 貞光町(32.6%) 井川町(31.5%)	相生町(33.4%) 上那賀町(35.1%) 由岐町(35.6%)	海部町(31.9%)	7
	50%以上～60%未満				神山町(39.2%) 半田町(33.8%) 穴吹町(30.7%) 山城町(35.6%)		木頭村(33.9%)	5
	60%以上～70%未満						上勝町(44.1%) 木沢村(35.9%) 西祖谷山村(38.3%)	3
	70%以上～80%未満						美郷村(38.7%) 一宇村(44.7%) 木屋平村(44.4%) 東祖谷山村(36.8%)	4
	80%以上							0
市町村数		3 (3)	2 (1)	14 (20)	16 (20)	6 (5)	9 (1)	50

徳島県　(2000～2030年)

（単位：人、%）

人口増減率		人口規模（2030年）						市町村数
		5万人以上	3万人以上～5万人未満	1万人以上～3万人未満	5千人以上～1万人未満	3千人以上～5千人未満	3千人未満	
増加	80%以上							0
	50%以上～80%未満							0
	20%以上～50%未満							0
	0%以上～20%未満		藍住町(25.9%)	那賀川町(28.4%) 松茂町(26.7%) 板野町(30.1%) 三加茂町(31.4%)				5
減少	0%以上～10%未満			北島町(28.4%) 上板町(33.3%)				2
	10%以上～20%未満	徳島市(29.1%) 鳴門市(33.9%)	小松島市(33.0%) 阿南市(33.1%)	石井町(33.4%) 羽ノ浦町(32.8%) 阿波町(34.9%)	海南町(33.1%) 吉野町(34.2%) 土成町(36.7%) 市場町(35.9%)	三野町(35.8%)		12
	20%以上～30%未満			鴨島町(37.9%) 脇町　(36.7%)	川島町(35.8%) 山川町(38.3%) 美馬町(38.4%)	三好町(34.4%)	鷲敷町(37.1%)	7
	30%以上～40%未満			池田町(44.2%)		勝浦町(38.7%) 日和佐町(43.3%) 井川町(38.6%)	相生町(43.9%) 宍喰町(43.4%)	6
	40%以上～50%未満					牟岐町(46.8%) 貞光町(43.4%) 穴吹町(41.9%)	佐那河内村(49.9%) 木頭村(46.7%) 海部町(48.0%) 半田町(44.0%)	7
	50%以上～60%未満					神山町(50.6%)	上勝町(56.6%) 木沢村(50.3%) 由岐町(53.2%) 美郷村(48.8%) 山城町(46.8%) 東祖谷山村(54.5%) 西祖谷山村(47.5%)	8
	60%以上～70%未満						上那賀町(44.9%) 一宇村(50.9%) 木屋平村(49.5%)	3
	70%以上～80%未満							0
	80%以上							0
市町村数		2 (3)	3 (2)	12 (14)	7 (16)	9 (6)	17 (9)	50

香川県 (1960~2000年)

(単位：人、%)

人口増減率		人口規模 (2000年)						市町村数
		5万人以上	3万人以上~5万人未満	1万人以上~3万人未満	5千人以上~1万人未満	3千人以上~5千人未満	3千人未満	
増加	80%以上			牟礼町(17.4%) 香川町(16.4%) 国分寺町(15.2%) 宇多津町(14.4%)				4
	50%以上~80%未満			飯山町(17.7%)				1
	20%以上~50%未満	高松市(17.6%) 丸亀市(18.9%)		志度町(19.9%) 綾南町(21.2%)	香南町(21.3%)			5
	0%以上~20%未満		善通寺市(21.0%)	三木町(20.6%) 綾歌町(23.0%) 多度津町(22.6%)				4
減少	0%以上~10%未満	坂出市(23.5%)	観音寺市(22.4%)	大内町(23.8%) 長尾町(22.5%) 豊中町(25.3%)	寒川町(26.1%) 三野町(22.7%)			7
	10%以上~20%未満			白鳥町(25.2%) 満濃町(25.5%) 高瀬町(24.9%) 大野原町(26.1%) 詫間町(26.8%)	津田町(27.0%) 大川町(26.8%) 庵治町(25.3%) 山本町(27.3%) 豊浜町(25.9%)			10
	20%以上~30%未満			土庄町(28.2%) 琴平町(27.5%)	引田町(28.7%) 仁尾町(27.4%)	仲南町(30.2%) 財田町(28.6%)		6
	30%以上~40%未満			内海町(29.4%)	池田町(32.8%) 綾上町(32.0%)			3
	40%以上~50%未満					塩江町(37.2%) 直島町(25.3%) 琴南町(33.5%)		3
	50%以上~60%未満							0
	60%以上~70%未満							0
	70%以上~80%未満							0
	80%以上							0
市町村数		3 (3)	2 (2)	21 (22)	12 (16)	5 (6)	0 (0)	43

香川県 (2000～2030年)

（単位：人、%）

人口増減率		人口規模（2030年）5万人以上	3万人以上～5万人未満	1万人以上～3万人未満	5千人以上～1万人未満	3千人以上～5千人未満	3千人未満	市町村数
増加	80%以上							0
増加	50%以上～80%未満							0
増加	20%以上～50%未満							0
増加	0%以上～20%未満	丸亀市(27.0%)		香川町(31.3%) 国分寺町(28.6%) 宇多津町(24.8%)				4
減少	0%以上～10%未満			長尾町(33.7%) 三木町(31.3%) 綾南町(31.9%) 飯山町(30.6%)	香南町(32.9%)			5
減少	10%以上～20%未満	高松市(28.3%)	坂出市(34.2%) 善通寺市(31.4%) 観音寺市(32.9%)	志度町(33.0%) 牟礼町(35.8%) 多度津町(32.4%)	綾歌町(37.1%)			8
減少	20%以上～30%未満			高瀬町(34.8%)	白鳥町(39.2%) 大川町(39.1%) 綾上町(37.1%) 満濃町(36.4%) 山本町(39.0%) 三野町(35.4%) 大野原町(38.3%) 豊中町(34.9%) 豊浜町(36.2%)	寒川町(39.3%)		11
減少	30%以上～40%未満			大内町(44.8%)	引田町(42.9%) 津田町(42.0%) 琴平町(39.4%)	庵治町(41.3%) 仲南町(41.0%) 仁尾町(39.5%) 財田町(40.5%)	塩江町(40.3%)	9
減少	40%以上～50%未満				内海町(46.2%) 土庄町(47.3%) 詫間町(43.9%)		池田町(54.0%) 琴南町(44.5%)	5
減少	50%以上～60%未満							0
減少	60%以上～70%未満						直島町(42.2%)	1
減少	70%以上～80%未満							0
減少	80%以上							0
市町村数		2 (3)	3 (2)	12 (21)	17 (12)	5 (5)	4 (0)	43

愛媛県 (1960～2000年)

(単位：人、%)

人口増減率		人口規模 (2000年) 5万人以上	3万人以上～5万人未満	1万人以上～3万人未満	5千人以上～1万人未満	3千人以上～5千人未満	3千人未満	市町村数
増加	80%以上	松山市(15.9%)		砥部町(17.4%)				2
	50%以上～80%未満			重信町(17.6%)				1
	20%以上～50%未満		松前町(19.5%)		大西町(18.5%)			2
	0%以上～20%未満	今治市(20.1%) 西条市(21.4%)	川之江市(20.1%) 伊予市(20.4%)	川内町(23.1%)				5
減少	0%以上～10%未満	新居浜市(21.7%)	伊予三島市(20.1%) 東予市(23.4%)	北条市(23.5%) 土居町(23.6%)	小松町(25.1%) 朝倉村(22.8%) 波方町(21.0%)			8
	10%以上～20%未満		大洲市(22.8%)		玉川町(25.7%) 御荘町(22.3%)			3
	20%以上～30%未満	宇和島市(23.6%)		丹原町(26.5%) 保内町(23.8%) 宇和町(27.5%)		一本松町(24.4%)		5
	30%以上～40%未満		八幡浜市(26.2%)	吉田町(29.4%) 広見町(31.8%)	菊間町(28.5%) 伯方町(26.3%) 五十崎町(26.3%) 三間町(30.8%) 城辺町(25.5%)		生名村(31.5%) 岩城村(30.5%)	10
	40%以上～50%未満			内子町(29.1%) 野村町(31.6%) 津島町(26.7%)	久万町(34.8%) 双海町(31.8%) 長浜町(32.5%) 伊方町(28.9%) 三瓶町(29.9%)	吉海町(35.2%) 弓削町(29.4%) 上浦町(38.5%) 松野町(30.9%)	内海村(25.7%)	13
	50%以上～60%未満					中山町(33.8%) 肱川町(32.4%) 明浜町(37.2%) 城川町(37.4%)	日吉村(36.4%)	5
	60%以上～70%未満				中島町(42.4%)	宮窪町(29.5%) 大三島町(44.8%) 小田町(38.5%) 三崎町(38.8%) 西海町(31.9%)	新宮村(42.6%) 広田村(40.8%) 河辺村(42.7%) 瀬戸町(39.8%)	10
	70%以上～80%未満						魚島村(43.7%) 関前村(48.7%) 美川村(42.4%) 柳谷村(46.4%)	4
	80%以上						別子山村(34.7%) 面河村(42.6%)	2
市町村数		5 (6)	7 (5)	13 (29)	17 (20)	14 (7)	14 (3)	70

愛媛県 (2000～2030年)

（単位：人、％）

人口増減率		人口規模（2030年）						市町村数
		5万人以上	3万人以上~5万人未満	1万人以上~3万人未満	5千人以上~1万人未満	3千人以上~5千人未満	3千人未満	
増加	80%以上							0
	50%以上～80%未満							0
	20%以上～50%未満							0
	0％以上～20%未満	松山市(27.7%)		重信町(30.5%)				2
減少	0％以上～10%未満		大洲市(31.3%)	伊予市(28.0%) 川内町(33.8%) 松前町(33.6%) 砥部町(33.3%)				5
	10%以上～20%未満		西条市(34.4%) 川之江市(35.6%)	北条市(36.7%) 東予市(35.9%) 土居町(36.7%)	玉川町(35.4%) 波方町(31.9%)	朝倉村(37.4%) 一本松町(33.9%)		9
	20%以上～30%未満	今治市(34.5%) 新居浜市(35.4%)		伊予三島市(36.4%) 丹原町(38.6%) 宇和町(38.6%)	小松町(37.6%) 大西町(36.0%)	五十崎町(35.9%)		8
	30%以上～40%未満		宇和島市(37.6%)	八幡浜市(42.5%)	菊間町(43.3%) 伯方町(39.7%) 内子町(41.3%) 三瓶町(47.1%) 野村町(43.2%) 吉田町(43.0%) 広見町(42.4%) 津島町(42.7%) 御荘町(42.9%)	久万町(40.9%) 三間町(41.3%) 松野町(41.0%)	肱川町(38.6%) 内海村(39.1%)	16
	40%以上～50%未満				保内町(40.9%) 城辺町(43.6%)	双海町(48.3%) 長浜町(47.9%) 伊方町(52.6%)	別子山村(48.1%) 吉海町(49.1%) 宮窪町(41.3%) 小田町(46.4%) 広田村(45.3%) 中山町(47.6%) 明浜町(55.0%) 城川町(45.6%) 日吉村(49.5%)	14
	50%以上～60%未満						新宮村(44.0%) 弓削町(56.2%) 生名村(63.2%) 岩城村(51.2%) 上浦町(54.8%) 面河村(51.5%) 美川村(56.8%) 柳谷村(51.6%) 河辺村(51.6%) 瀬戸町(50.0%) 三崎町(55.9%) 西海町(53.2%)	12
	60%以上～70%未満						魚島村(59.1%) 大三島町(59.7%) 中島町(75.3%)	3
	70%以上～80%未満						関前村(64.8%)	1
	80%以上							0
市町村数		3 (5)	4 (7)	12 (13)	15 (17)	9 (14)	27 (14)	70

福岡県 (1960〜2000年)

（単位：人、%）

人口増減率		人口規模（2000年）						市町村数
		5万人以上	3万人以上~5万人未満	1万人以上~3万人未満	5千人以上~1万人未満	3千人以上~5千人未満	3千人未満	
増加	80%以上	福岡市(13.3%) 小郡市(17.1%) 筑紫野市(13.7%) 春日市(10.5%) 大野城市(12.1%) 宗像市(16.1%) 太宰府市(15.4%) 前原市(14.4%) 古賀市(13.6%)	那珂川町(11.1%) 宇美町(13.3%) 志免町(14.1%) 粕屋町(11.9%) 福間町(17.0%) 岡垣町(22.2%)	篠栗町(15.5%) 新宮町(12.7%) 遠賀町(17.3%)				18
	50%以上~80%未満		苅田町(15.5%)	須恵町(15.4%) 夜須町(17.1%)				3
	20%以上~50%未満	久留米市(16.0%) 行橋市(17.8%)		津屋崎町(23.2%) 三輪町(21.4%) 北野町(17.3%) 三潴町(18.9%) 広川町(19.3%)				7
	0%以上~20%未満	北九州市(19.2%)	筑後市(18.8%) 中間市(21.4%)	芦屋町(18.6%) 二丈町(21.0%) 志摩町(20.4%) 大刀洗町(18.6%) 三橋町(19.0%)	久山町(19.4%) 勝山町(24.4%) 豊津町(20.9%) 吉富町(20.8%)			12
減少	0%以上~10%未満	直方市(21.7%)	甘木市(22.0%) 八女市(21.2%) 水巻町(18.0%)	大木町(18.7%)	玄海町(22.4%)			6
	10%以上~20%未満		柳川市(21.6%) 大川市(20.8%)	豊前市(25.6%) 吉井町(22.4%) 田主丸町(23.1%) 浮羽町(23.5%) 城島町(20.4%) 瀬高町(23.5%) 大和町(20.6%) 糸田町(24.0%) 椎田町(22.9%)	金田町(19.6%)	新吉富村(23.4%)		13
	20%以上~30%未満	飯塚市(19.5%)		若宮町(24.6%) 穂波町(20.7%) 朝倉町(26.4%) 立花町(24.8%) 高田町(25.9%) 香春町(24.2%)	山川町(25.0%) 築城町(24.1%)	赤村　(24.9%)		10
	30%以上~40%未満	大牟田市(25.2%)		鞍手町(21.0%) 桂川町(21.5%) 嘉穂町(26.9%) 筑穂町(22.4%) 庄内町(19.2%) 黒木町(27.5%) 赤池町(23.2%)	碓井町(22.1%) 頴田町(22.5%) 杷木町(25.3%) 大任町(24.2%) 犀川町(30.7%)	大平村(29.2%)		14
	40%以上~50%未満	田川市(23.8%)		添田町(29.0%) 川崎町(22.6%)	小竹町(24.6%) 方城町(23.5%)	上陽町(28.3%) 星野村(35.4%)	小石原村(31.6%)	8
	50%以上~60%未満			宮田町(26.5%) 稲築町(24.8%)			大島村(33.7%) 宝珠山村(34.4%)	4
	60%以上~70%未満			山田市(26.5%)			矢部村(38.2%)	2
	70%以上~80%未満							0
	80%以上							0
市町村数		16 (9)	14 (14)	43 (54)	15 (15)	5 (3)	4 (2)	97

福 岡 県　(2000～2030年)

(単位：人、%)

人口増減率		人口規模 (2030年)						市町村数
		5万人以上	3万人以上~5万人未満	1万人以上~3万人未満	5千人以上~1万人未満	3千人以上~5千人未満	3千人未満	
増加	80%以上							0
増加	50%以上~80%未満	筑紫野市(22.3%)	新宮町(20.6%)					2
増加	20%以上~50%未満	小郡市(27.4%) 春日市(23.3%) 大野城市(23.9%) 宗像市(28.8%) 古賀市(26.2%) 那珂川町(23.3%)	篠栗町(23.6%) 粕屋町(20.0%)	三輪町(30.8%)				9
増加	0%以上~20%未満	福岡市(23.3%) 太宰府市(26.8%) 前原市(29.5%)	筑後市(28.5%) 宇美町(26.8%) 志免町(24.1%) 福間町(32.0%) 岡垣町(33.1%)	須恵町(27.7%) 津屋崎町(33.2%) 玄海町(32.0%) 夜須町(30.0%) 北野町(30.2%) 大刀洗町(27.8%)	久山町(27.1%)			15
減少	0%以上~10%未満	久留米市(25.9%)	甘木市(34.2%) 苅田町(26.6%)	遠賀町(34.5%) 筑穂町(33.3%) 二丈町(35.8%) 大木町(29.2%) 三潴町(32.8%) 広川町(29.8%)				9
減少	10%以上~20%未満	北九州市(32.2%) 行橋市(34.3%)	八女市(34.7%)	芦屋町(29.6%) 水巻町(33.1%) 桂川町(36.0%) 穂波町(32.0%) 志摩町(37.1%) 田主丸町(35.4%) 城島町(30.5%) 三橋町(29.6%)	若宮町(34.1%) 吉富町(29.8%)	新吉富村(31.9%)		14
減少	20%以上~30%未満	飯塚市(32.5%)	直方市(38.0%) 柳川市(36.2%) 大川市(34.9%) 中間市(34.7%)	豊前市(37.1%) 鞍手町(34.9%) 宮田町(37.7%) 稲築町(35.5%) 吉井町(35.1%) 浮羽町(36.7%) 瀬高町(37.6%) 大和町(37.6%)	嘉穂町(40.1%) 庄内町(35.2%) 杷木町(39.0%) 朝倉町(39.5%) 金田町(34.9%) 赤池町(35.4%) 方城町(34.6%) 勝山町(39.9%) 豊津町(38.1%) 椎田町(37.1%)	碓井町(35.5%)		24
減少	30%以上~40%未満	大牟田市(36.0%)	田川市(33.5%)	川崎町(34.9%)	山田市(40.7%) 小竹町(42.8%) 黒木町(42.8%) 高田町(42.1%) 香春町(40.3%) 糸田町(37.7%) 築城町(38.4%)	頴田町(37.8%) 山川町(40.8%) 大任町(40.1%)	小石原村(43.3%) 上陽町(40.4%) 赤村　(42.0%) 大平村(39.4%)	17
減少	40%以上~50%未満				添田町(44.1%)	犀川町(44.6%)	宝珠山村(48.4%) 矢部村(46.8%) 星野村(42.9%)	5
減少	50%以上~60%未満						大島村(52.3%)	1
減少	60%以上~70%未満							0
減少	70%以上~80%未満							0
減少	80%以上						立花町(40.4%)	1
市町村数		15 (16)	16 (14)	30 (43)	21 (15)	6 (5)	9 (4)	97

佐賀県 (1960～2000年)

（単位：人、％）

人口増減率		人口規模（2000年） 5万人以上	3万人以上～5万人未満	1万人以上～3万人未満	5千人以上～1万人未満	3千人以上～5千人未満	3千人未満	市町村数
増加	80%以上			基山町(16.3%)				1
増加	50%以上～80%未満				上峰町(16.5%)			1
増加	20%以上～50%未満	佐賀市(17.6%) 鳥栖市(16.1%)		大和町(18.2%) 北茂安町(20.3%) 三日月町(17.6%)	東脊振村(16.0%) 中原町(18.7%)			7
増加	0%以上～20%未満	唐津市(19.5%)		諸富町(20.6%) 神埼町(19.7%) 牛津町(17.8%)	三田川町(17.6%) 西有田町(21.0%)			6
減少	0%以上～10%未満			小城町(19.7%) 嬉野町(23.1%)	東与賀町(19.5%) 久保田町(19.6%) 山内町(23.1%)			5
減少	10%以上～20%未満		武雄市(21.1%) 鹿島市(21.7%)	川副町(22.3%) 千代田町(21.1%) 浜玉町(21.7%) 有田町(22.2%)				6
減少	20%以上～30%未満	伊万里市(22.1%)		白石町(25.1%) 太良町(24.3%) 塩田町(23.6%)	三根町(23.3%) 芦刈町(23.0%) 玄海町(21.1%) 有明町(26.8%)			8
減少	30%以上～40%未満				肥前町(25.3%) 鎮西町(24.1%) 呼子町(25.5%) 福富町(25.4%)			4
減少	40%以上～50%未満			多久市(24.6%)	富士町(31.5%) 相知町(27.7%) 北方町(22.6%) 江北町(24.6%)	北波多村(22.2%)	三瀬村(29.6%) 七山村(25.1%)	8
減少	50%以上～60%未満				大町町(27.7%)		脊振村(29.3%)	2
減少	60%以上～70%未満				厳木町(29.2%)			1
減少	70%以上～80%未満							0
減少	80%以上							0
市町村数		4 (3)	2 (4)	17 (23)	22 (14)	1 (4)	3 (1)	49

佐賀県 (2000～2030年)

(単位：人、%)

人口増減率		人口規模(2030年) 5万人以上	3万人以上~5万人未満	1万人以上~3万人未満	5千人以上~1万人未満	3千人以上~5千人未満	3千人未満	市町村数
増加	80%以上							0
増加	50%以上~80%未満							0
増加	20%以上~50%未満							0
増加	0%以上~20%未満	鳥栖市(24.7%)		基山町(31.3%) 三日月町(26.6%)	東与賀町(28.4%) 久保田町(27.9%) 東脊振村(26.4%) 上峰町(25.8%)			7
減少	0%以上~10%未満			神埼町(28.9%) 小城町(31.9%) 牛津町(28.7%)	三田川町(27.4%) 中原町(28.7%)			5
減少	10%以上~20%未満	佐賀市(28.6%) 唐津市(30.1%)		武雄市(32.2%) 鹿島市(32.4%) 大和町(32.6%) 千代田町(30.5%) 北茂安町(34.9%) 白石町(33.2%) 嬉野町(36.4%)	三根町(32.5%) 浜玉町(32.4%) 北方町(30.8%) 江北町(32.4%)			13
減少	20%以上~30%未満		伊万里市(35.7%)	多久市(35.4%) 川副町(36.5%)	諸富町(35.5%) 鎮西町(34.2%) 有田町(36.2%) 西有田町(34.9%) 山内町(36.5%) 大町町(34.8%) 太良町(33.0%) 塩田町(33.1%)	芦刈町(35.6%) 北波多村(36.5%) 玄海町(34.0%)	脊振村(33.0%) 七山村(37.7%)	16
減少	30%以上~40%未満				相知町(39.2%) 有明町(40.1%)	富士町(42.7%) 厳木町(42.9%) 呼子町(39.4%) 福富町(35.5%)	三瀬村(38.0%)	7
減少	40%以上~50%未満				肥前町(41.1%)			1
減少	50%以上~60%未満							0
減少	60%以上~70%未満							0
減少	70%以上~80%未満							0
減少	80%以上							0
市町村数		3(4)	1(2)	14(17)	21(22)	7(1)	3(3)	49

長崎県 (1960～2000年)

(単位：人、%)

人口増減率		人口規模 (2000年)						市町村数
		5万人以上	3万人以上~5万人未満	1万人以上~3万人未満	5千人以上~1万人未満	3千人以上~5千人未満	3千人未満	
増加	80%以上		長与町(13.6%)	多良見町(17.2%) 時津町(12.5%)				3
	50%以上～80%未満			琴海町(18.8%)				1
	20%以上～50%未満	諫早市(17.1%) 大村市(16.1%)		三和町(19.9%)				3
	0%以上～20%未満	長崎市(19.0%)		川棚町(19.4%) 波佐見町(20.2%)		愛野町(21.6%)		4
減少	0%以上～10%未満	佐世保市(20.4%)		高来町(22.9%)	森山町(23.5%) 深江町(23.5%)			4
	10%以上～20%未満		島原市(23.6%)	有明町(22.8%)	西彼町(25.0%) 飯盛町(22.4%) 瑞穂町(25.0%)			5
	20%以上～30%未満			福江市(23.2%) 東彼杵町(24.7%) 国見町(23.8%)	小長井町(22.5%) 吾妻町(24.9%) 加津佐町(26.6%) 有家町(24.9%) 布津町(26.3%) 田平町(25.7%)	石田町(24.3%)		10
	30%以上～40%未満			小浜町(24.2%) 佐々町(18.7%) 郷ノ浦町(25.7%) 厳原町(19.1%)	西海町(26.4%) 千々石町(23.6%) 口之津町(27.8%) 南有馬町(28.2%) 西有家町(26.0%) 生月町(24.0%) 上五島町(21.5%) 勝本町(30.3%) 芦辺町(27.9%) 美津島町(22.1%)	南串山町(24.9%) 北有馬町(28.1%)		16
	40%以上～50%未満			平戸市(26.3%) 松浦市(24.1%)	野母崎町(33.3%) 大瀬戸町(28.3%) 外海町(26.7%) 有川町(24.4%)	香焼町(21.5%) 豊玉町(24.6%) 上県町(27.5%)	鷹島町(30.3%)	10
	50%以上～60%未満				小佐々町(19.7%) 吉井町(21.0%) 富江町(30.1%) 上対馬町(26.8%)	三井楽町(28.0%) 岐宿町(30.9%) 奈留町(29.9%) 新魚目町(25.5%)	峰町 (27.1%)	9
	60%以上～70%未満				大島町(24.3%) 江迎町(24.6%) 鹿町町(23.5%)	小値賀町(35.1%) 宇久町(33.8%) 福島町(28.9%) 世知原町(27.9%) 若松町(27.0%) 奈良尾町(30.4%)	大島村(34.5%) 玉之浦町(38.4%)	11
	70%以上～80%未満							0
	80%以上						伊王島町(38.3%) 高島町(42.1%) 崎戸町(41.1%)	3
市町村数		4 (2)	2 (4)	17 (43)	32 (27)	17 (1)	7 (0)	79

長崎県　(2000～2030年)

（単位：人、％）

人口増減率		人口規模（2030年）						市町村数
		5万人以上	3万人以上~5万人未満	1万人以上~3万人未満	5千人以上~1万人未満	3千人以上~5千人未満	3千人未満	
増加	80%以上							0
	50%以上～80%未満							0
	20%以上～50%未満	長与町(23.9%)						1
	0%以上～20%未満	大村市(28.6%)	時津町(25.0%)	佐々町(27.7%)		愛野町(29.5%)		4
減少	0%以上～10%未満	諫早市(31.3%)		多良見町(34.9%) 琴海町(33.8%)	森山町(32.9%) 深江町(32.6%) 小佐々町(30.8%)			6
	10%以上～20%未満	佐世保市(32.0%)		川棚町(33.6%) 波佐見町(35.5%)	西彼町(38.4%) 飯盛町(36.2%) 高来町(33.9%) 小長井町(35.0%) 有明町(34.9%) 吾妻町(34.9%) 吉井町(31.6%)			10
	20%以上～30%未満	長崎市(36.3%)		島原市(37.6%) 福江市(40.4%) 松浦市(36.8%)	三和町(45.4%) 西海町(38.8%) 東彼杵町(37.4%) 国見町(37.7%) 加津佐町(46.2%) 田平町(38.9%) 郷ノ浦町(34.9%) 美津島町(35.8%)	香焼町(36.0%) 瑞穂町(39.9%) 千々石町(35.4%) 布津町(35.3%) 江迎町(34.0%) 鹿町町(34.8%) 石田町(33.6%)		19
	30%以上～40%未満			平戸市(38.8%)	大瀬戸町(42.6%) 小浜町(35.7%) 西有家町(38.1%) 有家町(34.7%) 芦辺町(38.5%) 厳原町(33.8%)	大島町(36.0%) 南串山町(39.3%) 口之津町(46.6%) 南有馬町(44.4%) 新魚目町(40.4%) 有川町(37.3%) 勝本町(38.4%)	北有馬町(40.0%) 世知原町(40.8%) 岐宿町(41.7%) 豊玉町(41.3%) 上県町(38.9%)	19
	40%以上～50%未満					野母崎町(51.2%) 外海町(51.3%) 生月町(41.7%) 富江町(45.8%) 上五島町(42.3%)	福島町(45.0%) 鷹島町(40.2%) 三井楽町(46.9%) 峰町　(43.1%) 上対馬町(45.8%)	10
	50%以上～60%未満						伊王島町(52.4%) 宇久町(48.6%) 玉之浦町(52.1%) 若松町(47.2%) 奈良尾町(56.0%)	5
	60%以上～70%未満						崎戸町(56.5%) 大島村(50.6%) 小値賀町(55.5%) 奈留町(60.6%)	4
	70%以上～80%未満						高島町(49.5%)	1
	80%以上							0
市町村数		5(4)	1(2)	9(7)	24(32)	20(17)	20(7)	79

熊本県 (1960～2000年)

(単位：人、%)

人口増減率		人口規模 (2000年)						市町村数
		5万人以上	3万人以上～5万人未満	1万人以上～3万人未満	5千人以上～1万人未満	3千人以上～5千人未満	3千人未満	
増加	80%以上			菊陽町(14.9%) 合志町(17.3%) 西合志町(16.6%)				3
増加	50%以上～80%未満	熊本市(16.3%)	益城町(19.0%)					2
増加	20%以上～50%未満		植木町(20.1%)	城南町(21.9%) 松橋町(18.4%) 大津町(18.0%) 泗水町(19.2%)				5
増加	0%以上～20%未満	八代市(21.0%)	宇土市(20.1%)	岱明町(22.0%) 長洲町(21.1%)				4
減少	0%以上～10%未満		玉名市(22.2%) 本渡市(22.3%) 山鹿市(24.1%)		長陽村(23.1%) 嘉島町(23.4%)			5
減少	10%以上～20%未満	荒尾市(24.6%)	人吉市(24.3%)	小川町(25.5%) 御船町(23.3%) 錦町 (20.6%)	不知火町(23.3%) 富合町(27.3%) 旭志村(25.4%) 西原村(23.8%) 千丁町(22.2%) 竜北町(22.9%) 宮原町(26.3%) 免田町(22.5%)			13
減少	20%以上～30%未満			菊池市(24.5%) 一の宮町(25.3%) 阿蘇町(27.1%) 甲佐町(28.9%) 鏡町 (24.6%)	横島町(26.0%) 天水町(24.2%) 玉東町(24.0%) 鹿本町(27.0%) 七城町(26.2%) 上村 (26.2%) 松島町(24.3%)		岡原村(27.3%) 須恵村(24.0%)	14
減少	30%以上～40%未満		水俣市(26.2%)	南関町(28.3%) 芦北町(28.4%) 多良木町(27.7%) 大矢野町(27.4%) 五和町(33.2%)	豊野町(27.8%) 中央町(30.7%) 菊水町(29.9%) 鹿北町(30.0%) 菊鹿町(30.5%) 鹿央町(29.3%) 田浦町(29.5%) 津奈木町(28.1%) 相良村(27.5%) 龍ヶ岳町(31.4%)	南小国町(29.4%) 白水村(28.3%) 山江村(24.8%) 姫戸町(27.8%)	久木野村(27.1%) 深田村(29.5%)	22
減少	40%以上～50%未満			牛深市(29.0%) 三角町(28.8%) 矢部町(32.1%)	砥用町(32.8%) 三加和町(32.4%) 小国町(28.6%) 高森町(28.8%) 湯前町(29.4%) 有明町(32.6%) 苓北町(28.8%)	蘇陽町(30.9%) 倉岳町(32.0%) 栖本町(32.9%) 新和町(31.4%)	産山村(28.3%) 東陽村(29.8%)	16
減少	50%以上～60%未満				球磨村(32.8%) 河浦町(33.5%)	清和村(32.5%) 御所浦町(30.7%) 天草町(34.2%)	波野村(30.9%) 水上村(31.2%)	7
減少	60%以上～70%未満				坂本村(36.9%)		泉村 (31.4%)	2
減少	70%以上～80%未満						五木村(33.0%)	1
減少	80%以上							0
市町村数		3 (3)	8 (8)	25 (38)	37 (39)	11 (4)	10 (2)	94

熊本県　(2000～2030年)

（単位：人、%）

人口増減率		人口規模（2030年）						市町村数
		5万人以上	3万人以上~5万人未満	1万人以上~3万人未満	5千人以上~1万人未満	3千人以上~5千人未満	3千人未満	
増加	80%以上							0
増加	50%以上～80%未満							0
増加	20%以上～50%未満		菊陽町(26.4%) 西合志町(27.3%)					2
増加	0%以上～20%未満	熊本市(26.8%)	宇土市(28.4%) 大津町(27.0%) 益城町(29.8%)	城南町(33.8%) 松橋町(29.5%) 合志町(30.2%) 泗水町(31.8%)	西原村(32.0%) 嘉島町(29.9%)			10
減少	0%以上～10%未満		本渡市(32.6%)	植木町(33.3%) 御船町(34.9%)		旭志村(34.7%) 長陽村(32.4%)		5
減少	10%以上～20%未満		人吉市(35.4%) 荒尾市(35.1%) 玉名市(31.7%)	山鹿市(38.0%) 小川町(37.4%) 岱明町(35.0%) 長洲町(37.2%)	不知火町(33.7%) 富合町(35.1%) 七城町(33.5%) 錦町　(33.4%)	横島町(35.7%)	久木野村(40.0%)	13
減少	20%以上～30%未満	八代市(33.5%)		菊池市(35.0%) 阿蘇町(40.0%) 鏡町　(38.0%) 大矢野町(40.1%)	天水町(35.9%) 南関町(35.9%) 菊鹿町(39.1%) 鹿本町(36.6%) 一の宮町(38.9%) 甲佐町(41.5%) 千丁町(37.1%) 竜北町(38.3%) 苓北町(45.8%)	豊野町(40.7%) 中央町(42.4%) 玉東町(36.1%) 菊水町(41.1%) 白水村(41.1%) 津奈木町(36.1%) 上村　(37.6%) 免田町(36.4%)	山江村(34.3%)	23
減少	30%以上～40%未満			水俣市(40.2%)	小国町(46.4%) 矢部町(45.4%) 多良木町(41.9%) 松島町(38.6%)	砥用町(43.1%) 三加和町(42.0%) 鹿北町(42.9%) 鹿央町(43.3%) 南小国町(46.4%) 高森町(44.5%) 宮原町(41.5%) 湯前町(43.0%) 相良村(41.4%) 有明町(41.5%)	産山村(42.5%) 波野村(45.8%) 蘇陽町(47.6%) 清和村(49.1%) 東陽村(42.4%) 岡原村(37.8%) 須恵村(38.4%) 深田村(36.8%) 姫戸町(41.6%) 栖本町(42.6%)	25
減少	40%以上～50%未満			芦北町(44.1%)	三角町(42.3%) 五和町(51.5%)	河浦町(44.6%)	泉村　(45.0%) 田浦町(45.7%) 水上村(43.4%) 球磨村(47.3%) 龍ケ岳町(51.5%) 倉岳町(46.3%) 新和町(44.9%) 天草町(43.6%)	12
減少	50%以上～60%未満				牛深市(51.6%)		坂本村(48.7%) 五木村(50.2%) 御所浦町(54.5%)	4
減少	60%以上～70%未満							0
減少	70%以上～80%未満							0
減少	80%以上							0
市町村数		2(3)	9(8)	16(25)	22(37)	22(11)	23(10)	94

大分県 (1960～2000年)

(単位：人、%)

人口増減率		人口規模（2000年） 5万人以上	3万人以上～5万人未満	1万人以上～3万人未満	5千人以上～1万人未満	3千人以上～5千人未満	3千人未満	市町村数
増加	80%以上	大分市(14.5%)						1
増加	50%以上～80%未満							0
増加	20%以上～50%未満			日出町(20.8%) 挾間町(20.5%)				2
増加	0%以上～20%未満	別府市(22.6%) 中津市(19.3%)						2
減少	0%以上～10%未満	日田市(22.1%) 佐伯市(22.1%)						2
減少	10%以上～20%未満			杵築市(24.7%) 三重町(26.4%) 湯布院町(23.3%)	弥生町(25.2%)			4
減少	20%以上～30%未満		宇佐市(24.7%) 臼杵市(25.9%)		武蔵町(25.8%) 三光村(26.5%)			4
減少	30%以上～40%未満			津久見市(25.4%) 玖珠町(25.9%) 豊後高田市(28.6%) 安岐町(30.0%)	野津町(30.2%)	大山町(27.2%)	姫島村(27.3%)	7
減少	40%以上～50%未満			竹田市(33.6%) 国東町(32.5%) 九重町(30.4%)	庄内町(31.4%) 蒲江町(30.5%) 山香町(32.7%) 安心院町(34.5%) 天瀬町(31.0%) 国見町(39.2%) 耶馬渓町(33.1%) 野津原町(31.9%) 院内町(34.3%)	久住町(34.1%) 犬飼町(28.5%) 鶴見町(28.9%) 真玉町(36.0%) 本耶馬渓町(30.7%) 香々地町(33.8%) 荻町　(30.9%)	直川村(30.8%) 千歳村(29.1%) 米水津村(29.4%) 前津江村(26.4%)	23
減少	50%以上～60%未満			佐賀関町(30.7%)	緒方町(39.9%) 大野町(39.6%)	山国町(37.3%) 朝地町(37.7%)	直入町(37.0%) 上浦町(33.0%) 清川村(38.7%) 本匠村(34.6%) 大田村(42.9%)	10
減少	60%以上～70%未満					宇目町(35.8%)	上津江村(34.5%)	2
減少	70%以上～80%未満						中津江村(39.5%)	1
減少	80%以上							0
市町村数		5 (6)	2 (3)	13 (21)	15 (21)	11 (7)	12 (0)	58

大 分 県　(2000〜2030年)

(単位：人、%)

人口増減率		人口規模(2030年) 5万人以上	3万人以上〜5万人未満	1万人以上〜3万人未満	5千人以上〜1万人未満	3千人以上〜5千人未満	3千人未満	市町村数
増加	80%以上							0
	50%以上〜80%未満							0
	20%以上〜50%未満							0
	0%以上〜20%未満			日出町(29.2%) 挟間町(29.6%)	武蔵町(27.0%)			3
減少	0%以上〜10%未満	大分市(30.0%)		杵築市(29.9%)				2
	10%以上〜20%未満	別府市(33.1%) 中津市(32.4%)		三重町(35.3%)	安岐町(31.5%)			4
	20%以上〜30%未満		日田市(34.2%) 佐伯市(40.4%) 宇佐市(34.9%)	豊後高田市(36.8%)	山香町(39.1%) 湯布院町(36.4%) 弥生町(37.0%)	三光村(35.7%)	千歳村(33.8%)	9
	30%以上〜40%未満			臼杵市(41.9%) 津久見市(42.0%) 玖珠町(39.3%)	国東町(39.7%) 庄内町(43.6%) 野津町(42.8%) 九重町(45.1%) 安心院町(42.4%)	野津原町(42.5%) 久住町(42.2%)	大田村(38.7%) 真玉町(45.6%) 清川村(37.8%) 犬飼町(42.7%) 直入町(42.2%) 前津江村(36.0%) 大山町(40.4%) 本耶馬渓町(42.3%)	18
	40%以上〜50%未満				竹田市(50.3%) 蒲江町(49.9%)	国見町(50.0%) 緒方町(47.7%) 大野町(49.2%) 天瀬町(45.9%) 耶馬渓町(44.9%)	香々地町(50.2%) 姫島村(52.1%) 上浦町(45.6%) 本匠村(48.2%) 直川村(46.1%) 鶴見町(48.3%) 米水津村(53.2%) 朝地町(52.0%) 荻町　(42.7%) 中津江村(40.6%) 上津江村(47.4%) 山国町(48.4%) 院内町(40.5%)	20
	50%以上〜60%未満				佐賀関町(48.7%)		宇目町(51.4%)	2
	60%以上〜70%未満							0
	70%以上〜80%未満							0
	80%以上							0
市町村数		3(5)	3(2)	8(13)	13(15)	8(11)	23(12)	58

宮崎県 (1960～2000年)

(単位：人、%)

人口増減率		人口規模 (2000年)						市町村数
		5万人以上	3万人以上~5万人未満	1万人以上~3万人未満	5千人以上~1万人未満	3千人以上~5千人未満	3千人未満	
増加	80%以上	宮崎市(16.0%)		清武町(11.4%)				2
	50%以上～80%未満		佐土原町(17.3%)	三股町(18.4%)				2
	20%以上～50%未満	日向市(18.1%)		門川町(20.7%)				2
	0%以上～20%未満	都城市(20.7%) 延岡市(20.4%)		高鍋町(19.4%) 新富町(17.4%) 田野町(18.5%)				5
減少	0%以上～10%未満		小林市(22.9%)	国富町(21.9%) 川南町(21.7%)				3
	10%以上～20%未満			高岡町(24.5%) 都農町(24.0%) 南郷町(24.1%)	山之口町(24.4%)			4
	20%以上～30%未満		日南市(24.9%) 西都市(24.5%)	高城町(25.7%) 高原町(27.7%)	山田町(27.5%) 綾町 (24.0%) 木城町(24.0%)			7
	30%以上～40%未満			えびの市(29.6%) 高崎町(27.5%)	野尻町(27.9%) 北郷町(27.8%)			4
	40%以上～50%未満			串間市(29.8%) 高千穂町(29.2%)	東郷町(31.9%) 五ヶ瀬町(28.7%)	北浦町(26.2%)		5
	50%以上～60%未満					北方町(30.0%) 北川町(31.7%)	須木村(31.4%)	3
	60%以上～70%未満				日之影町(33.7%)	椎葉村(30.9%)	西郷村(36.3%) 南郷村(34.5%) 北郷村(38.5%)	5
	70%以上～80%未満						諸塚村(30.6%) 西米良村(35.9%)	2
	80%以上							0
市町村数		4 (5)	4 (4)	17 (23)	9 (12)	4 (0)	6 (0)	44

宮崎県 (2000～2030年)

（単位：人、%）

人口増減率		人口規模（2030年） 5万人以上	3万人以上~5万人未満	1万人以上~3万人未満	5千人以上~1万人未満	3千人以上~5千人未満	3千人未満	市町村数
増加	80%以上							0
	50%以上~80%未満							0
	20%以上~50%未満							0
	0%以上~20%未満		清武町(23.9%)	新富町(26.0%)				2
減少	0%以上~10%未満	宮崎市(30.3%) 日向市(31.6%)	佐土原町(32.8%)	三股町(33.4%)				4
	10%以上~20%未満	都城市(31.9%)	小林市(37.3%)	高鍋町(30.0%) 国富町(35.5%) 門川町(33.8%) 田野町(34.6%) 高岡町(38.3%)	綾町　(37.0%)	木城町(37.7%)		9
	20%以上~30%未満	延岡市(32.7%)	日南市(38.1%)	西都市(38.7%) 川南町(35.7%)	都農町(38.8%) 高城町(38.7%) 高原町(40.1%) 野尻町(41.5%) 山田町(39.0%) 山之口町(39.6%)	北郷町(44.2%) 北浦町(38.4%)		12
	30%以上~40%未満			えびの市(39.9%) 串間市(40.9%)	高千穂町(43.9%) 南郷町(40.7%) 高崎町(39.7%)	五ケ瀬町(38.1%) 東郷町(45.9%)	北川町(41.3%)	8
	40%以上~50%未満						北方町(44.3%) 日之影町(48.6%) 椎葉村(49.9%) 南郷村(48.9%) 須木村(47.0%) 諸塚村(47.0%) 西米良村(42.9%)	7
	50%以上~60%未満						西郷村(51.5%) 北郷村(56.1%)	2
	60%以上~70%未満							0
	70%以上~80%未満							0
	80%以上							0
市町村数		4(4)	4(4)	11(17)	10(9)	5(4)	10(6)	44

鹿児島県 (1960～2000年)

（単位：人、%）

人口増減率		人口規模（2000年）						市町村数
		5万人以上	3万人以上～5万人未満	1万人以上～3万人未満	5千人以上～1万人未満	3千人以上～5千人未満	3千人未満	
増加	80%以上							0
増加	50%以上～80%未満	鹿児島市(16.0%) 国分市(15.4%)	姶良町(20.4%)					3
増加	20%以上～50%未満		隼人町(19.0%)	伊集院町(18.2%) 松元町(18.1%) 吉田町(19.7%)				4
増加	0%以上～20%未満	鹿屋市(19.0%) 川内市(20.4%)	名瀬市(19.1%)	加治木町(22.5%)	溝辺町(19.3%)			5
減少	0%以上～10%未満		指宿市(25.5%)					1
減少	10%以上～20%未満		出水市(22.8%)	串木野市(22.6%) 高尾野町(23.7%) 喜入町(24.9%)	郡山町(24.5%)			5
減少	20%以上～30%未満			枕崎市(26.0%) 加世田市(26.2%) 末吉町(27.1%) 志布志町(25.1%) 東市来町(31.5%) 串良町(24.7%)	吾平町(26.0%) 市来町(25.3%) 与論町(26.1%) 龍郷町(28.4%) 霧島町(29.2%)	野田町(26.7%)		12
減少	30%以上～40%未満			阿久根市(29.3%) 垂水市(30.9%) 宮之城町(30.7%) 大崎町(25.9%) 川辺町(32.2%) 高山町(29.5%) 知覧町(30.0%) 徳之島町(25.4%) 有明町(25.9%) 財部町(29.4%)	菱刈町(32.1%) 牧園町(29.7%) 喜界町(31.9%) 栗野町(31.3%) 樋脇町(30.8%) 和泊町(27.9%) 東串良町(29.4%) 福山町(28.1%) 開聞町(29.7%) 笠利町(30.2%) 屋久町(24.4%) 入来町(29.8%) 東郷町(29.7%)	鶴田町(32.6%) 松山町(29.7%) 吉松町(28.1%) 桜島町(29.8%)		27
減少	40%以上～50%未満			大口市(31.0%) 西之表市(25.6%) 頴娃町(30.4%) 大隅町(30.4%) 山川町(30.7%)	中種子町(27.7%) 大根占町(33.0%) 知名町(27.1%) 蒲生町(34.6%) 東町 (26.9%) 天城町(29.7%) 南種子町(25.4%) 上屋久町(24.9%) 根占町(33.1%) 日吉町(33.2%) 横川町(31.0%) 長島町(29.5%)			17
減少	50%以上～60%未満			瀬戸内町(30.7%)	吹上町(35.6%) 金峰町(36.8%) 伊仙町(31.7%)	内之浦町(36.9%) 祁答院町(34.6%) 薩摩町(37.9%) 輝北町(34.5%) 田代町(37.2%)	大浦町(42.7%) 宇検村(36.3%) 大和村(29.3%) 住用村(29.9%) 里村 (36.3%)	14
減少	60%以上～70%未満					坊津町(38.4%) 笠沙町(41.8%) 佐多町(43.2%)	下甑村(37.4%) 上甑村(45.7%) 鹿島村(40.1%) 三島村(28.6%)	7
減少	70%以上～80%未満						十島村(31.2%)	1
減少	80%以上							0
市町村数		4 (3)	5 (11)	29 (55)	35 (22)	13 (2)	10 (3)	96

鹿児島県　(2000～2030年)

(単位：人、%)

人口増減率		人口規模（2030年）5万人以上	3万人以上~5万人未満	1万人以上~3万人未満	5千人以上~1万人未満	3千人以上~5千人未満	3千人未満	市町村数
増加	80%以上							0
増加	50%以上～80%未満							0
増加	20%以上～50%未満	国分市(20.9%)		松元町(26.6%)				2
増加	0%以上～20%未満	鹿屋市(26.5%)	姶良町(32.2%) 隼人町(26.6%)	伊集院町(27.3%) 吉田町(32.9%)	溝辺町(26.4%)			6
減少	0%以上～10%未満	鹿児島市(27.9%) 川内市(28.5%)		加治木町(32.0%) 高尾野町(33.3%)	郡山町(32.6%) 知名町(33.4%) 屋久町(30.9%) 上屋久町(30.9%) 市来町(34.3%)			9
減少	10%以上～20%未満		出水市(32.1%) 名瀬市(32.9%)	指宿市(37.9%) 串木野市(33.0%) 宮之城町(34.7%) 東市来町(35.9%) 串良町(35.8%) 喜入町(37.2%)	瀬戸内町(32.7%) 和泊町(33.0%) 吾平町(34.5%) 福山町(38.3%) 蒲生町(38.7%) 日吉町(33.3%) 龍郷町(40.4%)	東郷町(36.0%) 吉松町(37.1%)	住用村(30.8%)	18
減少	20%以上～30%未満			川辺町(37.2%) 阿久根市(38.2%) 加世田市(33.4%) 末吉町(37.1%) 垂水市(37.6%) 志布志町(35.2%) 大崎町(38.8%) 高山町(37.9%) 知覧町(37.5%) 頴娃町(40.2%) 徳之島町(32.7%)	有明町(38.5%) 大隅町(40.6%) 財部町(36.5%) 吹上町(37.1%) 菱刈町(38.6%) 樋脇町(36.3%) 伊仙町(39.8%) 天城町(38.4%) 笠利町(45.1%) 南種子町(36.6%) 入来町(37.7%) 喜界町(43.7%)	与論町(43.4%) 霧島町(42.6%) 横川町(38.3%) 野田町(36.5%) 松山町(38.4%) 鶴田町(39.3%) 桜島町(33.9%) 祁答院町(39.0%)	大和村(35.6%)	32
減少	30%以上～40%未満			枕崎市(41.1%) 大口市(41.4%) 西之表市(36.3%)	山川町(43.2%) 中種子町(38.1%) 牧園町(42.7%) 栗野町(40.7%) 金峰町(39.4%) 東串良町(40.1%) 東町　(37.3%)	大根占町(41.4%) 開聞町(43.1%) 長島町(37.4%) 輝北町(41.1%)	宇検村(41.7%) 三島村(42.3%)	16
減少	40%以上～50%未満					根占町(47.1%)	薩摩町(43.4%) 内之浦町(50.0%) 田代町(47.5%) 大浦町(52.6%) 下甑村(47.7%) 鹿島村(46.4%) 十島村(47.6%)	8
減少	50%以上～60%未満						坊津町(51.0%) 笠沙町(54.4%) 佐多町(55.1%) 上甑村(63.6%) 里村　(58.6%)	5
減少	60%以上～70%未満							0
減少	70%以上～80%未満							0
減少	80%以上							0
市町村数		4 (4)	4 (5)	25 (29)	32 (35)	15 (13)	16 (10)	96

沖 縄 県 (1960～2000年)

(単位：人、%)

人口増減率		人口規模(2000年) 5万人以上	3万人以上～5万人未満	1万人以上～3万人未満	5千人以上～1万人未満	3千人以上～5千人未満	3千人未満	市町村数
増加	80%以上	浦添市(9.7%) 宜野湾市(10.3%) 具志川市(12.5%) 豊見城村(10.5%)	読谷村(12.5%) 西原町(9.6%) 南風原町(10.8%)	北谷町(11.4%) 東風平町(14.0%) 北中城村(15.6%) 与那原町(12.5%)				11
	50%以上～80%未満	沖縄市(11.9%) 糸満市(13.6%)		大里村(14.1%)				3
	20%以上～50%未満	那覇市(14.0%) 名護市(14.4%)		石川市(13.9%) 中城村(15.1%) 佐敷町(16.4%)				5
	0%以上～20%未満		石垣市(15.4%) 平良市(16.7%)	嘉手納町(17.2%) 勝連町(16.2%) 玉城村(16.9%) 金武町(18.8%)	恩納村(18.5%) 具志頭村(16.7%) 知念村(18.5%)	宜野座村(18.9%)		10
減少	0%以上～10%未満							0
	10%以上～20%未満			与那城町(18.9%)				1
	20%以上～30%未満				今帰仁村(24.8%)			1
	30%以上～40%未満			本部町(23.5%)	伊良部町(25.6%) 伊江村(21.2%)	具志川村(21.4%) 上野村(22.6%)	北大東村(11.5%)	6
	40%以上～50%未満				国頭村(25.7%) 仲里村(23.1%)	大宜味村(30.6%) 下地町(28.6%)	東村 (24.0%) 座間味村(22.6%)	6
	50%以上～60%未満				城辺町(32.4%)	竹富町(25.0%)	伊平屋村(22.7%) 南大東村(16.3%) 多良間村(23.7%) 粟国村(35.7%) 渡嘉敷村(24.1%)	7
	60%以上～70%未満						伊是名村(28.0%) 与那国町(20.3%) 渡名喜村(33.1%)	3
	70%以上～80%未満							0
	80%以上							0
市町村数		8 (12)	5 (5)	14 (14)	9 (21)	6 (5)	11 (6)	53

沖縄県　(2000～2030年)

(単位：人、%)

人口増減率		人口規模(2030年) 5万人以上	3万人以上～5万人未満	1万人以上～3万人未満	5千人以上～1万人未満	3千人以上～5千人未満	3千人未満	市町村数
増加	80%以上							0
増加	50%以上～80%未満							0
増加	20%以上～50%未満	浦添市(22.1%) 宜野湾市(21.1%) 名護市(22.1%) 豊見城村(26.0%)	西原町(22.1%) 読谷村(22.7%) 南風原町(26.2%) 北谷町(23.1%)	中城村(26.4%) 東風平町(28.8%) 北中城村(26.3%)				11
増加	0%以上～20%未満	沖縄市(21.7%) 具志川市(23.2%) 糸満市(27.6%) 石垣市(24.8%)	平良市(26.5%)	石川市(24.1%) 与那原町(26.7%) 勝連町(27.0%) 大里村(31.6%) 佐敷町(31.2%) 玉城村(30.3%)	恩納村(26.7%) 具志頭村(29.4%)	宜野座村(29.0%) 竹富町(30.6%)		15
減少	0%以上～10%未満			嘉手納町(26.5%) 本部町(32.9%) 与那城町(29.4%)	金武町(30.2%) 今帰仁村(33.9%)	仲里村(25.6%)	上野村(29.5%) 下地町(33.2%) 座間味村(27.9%)	9
減少	10%以上～20%未満	那覇市(27.1%)			知念村(31.9%)	伊江村(35.6%)	東村　(34.9%)	4
減少	20%以上～30%未満					伊良部町(45.0%) 国頭村(39.4%) 具志川村(28.3%)	大宜味村(39.2%) 伊是名村(30.1%) 与那国町(27.7%) 伊平屋村(29.8%) 粟国村(34.4%)	8
減少	30%以上～40%未満						南大東村(33.7%) 渡嘉敷村(31.4%)	2
減少	40%以上～50%未満					城辺町(42.7%)	多良間村(42.7%) 北大東村(36.6%)	3
減少	50%以上～60%未満						渡名喜村(57.9%)	1
減少	60%以上～70%未満							0
減少	70%以上～80%未満							0
減少	80%以上							0
市町村数		9(8)	5(5)	12(14)	5(9)	8(6)	14(11)	53

おわりに……都市と山村の苦しみ

老人街

1980年代に入ったころ、昭和50年代半ば。100万都市・川崎市南部の工業地帯。昭和30年代の初めに建てられた老朽化した木造2階建てのアパート。外側にある鉄の階段を上り、2つ目のドアをたたくと、間を置いてドアが開く。昼間だというのに日が差し込まず薄暗い。慣れない目には部屋の様子がわからない。しばらくして目に飛び込んでくるのは汚れた部屋。電気も止められている。ステテコとランニング姿の老人と向き合い、「こんにちは」と声を掛ける。「元気かね」。部屋で少し話ができるようになったのは、訪問回数を重ねてからだった。ここは、一人暮らしの高齢者が多い川崎市南部工業地帯の一角にある〝老人街〟。ランニング姿の老人は東京大田区のアパートにいたが若い人がいるアパートは居づらく、工業地帯の家賃の安さと気楽さに引かれて引っ越してきたという。

川崎市南部工業地帯の低所得労働者の生活実態調査のため〝老人街〟へ13年間通った。高知の山村の限界集落調査との並行作業だった。13年間のうち通算2年間、川崎市南部の老朽アパートに住み込んでA地区町内会の1000世帯を超える全戸の調査（面接とアンケートによる）を行った。

工業密集地特有の劣悪な生活環境を避け、都市近郊へ移転していく大企業労働者に対し、中小零細企業、あるいはその下で働く低所得労働者は、老朽化した木造アパートに居住し、公害に悩まされながらの暮らしを余儀なくされていた。

当時の状況を私は次のように著述している。

「工場の煤煙による大気汚染、その公害ぜんそくに悩まされ劣悪な生活環境を余儀なくされている低所得階層が、底辺労働者として工場密集地に沈殿、堆積していく中で空洞化している工業都市。出稼ぎ林業労働者にみる振動病患者やじん肺患者の増加、外材圧迫による林業不振、人口、戸数の激減と高齢化の進行、こうした状況下で山村住民が生活のよりどころとしてきた集落が限界集落化し崩壊の危機にさらされている山村。∧工業都市の衰退と山村の崩壊∨は∧人間と自然∨の貧困化を内包しつつ進行しており、これが現代社会の危機の深化を特質づけている」（拙著『山村環境社会学序説』農文協34ページ）

これが私のとらえた1980年代の∧都市と山村∨の問題だった。

新宿・戸山団地

「新宿に『限界集落』」の見出しが躍る。

2008年9月の共同通信配信記事によれば、高度成長時代に建てられた東京都新宿区の都営「戸山団地」で65歳以上の住民が半数を超える「限界集落」化が進んでいることが明らかになった。戸山団地全16棟の総戸数はおよそ2300戸で「戸山団地」の高齢化率は51・6％。都市部の団地アパートでは棟ごとに自治会が組織されているところが多いが、この団地では1960年代に発足した自治会が2007年に解散し、各棟ごとの夏祭りや食事会、同好会活動は有志で続けられているという。戸山団地で2008年4月に小学校へ入学したのは5人、成人式を迎えた者は10人。2007年に亡くなった高齢者は50人に上るという。孤独死の増加も懸念されている。「ドアを閉めると中の気配がわからない」「ここは都心の姥捨山《うばすてやま》だね」の声は寂しい。共用階段の電球の取り換えも70歳を超える世話役には危険で維持管理も重荷という。団地は1990年から建て替えが進められたが、1DKの単身者住宅を増やしたことも高齢者の増加につながった。

福島県金山町

福島県の尾瀬の清流を源流とする只見川。戦後、電源開発で多くのダムが造られた只見川中流域に位置する奥会津地方、金山町《かねやま》へ調査に入ったのは2008年9月中旬。福島県西部にあり、越後山脈を挟んで新潟県に接している金山町は全国有数の豪雪地帯でもある。2008年9月1日現在で人口2708人、世帯数1167戸、高齢化率53・3%。隣接する昭和村と並んで限界自治体になっている。30ある行政区のうち65歳以上が半数の地区は22（限界集落率73・3%）、町内には放置された杉の人工林と水田の耕作放棄地が目立つ。集落座談会に集まった世帯主の大半は70歳代後半。顔を合わせれば「残された者を誰が面倒みるのか」といつも話し合っているという。

2つある小学校のうち金山小学校の児童数は51人。うち2008年4月入学者8人。横田小学校の児童数は19人。うち4月入学者は1人だ。2つの中学校（第一中学校生徒数26人、横田中学校24人）は2009年4月に統合され金山中学校になる。高校進学は地元の県立川口高校と会津若松市内への高校とに分かれる。会津若松市への公共交通機関による通学は時間的、距離的に困難なため、生徒は市内に下宿生活をする。食事付きで下宿代が6万円を超えるため、教育費の経済的負担が大きい。また、金山町内の子どもの出生数は2007年4月～2008年3月までに3人、2008年4月から9月末現在で2人にとどまる。

孤独死に象徴される大都市の「限界集落」、新宿「戸山団地」と田畑の耕作放棄、山林の放置林化で「山」の荒廃が進む中、次世代の担い手の見通しが立たず苦悩する「限界自治体」、金山町。この両者が突きつける社会的現実は、少子高齢化を同根とする現代の∧大都市と山村∨の危機的表出であり、1980年代の危機的状況の一層の深化といえる。

「限界集落」は山村では年とともにその数を増し、大都会にさえピンポイント的に表出する。共同通信記事は「団塊の世代や若年層の多い都市の高齢化問題は地方とは対照的にこれからが本番。難局を乗り切るには、高齢化の『先輩』の地方の知恵を借りることも重要」と指摘する。「限界集落」問題は避けて通れぬ行政課題なのだ。

少子高齢化の到来の中にあって、「限界集落」問題に苦悩する地域、地方、都市はどう展望を見いだすべきか。第一義的に国がその責務を持つ。

国土交通省は2008年10月4日、山村が孤立した岩手・宮城内陸地震の教訓に立ち大災害時に避難拠点となる「防災基幹集落」づくりを進めていく方針を明らかにした。山間地は「限界集落」の急増で、地震や台風など大災害時に住民が孤立する危険性が年々高まっているため、小村落から緊急避難先になる拠点が必要と判断したからだ。

2008年8月1日、総務省自治行政局過疎対策室長名で「過疎地域等における集落対策の推進について」が各都道府県に通知された。通知は集落対策の基本的な考え方、進め方を次のように助言する(要旨)。

1　**集落対策の基本的考え方について**

集落の住民が集落の問題を自らの課題としてとらえ、市町村がこれに十分な目配りをした上で、施策を実施していくことが重要である。昨今、地域によっては行政の集落への目配りが必ずしも十分に行われていないのではないかとの指摘もあり、市町村が集落の現状に絶えず目配りをし、住民と行政の強力なパートナーシップを形成して、集落対策に取り組んでいくことが強く望まれる。

2　**推進・実施方法について**

過疎問題懇談会の「過疎地域等の集落対策についての提言」を踏まえ、①集落支援員の設置②集落点検の実施及び③集落のあり方に関する住民同士・住民と市町村の話し合いによる集落対策に取り組むことが必要である。

(1)集落支援員

集落支援員としては、行政経験者、農業委員・普及指導員など農業関係業務の経験者、経営指導員経験者、ＮＰＯ関係者など、地域の実情に詳しい身近な人材を活用することが望ましい。ただし、地域の実情に応じ、当該市町村外の人材を登用することも差し支えない。

(2)集落点検

集落点検とは、集落住民自身が集落の現状とその課題について見つめ直し、いわゆる集落の問題を自らの地域の課題としてとらえることを目指し、人口・世帯の動向、医療・福祉サービスや生活物資の調達など生活の状況、清掃活動や雪処理など集落内での支えあいの状況、農地・山林・公共施設などの管理状況、集落の有形・無形の地域資源、他の集落との協力の可能性などを分かりやすく整理する活動をいう。点検項目については、集落点検チェックシートを参考例として地域の実情に応じ柔軟に設定することが適当である。また、必要に応じ住民アンケートを実施することも有効である。

(3)話し合いの促進

集落点検の結果を活用し、住民と住民・住民と市町村の間で集落の現状、課題、あるべき姿等についての「話し合い」を促進することが必要である。話し合いの場においては、集落の現状、今後の課題、将来的なあるべき姿などについて共通認識の形式を図ること、話し合いを通じて住民と市町村がともに集落の現状等についての理解を深めることを目指すことが望ましい。

なお、「集落点検」や「話し合い」といった取り組みを通じ、個別の集落の実情や課題に応じ必要と認められる施策については、別途積極的な実施を図ることが求められる。（例えば①デマンド交通システムなどによる地域交通の確保②都市から地方への移住・交流の推進③特産品を活かした地域おこし④農山漁村教育交流⑤高齢者見守りサービスの実施⑥伝統文化継承の取り組み⑦集落の活性化・住民の生活維持のための自主的な活動支援（防災、福祉活動、環境整備、他地域との連携・交流など）への支援⑧集落応援団の組織化⑨大学やＮＰＯなどと連携した地域活性化——など）

総務省通知は集落支援員や集落点検経費の国庫支援の財政措置も示す。こうした通知はポスト過疎法に向けた取り組みと当然、連動する。

森林・山村再生法を

ポスト過疎法、２００９年度末に期限切れを迎える過疎地域自立促進特別措置法の改正に向けた地方自治体、議会の動きは慌ただしくなってきている。議会が意見書議案を可決する動きも顕著だ。これまで過疎対策は農山漁村の生活環境改善・整備、活性化を目的になされたはずなのだが、「限界集落」に象徴される現実の姿は、それがいかに不十分なものであったかを示すにすぎない。「人を都会へ送り込むだけの山村」「収奪され衰退する山村」を現行過疎法で再生することはおよそできまい。

島根県と島根県過疎地域対策協議会は2008年5月、「魅力ある中山間地域の実現に向けて――ポスト過疎法への提言」をまとめる。「提言の趣旨」では「医師不足、路線バスの廃止による生活交通問題、生活用品の購買問題、耕作放棄地の増加など新たな問題が発生し、多くの集落が消滅の危機に瀕するなど、主に山間地域を中心に地域生活を維持することが困難な地域が拡大しつつある」として、さらに「このような状況が進行すると地域社会の崩壊ばかりでなく、ひいては国の崩壊にもつながりかねない」と訴える。その上で、過疎地域振興の視点を「過疎地域の条件不利性を、どう克服するかという守りの視点ではなく、魅力ある地域づくりに向けて、地域が有する温もりのある人間関係や多様な地域資源をいかに活かすかという攻めの視点から積極的な検討が進められるべきである」と定める。

提言は具体的な21の振興ビジョンを示す。列挙する。❶「食料・水・エネルギーを支える国土保全対策」として▼耕作放棄地化の防止に向けた農地の保全・利活用の促進▼森林と里山地域保全活動の促進❷「安全・安心な地域生活確保対策」として▼多様な主体の参画による新たな地域運営（地域総合支援センターの創設などを含む）▼交通空白地域・不便地域の高齢者のための交通手段確保（デマンドバスや過疎地有償輸送など）▼離島航路の運航維持▼広域的機能連携に必要な国道・県道の整備促進▼光ファイバー網の緊急整備▼携帯電話不感地域の解消▼診療支援ネットワークを活用した離島・山間地域の病院の診療支援▼医療用多目的ヘリコプター（過疎ヘリ）を活用した離島・山間地域の病院の診療支援▼患者輸送車の整備▼遠隔地病院での長期入院に対応した滞在施設整備▼小規模校の教育環境の整備（都市と同等の教育水準が確保できるように教職員配置に特別な配慮を行うなど）▼採算性の厳しい地方公営企業へは地域実情を踏まえた特別な支援措置の検討が必要❸「地域資源を活かした産業振興・雇用対策」として▼地域資源を活用した起業化の促進▼森林資源を活用した地域循環型エネルギーシステムの構築▼雇用増加につながる企業による施設などの新増設の促進▼既存工業団地の付加価値を高める事業の促進❹「都市との交流対策」として▼移住交流施策の推進▼人口減に伴い遊休化した施設を過疎地振興のための施設として有効活用できるよう支援❺「過疎地域における財政運営の基本的な考え方」として▼市町村の安定した行財政運営の確保と財政措置の充実強化――。

この提言が「島根」に限定されるものでないのは当然だ。全国自治体の叫びを集約したものであり「待ったなし」の山村の状況を示す。私が「過疎集落」ではなく「限界集落」というハードな言葉を使うのは山村集落の追い込まれた厳しい状況があるからにほかならない。「限界」というキーワードを恐れることなく、住民も行政も立ち向かってほしい。そのためには過疎法に加えて、グローバリズムを踏まえた新法こそ必要だ。

「限界集落と地域再生」――国民が今、総力を挙げて取り組むべき課題ではないのか。地球環境問題の視点からも森林の持つ役割は国際的に見直されている。森林を守る山村の再生が強く求められるのは当然ではないのか。森林環境保全交付金の創設を含む「森林・山村再生法」を早期に設立する社会的、国際的責務が国にはある。地方の疲弊は「山」と「むら」の荒廃から起こった。地方の再生は「むら」と「山」の豊かさの復活から始まる。

新潟県上越市の「高齢化が進んでいる集落における集落機能の実態等に関する現地調査」の調査項目と結果報告書

（2007年5月）上越市企画・地域振興部企画政策課提供

「高齢化が進んでいる集落における集落機能の実態等に関する現地調査」調査項目

1、対象集落の世帯等の状況について

(1)最盛期の集落の世帯数、人口はどのくらいでしたか。（わかる範囲で）

・世帯数　　約　　　世帯（昭和　　年頃）

・人　口　　約　　　人（昭和　　年頃）

(2)集落の世帯や人口が著しく減少したとすれば、どのようなことが主な要因と考えますか。

(3)後継者の状況についてお聞かせください。（わかる範囲で）

① 現在の集落の総世帯数			戸
（内　訳）	② 55歳以下の後継者が同居している世帯		戸
	③ 後継者がいるが、同居していない世帯		戸
	（内　訳）	後継者は上越市内に居住	戸
		新潟県内に居住	戸
		県外に居住	戸
	④ 後継者がいない世帯		戸

○後継者が同居していない世帯の動向をお聞かせください。（③の内訳・わかる範囲で）
・今後、後継者が同居（帰郷）するまたは可能性がある　戸
・将来は、後継者世帯の居住地へ転居するまたは可能性がある　戸
・後継者はいないが、このまま現在地に住み続けたい　戸

2、**集落の皆さんの日常生活等の状況について**
⑴各世帯の移動等の主な手段はどのような状況ですか。（わかる範囲で）
①日常生活における移動手段はどのような状況ですか。
・世帯員の中に自家用車を使用できる人がいる世帯　戸
・自家用車は使用できないが、バイク、電動カー等を使用できる世帯　戸
・自家用車等を使用できず、公共交通等を利用している世帯　戸
・世帯員以外の人の介助等がないと外出できない世帯　戸
②日常生活における買い物はどのように行っていますか。
③病院への往復は普段どのように行っていますか。
⑵冬（雪）の対策についてお聞かせください。
①雪下ろし、玄関先の除雪等はどのように行われていますか。
・個人住宅の状況
特に、要援護世帯等への対応状況について
・公民館等の公共的施設の状況

②道路除雪についてどのように感じていますか。
・県や市によって除雪が行われる道路の状況
・除雪の行われない市道や集落道などの状況
③降積雪期に急患が発生した場合、どのように対応していますか。
④その他、冬（雪）に関して困っていることなどはありませんか。
(3)防災対策等の取り組みについてお聞かせください。
①自主防災組織あるいは自主的な防災対策の現状はどのようになっていますか。
②集落内の廃屋（管理者のいない空き家）等の対策の現状はどのようになっていますか。
③集落内または周辺で、危険だと思われる個所はありますか。
(4)高齢者の皆さんの生活状況等についてお聞かせください。
①特に高齢者の皆さんが日常生活で不安に感じていることはどのようなことですか。
②地域で高齢者の方々の見守り活動はどのように行われていますか。
(5)その他、日常生活で困っていることや不便に感じていることなどはありませんか。

3、農業生産活動等の状況について

(1)集落の稲作農家の状況についてお聞かせください。
①集落で稲作を行っている世帯は何戸ですか。
・販売農家　　　　　戸
・飯米農家　　　　　戸
②稲作農家の後継者の状況をお聞かせください。

(2)農地や林地、農業施設等の管理状況についてお聞かせください。
①農地や農業施設（農道、水路等）の管理はどのように行われていますか。
②林地の管理はどのように行われていますか。
③集落による共同作業は行われていますか。
(3)耕作放棄などによる荒廃農地の状況はどのようになっていますか。
(4)農地や林地などの荒廃により問題となっていることはありますか。
(5)農業生産活動を続けていくうえで困っていることなどはありますか。

4、集落における取り組みの現状について

(1)集落の寄り合い（常会等）についてお聞かせください。
・年間に何回くらい開催していますか。
・主に何を決めていますか。（協議の内容）
(2)集落で行う共同作業等の状況についてお聞かせください。
①現在、集落でどのような共同作業を行っていますか。
（例・・農道や用水路の維持管理、お宮や共有地の維持管理、集落の美化活動など）
②以前行っていたが、人手不足等でできなくなってしまったことはありますか。
③共同作業ができなくなってしまったことによる問題の発生はありますか。
④問題解決のためにどのような方法が良いと思いますか。
(3)集落に伝わる祭りや伝統芸能などについてお聞かせください。
①現在、集落で行われているものは何ですか。

②以前行っていたが、後継者不足などでできなくなってしまったものはありますか。
③祭りや伝統芸能等を残し、伝えていくためにはどのような方法が良いと思いますか。
(4)住民同士の相互扶助活動の状況についてお聞かせください。
①現在、冠婚葬祭時における助け合いなど集落の相互扶助活動は行われていますか。
②今後も集落で必要な相互扶助活動はどのようなことだとお考えですか。

5、その他集落の維持等について

(1)この地域（集落）の良いところはどのようなことですか。
①自然や景観、伝統文化、暮らしなどで良いところはどのようなことですか。
②この地域で守りたいもの、残したいものはありますか。
(2)地域で交流事業等に取り組んでいる場合は、その状況をお聞かせください。
(3)地域で都市部などからの新規定住者を受け入れることについてどのようにお考えですか。
（そう考える理由も併せてお聞かせください）
(4)今後の集落維持の見通し（住民の意向）についてどのようにお考えですか。
（例）・このまま集落を維持できる
・近隣集落との統合など集落再編をして維持したい
・集落の維持は困難だと思っている…等々
(5)集落の維持等に関し、行政に希望する支援策などはありますか。

「高齢化が進んでいる集落における集落機能の実態等に関する現地調査」結果報告書

Ⅰ　調査の概要

1、調査の背景と目的

中山間地域を中心とする過疎化や高齢化の進行は、集落における自治機能の低下を招き、それとともに、農林地や生産基盤の荒廃、景観や文化など地域固有の資源の消滅など、いわゆる「限界集落」の問題が全国的に取り上げられている。

平成17年1月1日に周辺の13町村を編入合併した当市においては、合併前の13町村中9町村が過疎指定を受けており、中山間地域を中心に過疎化・高齢化した集落が広範に散在している状態にあり、合併後の大きな政策課題の一つとなっている。

このたび、まずは人口の高齢化が進んでいる集落における集落機能等の実態を把握し、これらの地域における問題点の把握や課題を整理する中で、さまざまな問題に対し総合的な施策や事業を検討していくための基礎資料とすることを目的にこの調査を実施した。

2、調査期間

現地調査実施期間　　平成18年11月13日～12月15日

3、調査対象集落

65歳以上の住民が集落人口の50％以上を占めている集落　　53集落

	65歳以上の住民が50％以上を占めている集落	55歳以上の住民が50％以上を占めている集落	その他の集落	合計	調査対象集落数
安塚区	6	15	7	28	6
浦川原区	8	5	22	35	8
大島区	3	14	7	24	3
牧区	10	19	10	39	9
柿崎区	6	18	34	58	6
大潟区		1	22	23	—
頸城区		5	51	56	—
吉川区	7	12	33	52	7
中郷区		4	20	24	—
板倉区	3	16	30	49	3
清里区	1	5	19	25	1
三和区		6	40	46	—
名立区		21	24	45	—
合併前の上越市	11	40	287	338	10
合計	55	181	606	842	53

※　特別養護老人ホームを有する2地区を除外（牧区大月地区、上越市上真砂地区）

※　安塚区を旧集落（自治会）単位としたため、調査時点の町内会総数（823）と一致しない

4、調査方法

(1)調査班の編成

・幅広い視点から調査にあたるため、関係部署の職員で横断的に構成する調査班を編成し、3人ずつ6班体制で調査を行った。

・各区総合事務所は、それぞれの区内の集落調査に参加した。

・調査班編成

	調査担当区域	担当者（○印・班内取りまとめ）		
1班	安塚区、大島区	○防災安全課	企画政策課	各区総合事務所
2班	浦川原区	○高齢者福祉課	危機管理企画課	各区総合事務所
3班	牧　区	○道路管理課	総務課	各区総合事務所
4班	柿崎区、板倉区	○農政企画課	地域振興課	各区総合事務所
5班	吉川区、清里区	○企画政策課	健康づくり推進課	各区総合事務所
6班	合併前の上越市	○総務課	農林水産部	福祉課

(2)調査方法

・調査対象となる集落の町内会長等に対し、あらかじめ質問項目を示して協力を依頼した。

・調査当日、3～4人程度の集落代表者から現地の集会場等に集まっていただき、聞き取り式で調査を行った。

・調査結果は、各調査班の担当者が聞き取り内容を記録票にまとめ、企画政策課が全体を取りまとめた。

※注　報告書の数値は、集落での聞き取り結果を集計したものであり、既知の統計数値等と一致しないものがあります。

Ⅱ　調査結果の概要（全体的な傾向）

1、対象集落の世帯等の状況

⑴最盛期の集落との世帯数、人口の比較

世帯数は半分以下、人口は4分の1以下に減少した

・世帯数‥おおむね半分以下に減少した集落が約68％
・人　口‥おおむね4分の1以下に減少した集落が約85％
・生活基盤を既に子どもの世帯に移しており、常住実態のない集落も存在する（住所だけ残しておく、夏場だけ居住する――など）

【最盛期の集落との世帯数、人口の比較】

	減少率	該当集落数	構成比
世帯数	75％以上	13	24・5％
	50％以上～75％未満	23	43・4％
	25％以上～50％未満	16	30・2％
	25％未満	1	1・9％

	減少率	該当集落数	構成比
人口	75％以上	45	84・9％
	50％以上～75％未満	8	15・1％
	25％以上～50％未満	0	—
	25％未満	0	—

(2)世帯や人口の主な減少要因

農林業で生計が立てられなくなったため、働き口を求めて（特に高度経済成長期に）
通勤や通学に不便だったため
雪が多く、通勤や通学が困難だったため

○その他の特徴的な要因

・子どもに教育を受けさせるため、親が子どもを外に出した
・児童数の多い小学校へ通学させたいという親の意向により転居した
・ダム工事や自然災害等により、優良農地が使えなくなって転居した
・後継者が世帯を持つために転居した――など

【世帯や人口が減少した主な理由】

	該当集落数	構成比
農林業で生計が立てられなくなった高度経済成長期に働き口を求めて転出（離農）	42	79・2％
通勤や通学に不便だった	26	49・1％
雪が多い、雪のため通勤や通学が困難だった	19	35・8％

※注　複数回答可能なため、合計が調査対象集落数と一致しない

⑶後継者の状況

> 後継者が同居している世帯は19・0％
> 後継者がいない世帯は18・5％

・後継者はいるが、同居していない世帯は6割強
・同居していない後継者の約65％は上越市内に居住している
・「後継者が帰郷する可能性がある」とする世帯は1割以下
・「今後とも後継者と同居せず、現在地に住み続けたい」とする世帯は半数以上

【後継者の状況】

			該当世帯数	構成比
後継者が同居している世帯			150	19・0％
後継者がいるが、同居していない世帯			493	62・3％
	後継者の居住地	上越市内	（319）	（64・7％）
		新潟県内	（60）	（12・2％）
		県　外	（107）	（21・7％）
	今後の意向	後継者が帰郷する可能性がある	（35）	（7・1％）
		後継者世帯の居住地へ転居する	（177）	（35・9％）
		同居せず、現在地に住み続けたい	（265）	（53・8％）
後継者がいない世帯数			146	18・5％

※注　世帯数は、聞き取り時の実数のため、住基台帳の世帯数と一致していない

2、対象集落の住民の日常生活の状況

(1) 主な移動手段

①日常生活における移動手段

> 22・6％の世帯は自家用車等の移動手段を持たない

・7割近くの世帯は自家用車を使用できるが、今後、高齢化の進展に伴い自家用車を使用できなくなる世帯の増加が懸念される

・自家用車を使用できない人たちは公共交通機関等を利用

・特徴的な交通手段として「デマンドバス（浦川原区、牧区）」、「地域バス（吉川区）」などが、地域住民の移動時の利便性を高めている

【主な移動手段】

	該当世帯数	構成比
自家用車を使用できる世帯	544	68・8％
バイク、電動カー等を使用できる世帯	67	8・5％
主に公共交通機関を利用する世帯	153	19・3％
外出時に世帯員以外の介助等が必要な世帯	26	3・3％

※注　世帯数は、聞き取り時の実数のため、住基台帳の世帯数と一致していない

②日常生活における買い物の状況

多くの世帯では自家用車を使用している

○自家用車を使用できない世帯の対応
・バスやタクシーを利用して買い物に行く
・隣近所に頼んで買って来てもらうか、同乗させてもらい買い物に行く
・近くに住む子どもから買ってきてもらうか、買い物に連れて行ってもらう
・移動販売車（週1～3回程度）を利用する
・JAや総合生協、地元商店等の宅配を利用する
・吉川区では、JA店舗による週1回の送迎サービスが喜ばれている

③病院への通院の状況

多くの世帯では自家用車を使用している

○自家用車を使用できない世帯の対応
・朝、家族や近所の人が通勤する車に乗せてもらい、帰りはバス等を利用する
・バス、タクシー等を利用する
・開業医の送迎サービス、開業医や診療所等の往診を利用する

(2)冬（雪）の対策

①雪下ろし、玄関先の除雪等の状況

ア　一般住宅の状況

個人で対応、多くの世帯が小型除雪機を所有している

・自然落雪型の屋根が普及してきている
・冬期間だけ不在になる世帯もある（子ども世帯への同居、冬期一時居住施設の利用など）

イ　要援護世帯等の状況

市の「要援護世帯除雪費助成事業」を有効に利用している

・その他、親戚や隣近所が協力している

ウ　集会所等の公共的施設の状況

集落の共同作業で対応している

・集会所は自然落雪型の屋根が普及している
・一部は業者や個人へ依頼し重機で対応
・ブルドーザー等を所有している集落もある

②道路除雪の状況

ア　除雪が行われる道路の状況

特に大きな問題の指摘はないが、除雪体制の現状維持を望む声が多数

・一部に、業者により除雪技術に差がある、対応が遅い、などの指摘がある

イ　除雪が行われない市道や集落道の状況

狭い集落道などは個人または共同で対応している

・個人または共有の小型除雪機等で対応している
・幹線以外の市道は春先除雪で対応してもらうので特に問題ない

③降積雪期における急患の対応

除雪しない夜間に救急車が来られるか心配

・「特に心配ない」とする集落が多いが、豪雪時の夜間の対応に不安の声がある
・緊急の場合はその都度除雪を頼むことになるが、除雪までに時間がかかってしまう

④その他、冬（雪）に関して困っていること

・豪雪になることが一番心配
・この先高齢化により自分では除雪や屋根の雪下ろしができなくなってしまう
・雪捨て場の確保、土地所有者とのトラブル
・雪下ろしをしない空き家があり、家屋倒壊の危険や交通の障害となっている
・冬期間は新聞や郵便物が集落まで届かなくなるので不便――など

(3)防災対策等の取り組み状況

①自主防災組織等の現状

自主防災組織のない集落は66・0％

○未組織の主な理由

・高齢化、過疎化により集落独自の立ち上げは困難（形だけ作っても機能しない）

・小さな集落では組織がなくても何かあれば村人が総出で協力して対応している

・これから組織化に取り組む集落もある

○その他

・消防団員がいなくなってしまった集落も多数あり、不安の声がある

【自主防災組織の設置状況】

		該当集落数	構成比
あり	集落単独で組織	6	11・3％
	複数集落で組織	12	22・6％
なし		35	66・0％

②集落内の廃屋（管理されていない空き家）等の状況

41・5％の集落に廃屋が存在する

・個人の財産のため集落では手を出せない（自然につぶれるまで待つしかない）

・道路や住家に隣接する廃屋の屋根雪崩落や建物倒壊による危険発生が心配

【集落内の廃屋等の状況】

	該当集落数	構成比
あり	22	41・5%
なし	31	58・5%

③集落内または周辺で危険な個所等

主に地すべり、雪崩等の自然災害の危険発生を懸念している

・主に地すべり、雪崩、水害などの危険発生を懸念
・道路幅の確保、道路のガードレール等安全施設の不備
・ため池の決壊、農業用水路の安全施設の老朽化による危険個所――など

(4)高齢者の生活状況等

①日常生活で不安に感じていること

健康維持の問題

・病気や寝たきりになったら、今の生活の維持が困難になってしまう
・医療体制が確保されるか、また、車に乗れなくなったら通院できるか心配
・今は夫婦二人で暮らしているが、どちらかが倒れた場合の生活が不安――など

一人暮らしの不安

・急病など緊急時の不安

・食事づくりや栄養面などの不安（弁当の配達サービスを望む声もある）

冬の除雪作業などの問題

・屋根の雪下ろしや道付けなどの作業が困難になっている

○その他

・農業収入が不安定、年金だけでは暮らしていかれない

・後継者がいない――など

②地域における見守り活動等の状況

日常の近所付き合いの中でお互いに見守り合っている

・日ごろから声をかけ合ったり、お茶飲みで行き来したりしている

・夜、家の電気がついていることを確認する――など

【調査対象集落の高齢者世帯の状況】

	該当世帯数	構成比
総世帯数	780	100・0%
うち、65歳以上の高齢者のみで構成されている世帯数	439	56・3%
うち、65歳以上の高齢者の一人暮らし世帯数	167	21・4%

(5)その他日常生活で困っていること

・交通の便が悪い（バスの本数が少ない、乗り継ぎが悪い――など）

・携帯電話が通じない
・郵便局やJA支所が無くなって不便になった――など

3、農業生産活動等の状況

(1)稲作農家の状況

①②稲作を行っている世帯及び後継者の状況

全体の66・4%が稲作農家
農業後継者がいる世帯は11・6%
農業後継者がいない集落は61・2%

・子どもが手伝いに来てくれるが、後継者にはならない
・自分でできなくなれば終わり、後は自然消滅していく
・みんな高齢化しており、法人や生産組合などの組織化は難しい

【稲作農家の状況】

	該当数	構成比	構成比の説明
稲作を行っている世帯数	518	66・4%	調査対象集落の全世帯に占める割合
販売農家	401	―	
自給的農家	117	―	
(農業後継者がいる世帯数)	(60)	(11・6%)	稲作を行っている世帯に占める割合
農業後継者が全くいない集落	30	61・2%	稲作を行っている世帯のある集落(49集落)に占める割合

(2)農地や林地、農業施設等の管理状況

①農地や農業施設（農道、水路等）の管理状況

農地の管理は耕作者、農業施設は集落による共同管理で行われている

・農道、水路の草刈り、道普請、江さらいなどは集落の共同作業で実施
・一部では、耕作者の個別管理としている集落も見られる
・中山間地域等直接支払制度を利用して共同管理している集落もある

②林地の管理状況

ほとんど管理されておらず、荒れ放題になっている

・林地は所有者の管理だが、ほとんど手が加えられていない
・林道の共同管理を行っている集落はごく一部
・現実的には林地や林道の管理はほとんど行われておらず、荒れ放題になっている

③集落による共同作業の状況

作業内容は、農道や水路など農業施設の維持管理が大部分を占めている

・農道の草刈りや補修、水路の草刈りや江さらい、補修などを実施
・高齢化や人手不足等により、草刈りに替えて除草剤の散布に切り替えた集落が見られる
・高齢化等で集落の共同作業に参加できない世帯が出てきている

・一部では、集落に代わって生産組合や用水組合が維持管理しているところがある
・「集落による共同作業はない」とした集落も全体の4分の1程度存在する

⑶耕作放棄などによる荒廃農地の状況

耕作放棄地は人の手が入らず、荒れ放題になっている

・ほとんどの集落で耕作放棄による荒廃農地が存在
・耕地面積の半分以上が耕作されていない集落も多数
・高齢化や人手不足により、耕作を断念せざるを得ない実態がある

⑷農地や林地の荒廃による問題の発生状況

多くの集落では「地すべり」の発生を懸念している

・保水力の低下や水路の荒廃などにより、地すべりの発生が懸念されている
・不在地主の土地の管理ができない
・獣（タヌキ、イノシシ、シカ、クマなど）による作物の被害が発生している
・ごみの不法投棄が行われる
・農地の境界がわからなくなる――など

⑸農業生産活動を続けていくうえで困っていること

高齢化と後継者の不足、作業の共同化も難しい

・米価の下落により採算が合わない
・農道、水路等の維持管理の負担が大きくなっている
・農機具の管理にお金がかかり、機械の更新ができない
・災害発生時に農地や水路が傷んでも耕作関係者が少ないと災害復旧事業に認定されず、全額集落の負担となる
・兼業農家は勤めと農業の両立が困難になっている――など

4、集落における取り組みの状況

(1) 集落の寄り合い（常会等）の開催状況

大半の集落では年に数回から月1回程度開催

・「行っていない」とする集落は3集落
・主な内容は、集落行事や収支予算などについて協議、報告や連絡事項の伝達など

【集落の寄り合いの実施状況】

	該当集落数	構成比
行っていない	3	5・7%
年間数回程度	34	64・2%
月1回程度以上	16	30・2%

(2) 集落で行う共同作業等の状況

① 現在行っている共同作業

市道、農道や用水などの維持管理は77・4%の集落で行われている
集会場やお宮などの維持管理、花の植栽や側溝清掃などの美化活動も86・8%の集落で行われている

【集落で行っている共同作業（主なもの）】

	該当集落数	構成比
市道や農道、用水などの維持管理	41	77・4%
集会場やお宮など共有施設等の維持管理	34	64・2%
花の植栽や側溝清掃などの美化活動	23	43・4%
何も行っていない	4	7・5%

※注　複数回答可能なため、合計が調査対象集落数と一致しない

② 以前行っていたが、現在できなくなってしまった共同作業

やり方を工夫しながら64・2%の集落で維持している

・道路や用水の草刈りは、除草剤散布に切り替えた集落が多数ある
・維持管理する範囲を狭めて、使用する最小限の範囲だけとしている――など

③④共同作業ができないことによる問題点及び問題解決の方法

集落だけでは解決策を見いだせない状況にある

・集落だけでは有効な手立てが見いだせない（人、財源の両面で）
・人手をかけられなくなったため、除草剤散布などに頼らざるを得ない

(3)集落に伝わる祭りや伝統芸能などの状況

①現在行われているもの

「祭り」は79・2%、「さいの神」は47・2%の集落で行われている

・神楽や雅楽、春駒などが伝承されている集落もわずかに残っている

【集落で行っているもの（主なもの）】

	該当集落数	構成比
集落の祭り（春祭り、秋祭りなど）	42	79・2%
さいの神	25	47・2%
盆踊り	5	9・4%
神楽、雅楽、春駒などの伝承芸能	2	3・8%
何も行っていない	6	11・3%

※注　複数回答可能なため、合計が調査対象集落数と一致しない

②以前行っていたが、現在できなくなってしまったもの

以前行われていた「盆踊り」が56・6％の集落でできなくなった

・若者や子どもがいなくなってしまった

【以前行っていてできなくなってしまったもの（主なもの）】

	該当集落数	構成比
集落の祭り（春祭り、秋祭りなど）	8	15・1％
さいの神	3	5・7％
盆踊り	30	56・6％
神楽、雅楽、春駒などの伝承芸能	6	11・3％

※注　複数回答可能なため、合計が調査対象集落数と一致しない

③祭りや伝統芸能等を残し、伝えていく方法

後継者がいないため困難

・かつて行われていた伝統芸能等を知っている人はまだいるが、伝える相手がいない

・近隣集落との協力や集落出身者の参加などにより行事を続けている例もある

(4)住民同士の相互扶助活動の状況

①現在行われているもの

葬儀の際の集落内（家内）の助け合い活動は66・0％の集落で行われている
日常生活の中で自然な形の助け合いが支えとなっている

・葬儀の際の集落内（家内）の助け合いが行われているが、その内容は簡略化してきている
・日常生活の中でのお互いの目配りや助け合いが支えとなっている

②今後も必要なもの

「日常生活における助け合いがなくなれば、集落の意味がなくなる」との声も

・簡略化していくとしても、葬儀の際の手伝いは続けていきたい
・高齢者世帯などの見守り活動や日常生活における助け合いは欠かせない

5、その他集落の維持等について

(1)地域（集落）の良いところ

①地域の良いところ（自然や景観、伝統文化、暮らしなど）

・豊かな自然（ブナ林、メダカや蛍の生息など）がある
・山や海、佐渡などを見渡せる美しい景観がある
・人間関係が良い、人が良い、人情深い、助け合いの精神がある

・見栄をはることなく気楽にのんびりと生活できる
・おいしい米や農作物がとれる、山菜が豊富である
・水が豊富できれいでおいしい――など
・夏場は自給自足が可能、冬期間は働かなくても食べていかれるという声もあり

②地域で守りたいもの、残したいもの

・人と人のつながりや住民同士の相互扶助の精神
・義理人情のある付き合い
・豊かな自然や景観に恵まれた現在の環境
・おいしい米や棚田
・豊かできれいな水
・地域の神社や祭り――など

(2)地域で取り組んでいる交流事業等

・安塚区、大島区、牧区などでは、越後田舎体験事業で民泊の受け入れを行っている
・吉川区では、法政大学の学生との交流が行われている
・独自に棚田オーナー制度や農業体験事業などに取り組んでいる集落がある

(3)都市部などからの新規定住者の受け入れについて

半数以上の集落では、新規定住者の受け入れに前向きな姿勢を示している

・「地域の活性化のために、来てくれる人がいれば歓迎する」とする集落がある一方、「地域に溶け込んでくれる人」、「人柄による（信頼できる人）」など、条件付きの集落も多い

・受け入れに慎重な集落では、過去に、または現在進行形で、転入者とのトラブル（近所付き合いをしない、集落行事に参加しないなど）を経験している集落が多い

【新規定住者の受け入れに対する考え】

		該当集落数	構成比
受け入れに前向きな集落		30	56・6%
受け入れに慎重な集落		11	20・8%
受け入れの条件・問題等	地域に溶け込む・しきたりを守る	(10)	(24・4%)
	人柄による	(9)	(22・0%)
	定年退職者よりも若い人を希望	(4)	(9・8%)
	農業後継者になれる人	(2)	(4・9%)
	その他	(9)	(22・0%)
不明		12	22・6%

※注　受け入れの条件・問題等欄は複数回答

(4)今後の集落維持の見通しについて

「このまま維持が可能」とする集落は5・7％
「維持は難しい」とする集落は39・6％

・「当分の間は維持が可能」とする集落も、この先5年後、10年後の見通しは立たない状況
・将来的な意向を含め、「集落再編が必要」とした集落は28・3％
・「集落維持は難しいが、可能な限り今のところで暮らしたい」という意向が強い

【今後の集落維持の見通し】

	該当集落数	構成比
このまま維持が可能	3	5・7％
当分の間（5～10年程度）は維持が可能	20	37・7％
維持は難しい	21	39・6％
不明	9	17・0％

【今後の方向性】

	該当集落数	構成比
集落再編が必要	5	9・4％
将来的に集落再編が必要	10	18・9％
集落再編も困難	4	7・5％
不明	34	64・2％

(5)集落の維持等に関し、行政に希望する支援等

除雪体制の現状維持を望む声が多数
交通利便性の向上、冬期間の交通確保
冬期一時居住施設（集合住宅等）の整備

○その他

・携帯電話不通話地区の解消、テレビ難視聴地域の地上デジタル放送対策への対応
・集落センター等公共的施設の維持管理費の支援
・市道等の草刈りに対する公的支援――など

Ⅲ　課題整理と今後の検討方向

1、調査から見えてきた姿

多くの集落が最盛期に比べて人口・世帯数ともに激減しているものの、豊かな自然や美しい景観があり、豊富な山菜や清らかでおいしい水に恵まれており、人情味あふれる人間関係や集落の祭りなどを大切にしつつ、今後も住み続けたいと願っている。ただ、雪や健康に対する不安も感じており、それらの対応や集落に住みながら収入を得る方策などの検討も必要と考えられる。

2、高齢化が進んでいる集落における課題（共通的事項）

(1)日常生活の維持等に関する課題

①雪への対応

現状及び問題点

・道路除雪に関しては、現状の除雪体制の維持を望む声が強い
・夜間における急患や火災の発生等に対する不安が大きい
・高齢化の進行に伴い、自分では雪処理ができない世帯が増加していく
・管理されていない空き家の雪処理がされず、危険な状況が存在する

検討課題

・現状の除雪体制の維持に加え、夜間除雪や迂回《うかい》路確保などのあり方
・要援護世帯や高齢者世帯等における日常的な雪処理支援のあり方
・豪雪時等における除雪ボランティア活用の仕組みづくり
・冬期一時居住施設等の必要性及び整備のあり方
・総合的な安全確保体制のあり方

②住民の健康の維持等

現状及び問題点

・後継者がいなくても、元気でいられる限り現在地に住み続けたいとする意向が強い
・病気や寝たきりになって、今の生活が維持できなくなることへの不安が大きい
・高齢化の進行により、要援護世帯が増加していく

検討課題

・健康相談や食事指導など、日常におけるきめ細やかな健康指導等のあり方

・医療施設や診療科目の維持・確保のあり方
・高齢者世帯等の介護支援等のあり方

③住民の移動手段の確保

現状及び問題点

・今後、さらに高齢化が進んだ場合、自家用車を利用できなくなる世帯が増えてくる
・バスのルートや乗り継ぎの便など、病院へのアクセスの改善を望む声が多い
・集落内の人間関係は親密であるが、半面、かなり閉鎖的な環境になっている

検討課題

・運行本数や路線の確保に加え、乗り継ぎ等にも配慮した公共交通のあり方
・点在する集落間を結ぶ交通手段のあり方

④防災、安全機能の確保

現状及び問題点

・少人数の高齢者だけで自主防災組織を作っても、実質的に機能しないとの声がある
・消防団員がいなくなってしまった集落も多数あり、不安の声が強い
・管理者のいない廃屋の建物倒壊や屋根雪崩落などによる危険性の指摘が多い
・農地や林地などの荒廃による地すべり災害などへの不安の声が強い

検討課題

・自主防災組織のあり方
・災害等発生時の迅速な対応体制のあり方

・高齢化が進む集落間における連携、相互支援のあり方

(2)集落機能の維持等に関する課題

①中山間地域集落の果たす役割等の検証

現状及び問題点

・これまで集落の共同作業等によって維持されてきた農林地等の荒廃が急速に進んでいる
・農林地等の荒廃が及ぼす影響の検証が明確に行われていない

検討課題

・中山間地域における集落の崩壊や農林地等の荒廃が及ぼす影響の検証
・市域全体から見た中山間地域の位置付けの検証
・地域資源管理等のあり方、地域資源を収入につなげる手法の検討

②集落機能の維持・再生等のあり方の検討

現状及び問題点

・人口減少と高齢化が進んだ集落では、集落機能の維持が困難になってきており、それらの集落だけでは解決策を見いだせない状況になっている
・中山間地域に限らず、市内全域において人口減少と高齢化の進む集落が増加している

検討課題

・集落機能の維持・再生の必要性及びそのあり方の検討

3、今後の検討方向

(1)総合的な問題解決に向けた施策の検討

調査結果から整理された課題は、今回調査対象とした集落における課題であるだけでなく全市域において今後発生し得る課題ととらえ、これらの課題を基にいくつかのテーマを設定し、それぞれ関係する部署の職員で横断的に構成するワーキンググループにより、将来を見据え幅広い観点から、総合的な問題解決に向けた具体策の検討を進める。

(2)詳細調査の実施

ワーキンググループによる施策の具体化に向けた検討の過程において、地域住民の意見を十分に反映したものとするため、必要に応じ詳細な調査を行う。

その際は、今回調査を行った53集落に限らず、その課題に直面している集落を広く対象とする。

Ⅳ　対象集落の概況

(1) インフラ等の整備状況

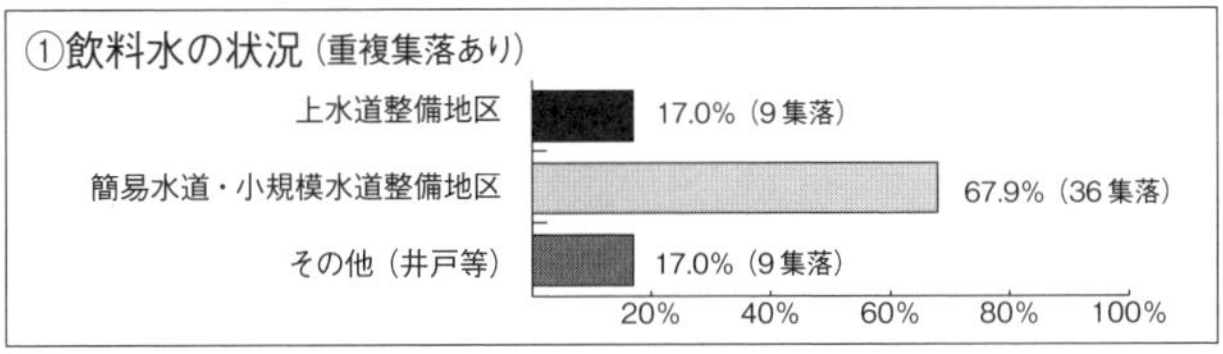

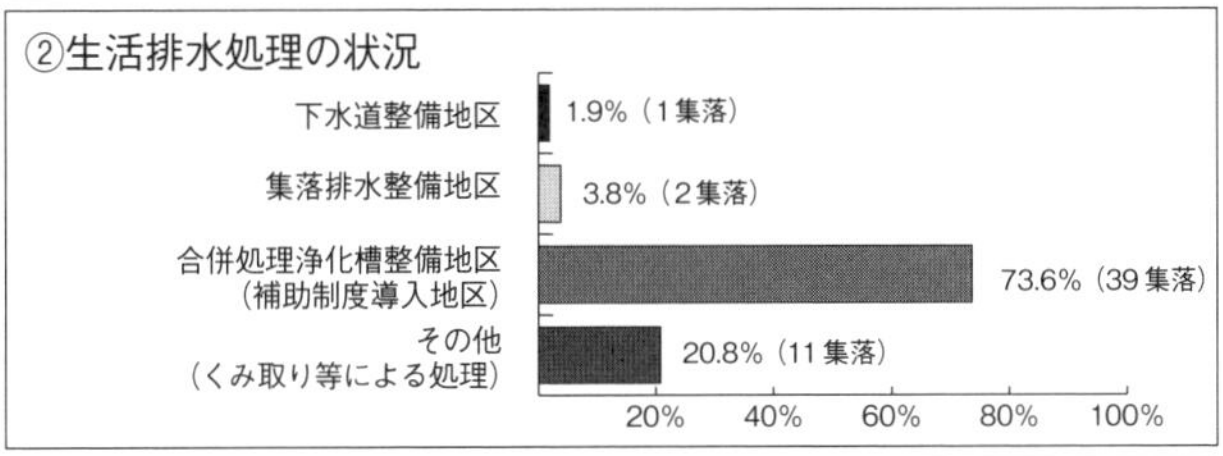

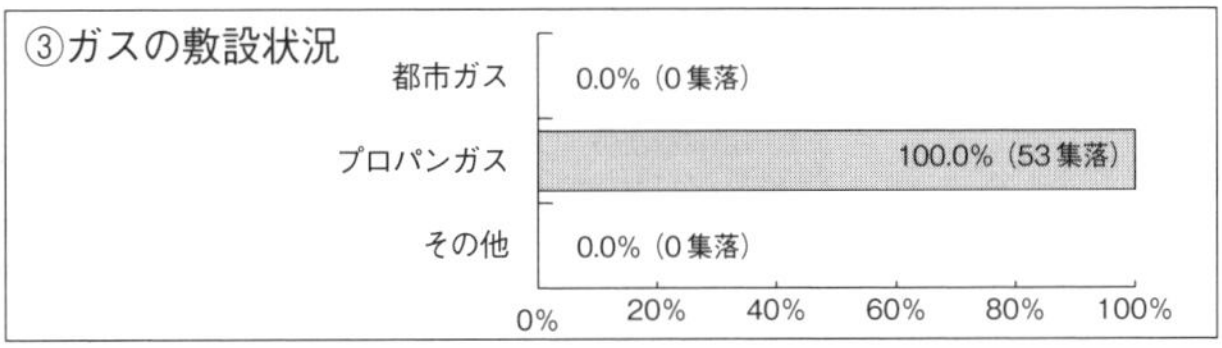

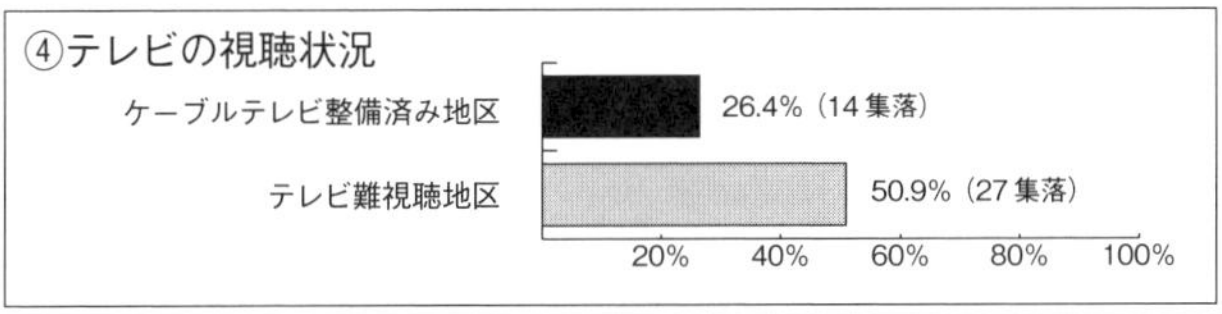

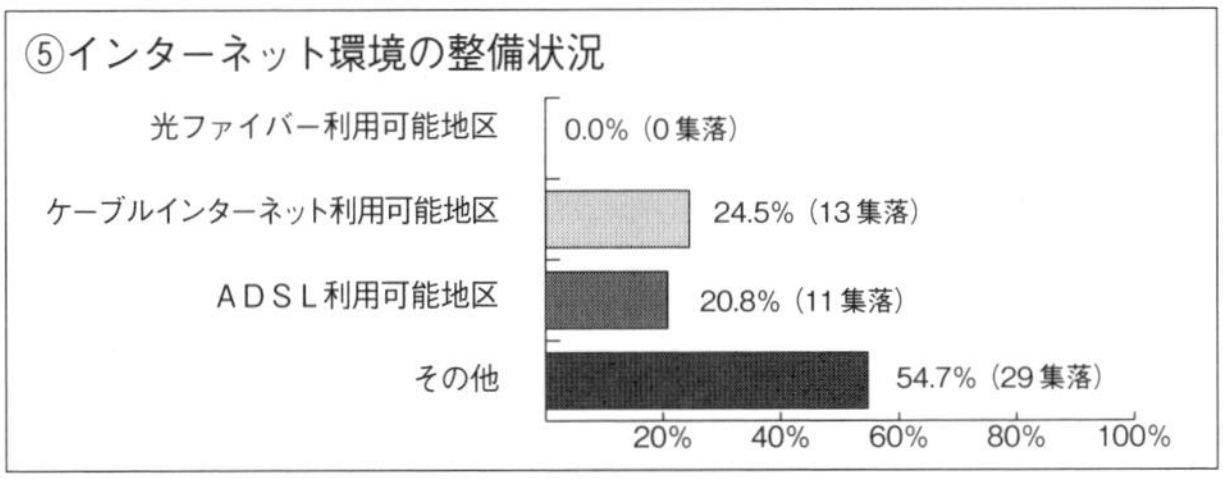

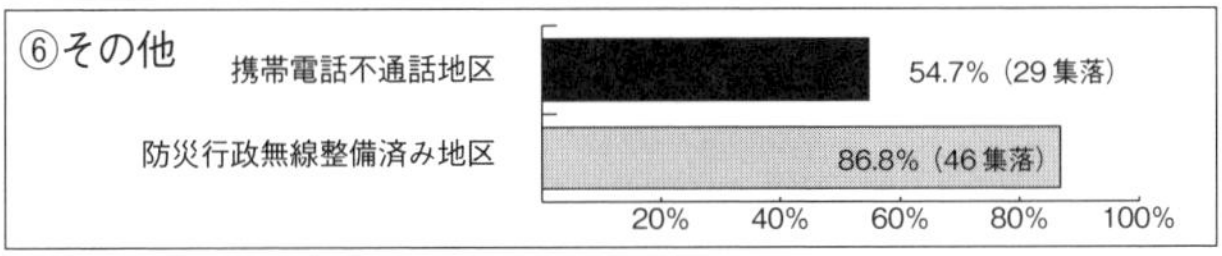

①市役所または総合事務所までの距離

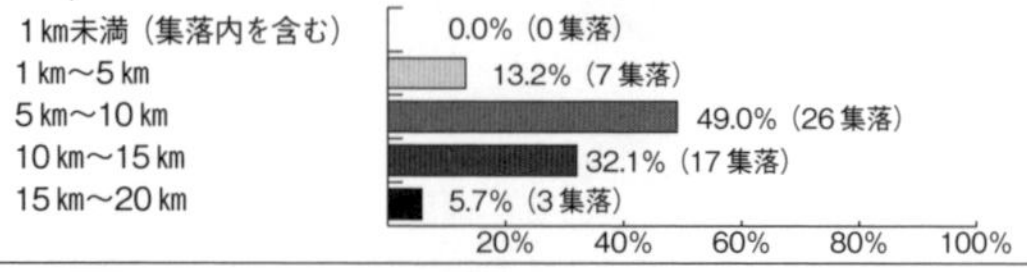

②最寄りの幼稚園、保育園までの距離

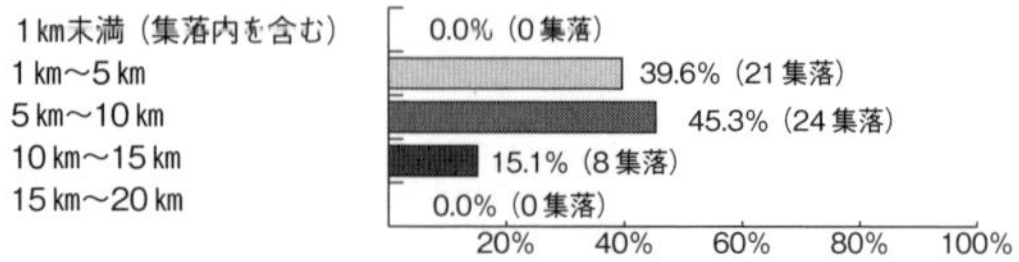

③最寄りの小学校までの距離

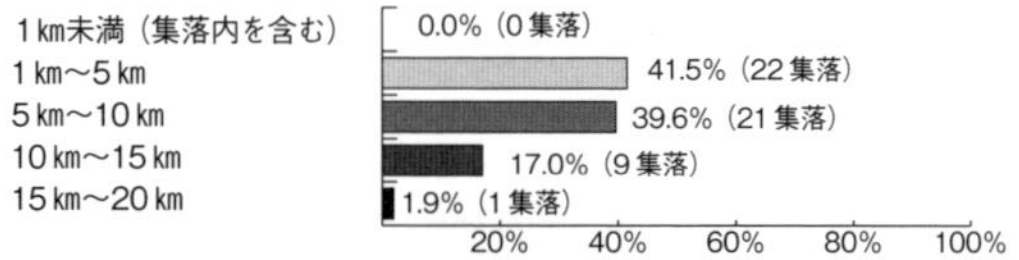

④最寄りの中学校までの距離

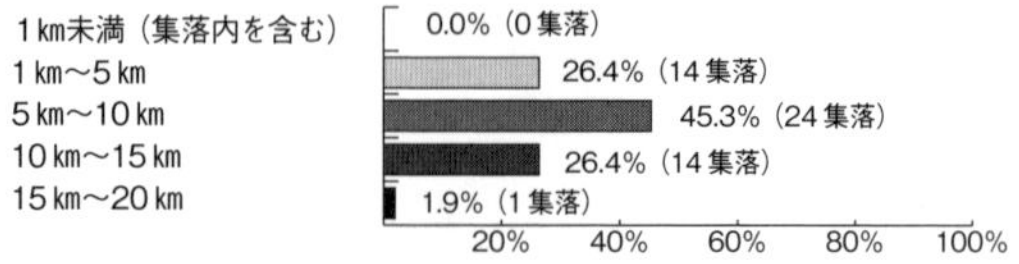

⑤最寄りの医院等（内科）までの距離

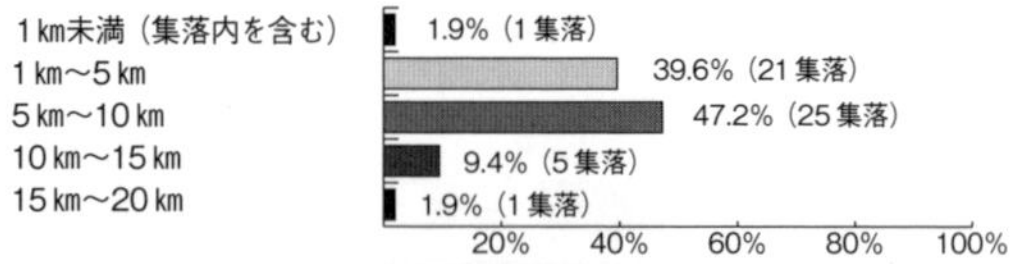

⑥最寄りの医院等（歯科）までの距離

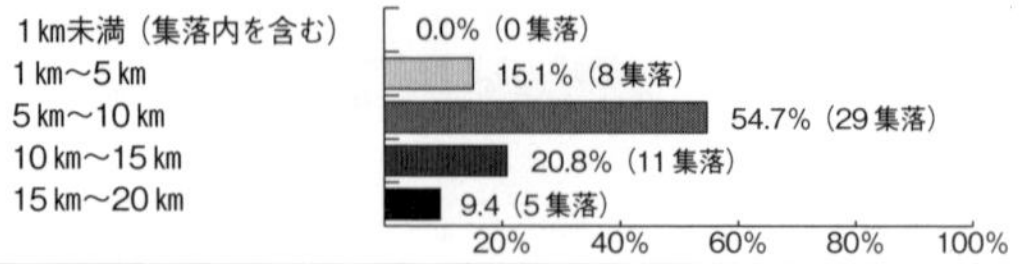

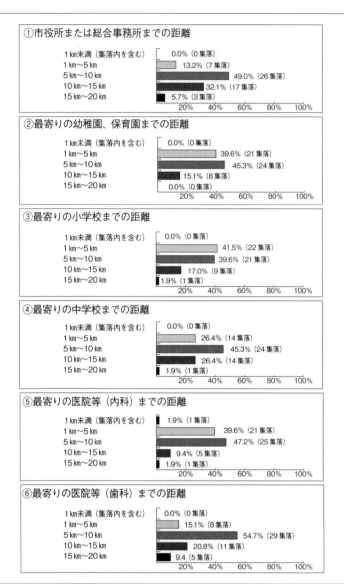

⑦最寄りの総合病院までの距離

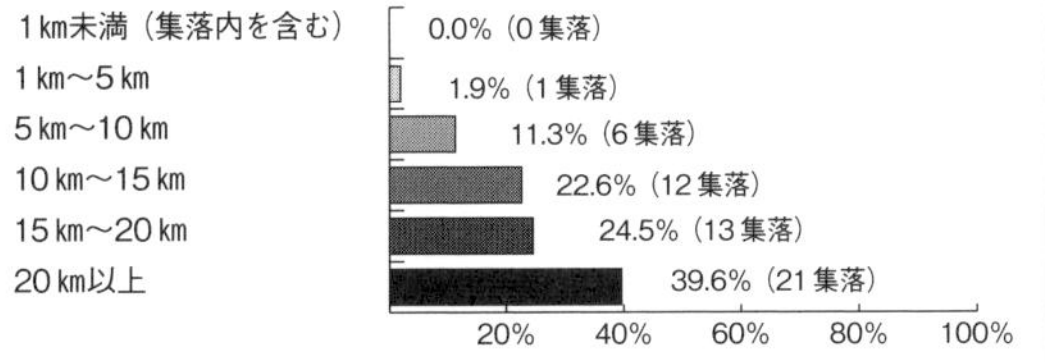

⑧最寄りの商店（日用品）までの距離

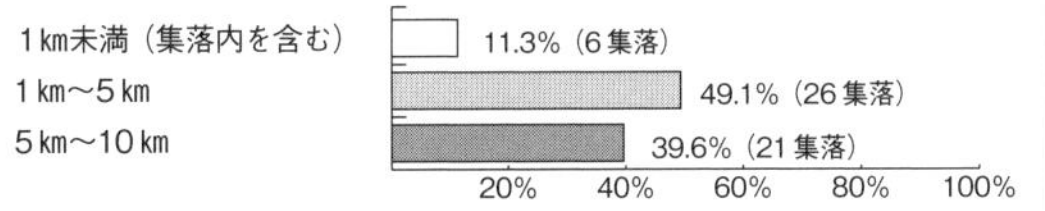

⑨最寄りのスーパー、ホームセンターまでの距離

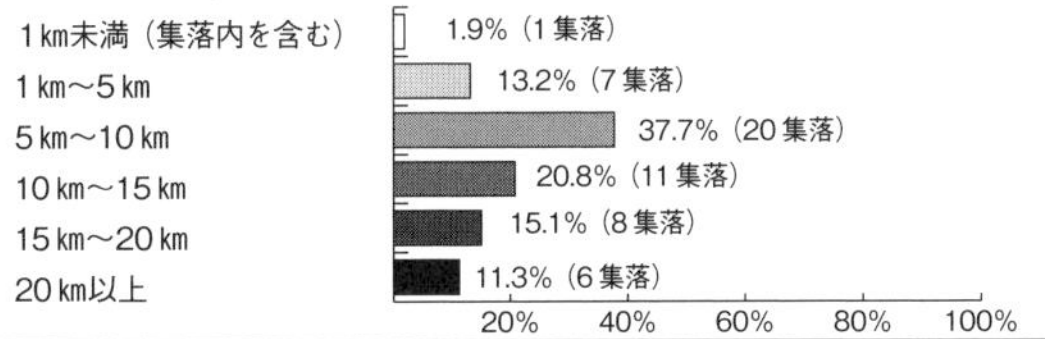

⑩最寄りの金融機関（郵便局含む）までの距離

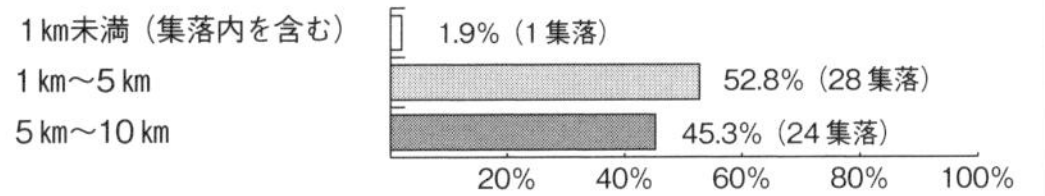

⑪最寄りのバス停までの距離

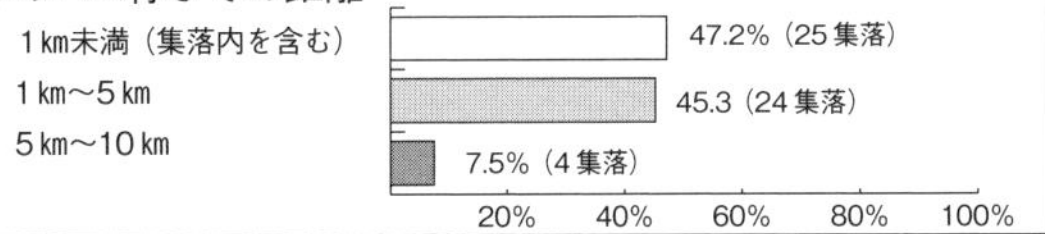

⑫最寄りの鉄道駅舎までの距離

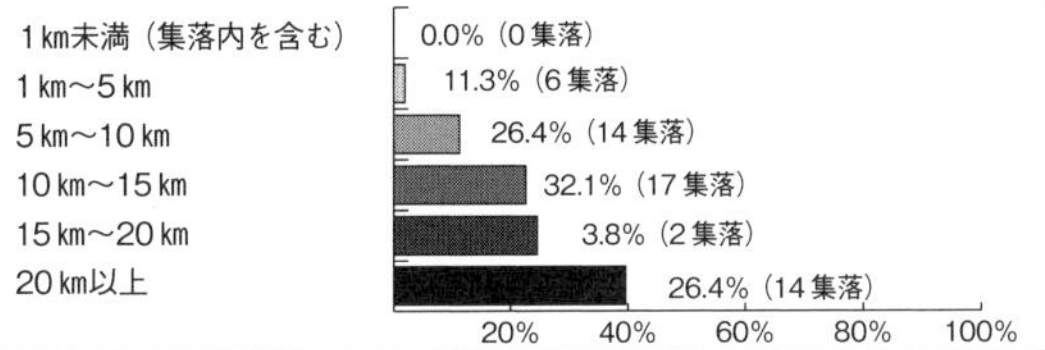

付　記

高知県大豊町や旧池川町を出発点として全国の「限界集落」を歩き続けてきた私に、高知新聞企業文化出版局局次長の足羽潔氏から「限界集落」に関する書籍出版の打診があったのは２００７年夏だった。全国に広がる「限界集落」。それから半年後、２００８年1月21日、信濃毎日新聞社（長野市）での「限界集落と地域再生」企画会議には、今回、発行に踏み切っていただいた南日本新聞社、長崎新聞社、高知新聞社、徳島新聞社、京都新聞出版センター、静岡新聞社、新潟日報事業社、信濃毎日新聞社、河北新報出版センター、秋田魁新報社、デーリー東北新聞社、北海道新聞社の12地方紙・関連出版社から出版責任者が集まった。

全国新聞社出版協議会に参加する12地方紙・関連出版社がこうした形で共同企画出版をするケースは異例。企画会議は深夜まで続けられ、私にはこれまで発表してきた論文の再発表でなく、全国各地の現在の姿のルポの充実など重い課題が突きつけられた。その熱い論議に「限界集落」の持つテーマの重さをあらためて感じ、加えて書籍タイトル検討の際、「地域再生」を加えたことは12社と私が「思い」を共有する証明にもなった。

春から夏へ。秋田、静岡、滋賀、北海道、福島などの新たな地域も歩き、「限界集落と地域再生」をまとめ上げた。欠かさず出席していた世界農村学会や海外調査の参加中止という事態にもなったが、

12社と共に「限界集落」再生の道を探ることは新しい力と視点を私に与えてくれるものになった。

本書を手にされた読者の皆さんに「限界集落」はどう伝わったのか。「むら」の光景は、グラビアに掲載した「まき姉さん」の笑顔は、美しいミツマタの花はどう受け止めていただいたのだろうか。渡部豊彦先生の言葉は……。いつか、読者の皆さんの思いをお聞かせ願えればと思う。

私ごとだが本書原稿執筆中に、高知にいる妻・正子や娘の歩や千尋が長野に単身赴任の私の健康を気遣い、励まし続けてくれた。家族の応援を本当にうれしく思った。

最後に、第6章の都道府県別自治体間格差分析表の作成は、長野大学企業情報学部の奥村博造教授に携わっていただき、加えて大野ゼミ生諸君の協力を得た。また、執筆にあたって12地方紙・関連出版社に加え、日本農業新聞、農山漁村文化協会の皆様に格別の理解と協力をいただいた。国土交通省、総務省、農林水産省のデータ収集は尾崎美加さんに大変お世話になり、装丁を引き受けてくださった倉橋三郎さんと倉橋三郎ブックデザイン室、そして何より出稿の遅れをカバーしていただいた山﨑かすみさん、吉田一幸さんをはじめ高知印刷の皆さんにお礼を申し上げる。ありがとうございました。

大野　晃

2008年10月10日

限界集落でお年寄りと談笑する大野晃氏
（2006年3月、高知県長岡郡大豊町穴内）

著者略歴

大野　晃（おおの・あきら）

1940年生まれ。長野大学環境ツーリズム学部教授。

高知大学教授、北見工業大学教授を経て2005年から現職。

高知大学名誉教授。千曲川流域学会会長、日本村落研究会副会長、日本農業法学会理事などを歴任。専門は環境社会学、地域社会学。日本全国の山村地域のほかルーマニア、スウェーデンなど世界各地の条件不利地域の比較研究、村落研究を続ける。綿密なフィールドワークを経て1988年に「限界集落」の概念を提唱。四万十川や千曲川研究の成果を踏まえた「流域共同管理論」も唱える。山村再生や地域づくりのアドバイザーとして活躍中。

長野県上田市在住。

著書＝「山村環境社会学序説」
2005年農山漁村文化協会
「流域環境の保全」
2002年朝倉書店（共著）

『限界集落と地域再生』は全国新聞社出版協議会に加盟する地方紙・関連出版社12社による共同企画出版です。

◇　◇　◇

北海道新聞社／デーリー東北新聞社／秋田魁新報社
河北新報出版センター／信濃毎日新聞社／新潟日報事業社
静岡新聞社／京都新聞出版センター／徳島新聞社
長崎新聞社／南日本新聞社／高知新聞社

限界集落《げんかいしゅうらく》と地域再生《ちいきさいせい》

2008(平成20)年11月17日　発行

著　者　大野　晃
発行者　徳永健一
発行所　㈱新潟日報事業社
〒951-8131
新潟市中央区白山浦２-645-54
TEL 025-233-2100　FAX 025-230-1833
印　刷　高知印刷株式会社

ISBN978-4-86132-300-3